D0835495

Mathias Ospelt

Das LiGa 1994-2006

Vaduz 20.9.07

Für Graham,

mit einem herzlichen Glückwunsch zur Fertigstellung Deines grossen Werkes!

Ganz herzlich

Mathias.

Der Autor dankt der RHW Stiftung, dem Kulturbeirat der Fürstlichen Regierung Liechtensteins sowie der Gemeinde Vaduz für die freundliche Unterstützung.

Impressum

Gestaltung: Hansjörg Quaderer, Schaan, FL
Gesetzt aus der Sabon und Frutiger.
Gedruckt auf chlor- und säurefreiem Papier.
Druck: Bucher, Hohenems, A
Bindung: Eibert, Eschenbach, CH

2007 BUCHER VERLAG, Hohenems
www.quintessence.at
ISBN 978-3-902525-97-0

Printed in Austria

Mathias Ospelt

Das LiGa

Das Liechtensteiner Gabarett

1994 – 2006

Photographien: Uve Harder

BUCHER *Hohenems 2007*

Inhalt

Dank

«Ohne Wild, keine Jäger!» (Ivan Bürzle)

Schon mit den ersten Aufführungen des „Benkli voräm Huus“ im April 1994 war klar, dass wir mit unserem Liechtensteiner Gabarett eine verhärtete Stelle im weichen Gewebe unserer Heimat gefunden hatten. Und wir merkten, dass das genüssliche Darauf-Herumdrücken durchaus therapeutische Wirkung hat. Zwölf entspannende Jahre lang.

Zuerst einmal möchte ich mich bei meinen beiden Mittherapeuten Ingo und Marco bedanken, die keinen Anstoss daran nahmen, dass jetzt halt nur mein Name auf dem Buchdeckel steht. Es ist mir immer wieder eine Ehre und eine Freude, mit Euch Kindsköpfen auf der Bühne zu stehen! Dank an den Gestalter Hansjörg Quaderer, der sich mit asienerprobter Gelassenheit durch meine teils pedantischen Korrekturen töggelte und nebenher ein wunderbares Buch schuf. Dank an den Bucher Verlag, der Hansjörg und mich völlig frei machen liess.

Alle Fotos in diesem Buch stammen von Uve Harder, der uns von allem Anfang an mit seiner Kamera begleitet hat. Die Programmkarten wurden (bis auf zwei Ausnahmen) von Regina Marxer gestaltet. HerzLiGa Dank Euch beiden, dass Ihr Euer Material zur Verfügung gestellt habt!

Der grösste Dank geht an May. Für alles und einen Satz. Und dass Du nie verraten hast, wo ich das alles abgeschrieben habe!

Mathias Ospelt, im September 2007

s Benkli vorām Huus

ein Heimatabend

Texte: Mathias Ospelt
Musik: Marco Schädler
Regie: Ingo Ospelt
Premiere: 7. April 1994, Frohsinn, Gamprin
Derniere: 8. Oktober 1995, Frohsinn, Gamprin

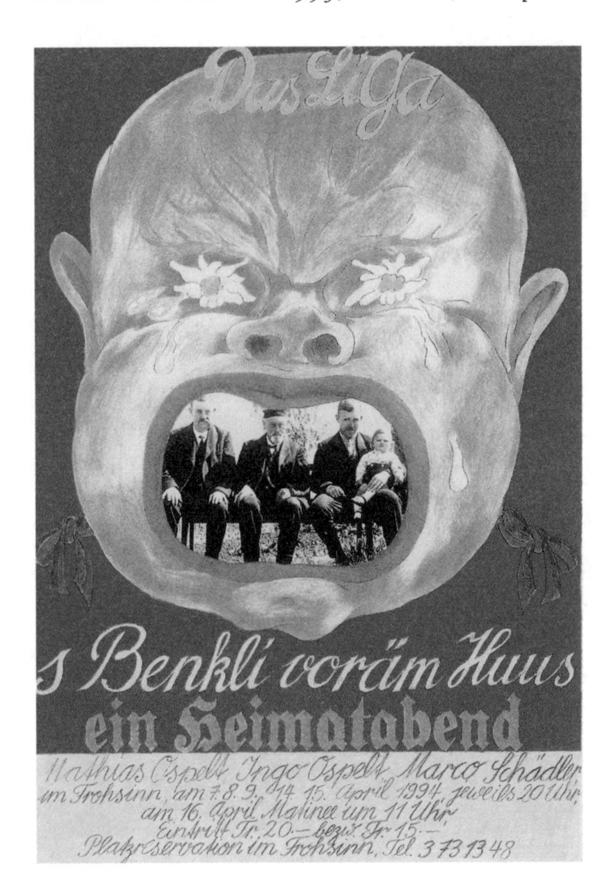

Programm

Lied: s Benkli voräm Huus

(Text: Ida Ospelt-Amann; Musik: Franz Biebl)

Hoi

Zwischentext 1

Heimatbrett

Lied: Wo der Wildbach rauscht

Leserbriefe

Zwischentext 2

Tibet

Der Wahlkandidat

Lied: Du und i sind Brüederli

(Trad., bearb. Josef Frommelt)

Zwischentext 3

Der Einbürgerungswillige

Lied: Weihelied

(Text: J. B. Büchel; Musik: J. G. Rheinberger)

Brauchtum

Funkenlied

(Text und Musik: Josef Frommelt)

Frauensketch

Finale

Lied: d Bank voräm Huus

Zwischentext 1

A und **B**

A: *Sehr verehrtes Publikum, die Kulturoffensive rollt und rollt, wir möchten Sie ganz herzlich zu unserem faszinierenden[1] Satireabend begrüss ...*

B: *Heimatabend, bitte, ja? Zu unserem faszinierenden Heimatabend begrüssen!*

A: *Also, wir möchten Euch ganz herzlich zu unserem satirischen Heimatabend ...*

B: *Hör mal, wir hatten uns doch darauf geeinigt, dem Publikum einen faszinierenden HEIMAT-Abend zu bieten!*

A: *Ach wie langweilig!*

B: *Was heisst da langweilig? Wir bieten einen faszinierenden Heimatabend, bei welchem unser faszinierendes Brauchtum, all die faszinierenden Traditionen und faszinierenden Lieder aufleben sollen. Was ist daran langweilig?*

A: *Das hat doch alles keinen Pep! Keinen Sprutz! Wo bleibt denn da der politische Anspruch?*

B: *Hör mir mal gut zu: ich habe absolut keine Lust, mich hier in aller Öffentlichkeit agitpropmässig zu entblöden und nachher hängt mir das gesunde Volksempfinden in der Person von Herrn Unbekannt ein Verfahren an! Heinzel[2] ist überall!*

A: *Ach komm jetzt: Kabarett ist Kabarett!*

B: *Aber nicht, wenn es gegen die Monarchie geht!*

A: *Wer will denn etwas gegen die Monarchie ...*

B: *Kabarett geht IMMER gegen die Monarchie. Schon aus Prinzip!*

A: *Satire darf alles!*

B: *Aber Satire MUSS nicht alles!*

A: *A propos, da hab ich einen guten Witz gehört.*

B: *?*

A: *Da sitzen der Fürst, ein Treuhänder und der Bischof Wolfgang gemeinsam in der Sauna und ...*

B: *Um Gottes Willen! Du bringst uns noch in Teufels Küche!*

A: *Du bist ja vielleicht vernagelt!*

B: *Ich weiss wieso!*

A: *Du hast ja ein richtiges Brett vor dem Kopf, hast ja du!*

1 nach: "Faszinierendes Liechtenstein", der Slogan des Liechtenstein-Auftrittes an der OLMA 1993

2 Michael Heinzel, Redaktor des Oppositionsblatts "Löwenzahn", der 1993 wegen „Herabwürdigung des Staates" zu einer Busse von 1'000 Franken verurteilt wurde.

Heimatbrett

A und **B**

B: *Man kann nicht sagen, der Liechtensteiner habe grundsätzlich ein Brett vor dem Kopf.*

A: *Da stehe Gott vor!*

B: *Vielmehr ist's ein Berg. Ein ganzes Gebirg. Sozusagen.*

A: *Das ist ja gerade das Fatale. Ein Vorgebirg.*

B: *Bretter können ja ohne grossen Aufwand abmontiert werden. Weggerissen. Je nach dem sanft entfernt. Restauriert. Oder sonstwie erneuert. Berge kaum.*

A: *Höchstens in Skigebieten.*

B: *Der Liechtensteiner entgeht seinem Berg vor dem Kopf allein durch Verlegung seines Standorts. Das heisst nun aber nicht, dass der Liechtensteiner SEINEN Standort verlegt.*

A: *Weit gefehlt.*

B: *Er versetzt viel eher den Standort des Berges. Indem er, ...*

A: *... der Liechtensteiner, ...*

B: *... sich von ihm, ...*

A: *... dem Berg, ...*

B: *... abwendet. So bleibt der eigene Standort bewahrt. Dies geschieht zum Beispiel durch eine Ferienreise oder einen Studienaufenthalt oder ein Hauswirtschaftsjahr, durch Aussendienst, den Erwerb eines Häuschens im Süden oder in den Staaten. Doch lange hält er es meistens woanders nicht aus ...*

A: *... - der Liechtensteiner - ...*

B: *... meist nur so lange, bis das Heimweh beginnt. Bis die Sehnsucht nach den Bergen die Augen mit dicken Tränen füllt. Was wiederum den Blick ganz erheblich beeinträchtigt.*

B: *Man stelle sich folgende Situation vor: ...*

Stimmungsvolle Musik, Licht wird abgedunkelt, A und B beginnen sich umzuziehen; A: Hosenträger und Dächlikappe, B: Kopftuch und Schürze

B: *Ein Häuschen in der Provence. Abends. Sie.*
Und Er.

A und B setzen sich auf die Bank

Er: *So so*

Sie: *Joo?*

Er: *Mm hm*

Sie: *h*
h
hhhhhh

Sie: *Ischt jetz daas en schööna Sunnanuntergang.*
Er: *Jo*
Sie: *Dia Faarba. Und so grooss.*
Er: *Jo jo*

Sie: *Wia z Malibu!*
Er: *Wia z Malibu!*
Sie: *Aber dahääm isch es o schöö!*
Er: *Dahääm isch es o schöö!*
Sie: *Aber jetz simmer jo noch doo!*
Er: *NOCH simmer doo, jo!*

Er: *Hött ischt Donnschtig.*
Sie: *Jetz wärsch gärn dött.*
Er: *Na nei. Do isch es o schöö.*
Sie: *Jo. Do isch es schöö.*

Er: *Jetz sin si draa.*
Sie: *Gäll, wärscht jetz gärn dahääm.*
Er: *Na nei. Do isch es o schöö.*
Sie: *Jo. Aber gäll, wärscht gärn dahääm?*

Er: *Und du?*

Beide weinen

Er: *Nögscht Joor verkoofemer das huara Klump!*

B: *Im Grunde kann der Liechtensteiner also gar nichts dafür, dass ihm zuweilen die Weitsicht fehlt.*
A: *Wie könnte er sie auch haben? Mit der Schweiz vor Augen.*
B: *Tagtäglich. Jahrein. Jahraus. Wecker klingelt. Raus aus den Federn. Rein ins Bad. Blick aus dem Fenster. Und:*
A: *Der Gonzen. Der Seveler, Buchser und der Grabser Berg.*
B: *Da putzt es sich die Zähne mit dem richtigen Biss. Da gleitet die Klinge ruckzuck übers Kinn.*
A: *Aber: mal ganz ehrlich. Denen auf der anderen Seite geht's doch genauso. Den eigenen Berg im Rücken, den fremden vor der Nase. Eigentlich müssten wir ja tauschen. So könnten WIR den ganzen Tag auf UNSERE schöne Heimat blicken und die anderen auf die ihre.*
B: *Schwierigkeiten gäb's dabei wohl nur mit den Kirchen.*
A: *Dafür sähe man, wo man dereinst zur letzten Ruhe gebettet würde. Und der psychologische Nebeneffekt, ...*
B: *... sozusagen das Winken mit dem Friedhofszaunpfahl - memento mori, bevor du hier noch alles versaust - ...*
A: *... würde den bei einem solchen "Völkeraustausch" notwendigen Aufwand durchaus rechtfertigen. Nun wäre bei*

solcherlei Tun aber längst nicht allen Liechtensteinern ein Dienst erwiesen. Wie immer und so auch hier gibt es Ausnahmen:

B: *Die Maurer, die Schaanwälder, die Eschner.*

A: *Diese glücklichen Menschen geniessen den nötigen Weitblick: die Weite des Rieds.*

B: *Der Blick der Berger wiederum beschränkt sich auf "uuf" und "aab". Welche Erkenntnisse dabei gewonnen werden? Alles, was hochsteigt, fährt am Ende des Winters wieder runter. Alles, was hinabsteigt, kehrt nach Feierabend wieder heim.*

A: *Dem Liechtensteiner fehlt die Weitsicht. Und doch ist er gut informiert über all die Dinge, die sich hinter den Bergen und flussabwärts abspielen.*

B: *Er hat den BLICK fürs Wesentliche und BILDet sich durchaus seine eigene Meinung.*

A: *Und sollte dies seinen Wissensdurst nicht stillen, so hat er sich schon seit jeher auf die entsprechenden Quellen, die munter in den einheimischen Tageszeitungen sprudeln, verlassen können: die Kneippbäder langweiliger Znünipausen, die "Unfälle und Verbrechen", sprich: die Leserbriefe aus nah und vor allem fern.*

B: *Doch, so denkt sich der Liechtensteiner immer wieder, was soll all dies Gerede über die Ferne und die Weite, wenn es doch so viel Schönes über die unmittelbare Nähe und die unvermittelbare Enge zu berichten und zu besingen gibt.*

Beide: *Ein Lied, zwo drei:*

Wo der Wildbach rauscht

Wo der Wildbach rauscht
Und das Murmeltier dem Balzhahn lauscht.
Wo der junge Berger Beizen zertrümmert
Und keine Sau sich darum kümmert.

Wo die Sandbank schweigt,
Derweil der Rhein ansteigt.
Wo eine junge Frau aus Chur tot in den Fluten liegt
Und ein Balzner meint: ‚Die hat wohl keinen abgekriegt!'

Wo das Maisfeld singt.
Ein wehmütig Lied des Schnitters erklingt.
Wo sich im Maurer Riet unentdeckt
Ein Schweizer Grenzer versteckt.

> *Ja, da bin ich zuhaus.*
> *Ja, da komm ich noch draus.*
> *Ja, da bin ich zuhaus.*
> *Nur hier halt ich's noch aus.*
>
> *Ja, da bin ich dahääm.*
> *G'hör zur Crème de la Crème.*
> *Ja, da bin ich dahoom*
> *und schwimme mit dem Strom.*

Wo der Alphornbläser blasen tut
Mit Kuh im Ohr und Sennenhut.
Wo der Gamsilijäger Gemsen schiesst
Und der Nachbar vom Tiroler Balkon grüsst.

Wo du verkabelt glotzt,
Mit Schweizer Franken protzt,
Einem Tirauler Trinkgeld gibst
Und dich in eine Kärntnerin verliebst.

Wo die Kuckucksuhr noch richtig tickt,
Der Junior im DFB-Leibchen kickt,
Wo du ‚Grüezi' sagst und ‚Servus Tschau',
Der Bubi Kevin heisst, das Mädchen May Ling oder Morgentau.

> *Ja, da bin ich zuhaus …*

Tibet

A und **B**

B: *Jetz*
A: *Hm?*
B: *Jetz isches sowitt!*
A: *Was?*
B: *Jetz hen sis dena Kineesa schinnts erlaubt, im Land z bliiba.*
A: *Kineesa?*
B: *Jo dia do z Balzers!*
A: *Tibeter manscht?*
B: *Jo dia, säg i jo!*
A: *Also zwöschat da Tibeter und da Kineesa ischt denn scho noch en …*
B: *A sona huara verdammti Sauerei!*
A: *… kliinan Underscheed.*
B: *Kond afach do her und brääten sich uus.*
A: *Also …*
B: *Und d Regierig luaget weder amol noget zua.*
A: *Jo mein Gott, s sind halt Flöchtling!*
B: *Flöchtling! Höör mr bloss uf! I ka das Wort numma hööra!*
A: *Wenns woor ischt!*
B: *Flöchtling! A so en Seich!*
A: *Jo was sind s denn dinera Maanig nooch?*
B: *Brofitöör! Nüt anders!*
A: *Profitöör? Jetz muasch mr no noch säga, a waas dia paar Tibeter profitiera söllen.*
B: *A öserem Woolschtand natörleg! A all dem, wo mier üüs i da letschta vierzg Joor dor haarti und eerligi Arbet erwörtschaftet hen.*
A: *Harti und eerligi Arbet?*
B: *Harti und eerligi Arbet!*
A: *Ischt das din Ernscht?*
B: *Vierzg, was säg i, foffzg schwääri Joor lang hen mier under dr bschötzenda Hand vo öserem aalta Landesförscht bogglet und gschaffet und krampfet und kröpplet!*
A: *Was het jetz o der do drmet z tua?*
B: *Und etz do dia Jappaaner.*
A: *Tibeter!*
B: *Ischt doch schiissagliich! Uf alli Fäll hoggen dia jetz i öserem Land, nönd üüs dia belliga Wooniga aweg, fressen vo öserna Stüüra, kond Kleider, Schua und Spellzüüg öber und*

kascht no luaga, am End faaren si o noch i öserna Kärran umanand! Sechzeha Mauntenbeik het ma dena gschenkt! Es muascht dr amol voorschtella! Dia sin doch no nia uf amanan erniga Göppel khogget! Dia maanen doch, das sei en böösa Geischt, a Höllamaschina! Mauntenbeiks! Do hoggen dia doch nia im Läban uffi! Do muan si jo eppes tua! Do muan si jo strampla! Sechzeha Mauntenbeiks! So en Seich! Dia kond doch dr Kultur-Schock över!

A: *Also Velo gits z Tibet glob scho oo!?*

B: *Und als nögschts wenn denn dia Goofa en Geimboi.*

A: *I glob also netta, dass d ...*

B: *Und etz loos no! Jetz kunnts Beschi! Do het mr dr Nigg gseet, dr Tschümperli hei im verzellt, dr Brunhart hei im gseet, er sei körzlig am Stammtesch khogget und do seien doch net ufs Mol zwo vo dena, dena ...*

A: *Tibeter?*

B: *Genau! Zwo vo dena seien afacht aso ihako und heien ...*

A: *Und heien?*

B: *Es muascht dr amol voorschtella! Kond afacht aso iha und ...*

A: *Und?*

B: *Und bschtellen Bier!*

A: *Jo und?*

B: *Und konds o noch över!*

A: *Jo und etza?*

B: *Und gsoffa hen sis grad o noch! Aber s Allergrööscht sei gse, si heien sogäär drfööer zallt! Und waascht, was dia frecha Siachan am End noch gmacht hend? Trinkgeld gee! En Franka! Dr Brunhart heis gnau gsaha! En ganza Franka Trinkgeld! A sonan Uuverschammtheit!*

A: *Aber loos amol, wo litt jetz do s Problem?*

B: *Wo s Problem litt? Es ka dr ii gnau säga: s Problem ischt, dass ma as Flöchtling ka Trinkgeld zallt, well ma as Flöchtling gär ka Geld zom Trinkgeldzala het! Verschtooscht! As Flöchtling het ma sich gfälligscht wia nen Flöchtling z benee!*

A: *Aber dia muan doch ...*

B: *Nütt muan dia, gär nüüt! Und glachet heien si grad oo!*

A: *Glachet?*

B: *Jo, glachet! Dr Brunhart heis gsaha! Glachet henn si, Witz gmacht, sich allem Aaschii nooha amüsiert!*

A: *Aber das ischt doch schöö?!*

B: *As Flöchtling HET MA NÜÜT Z LACHA! As Flöchtling het ma d Pflecht, uus Reschpekt vor dr Bevölkerig vom Gaschtrecht gewäärenda Land, ned z lacha!*

A: *?*

B: *Loos: mier gond doch oo net i deran ieri Länder und grinsen der ganz Taag aso saufrech umanand! MIER wössen schliasslig, was sich khöört!*

A: *Jo söllen si dr ganz Tag Räär loo?*

B: *Es ischt mer gliich, was si tuan! No ned aso klappet lächla. Und Goofa genauso. Häscht scho amol d Goofa vo dena gsaha?*

A: *Nei*

B: *I o netta, aber dr Böhel het mer verzellt, dia teien o dr ganz Tag no lächla!*

A: *Jo aber Kinder ...*

B: *I ha gär net gwösst, dass ma as Flöchtlingskind sövel zom Lächla het!*

A: *Dia henns jetz also wells Gott schwäär gnua!*

B: *Nüt ischt! Dena goots afacht vill z guat! Is Arbetslaager sött d Regierig dia stegga! Dermet si o eppes tuan för der Stutz, wo si i da Spünta versuufen. Krampfa mösten dia, schaffa! Im Schaaner Gmaandswaal d Waldwääg*[3] *freilega zom Beischpiil! Aber so eppes kennen dia jo netta: boggla. Dia sin o ned aso wia mier! Dia henn jo o ka Kultur!*

A: *Jo um Gottswella, was mänscht jetz o do drmet?*

B: *Wian is säg! Dia henn ka Kultur so wia mier!*

A: *??*

B: *Dia henn ka kwaksni Kultur. A sona Kultur wia öseri, wo us schwäärer Arbet entschtandan ischt! Ufem Feld. Ufem Hof. Im Waal. Alli dia Empeeriga, wo mier jeda Taag uf üüs nönd. All das Leid. Do het mis Määtle scho Recht kha dermet, wo si gseet het, dia mösten alli aso wia mier kröppla!*

A: *Dini Tochter het das gseet? Jo welli?*

B: *Jo dia, wo bir Landesverwaaltig aagschtellt ischt!*

Der Wahlkandidat

Landtagskandidat Ivan Bürzle **B** und Fotograf **F**

In der Wohnung des Wahlkandidaten Ivan Bürzle

B: (geht an die Türe) *Harrgo ...* (öffnet; draussen steht der Fotograf F) *Sooo. Ir sin maan i pünktleg. Konn iha id Stoba.*

F: *Hoi. Jo, i ha im Moment en grausama Stress, ned. Und etzt ischt mr o noch dr Hampi abglega und etz muass i halt do dr ganz Schitt ...*

B: *Hampi?*

F: *O do dr Ding, wascht, dr Konrad dr Hampi. Vor Zittig. Halt o er, wo do verantwortleg ischt för der ganz huara Seich do.*

B: *Ah, dr Konrad! Jo, abglega? Was het er denn?*

F: *O d Stägan ahitroolet im Dampf dinna.* (beginnt, auszupacken, Stative aufzustellen etc.)

B: *Jo schlimm?*

3 Bezugnehmend auf einen Vorschlag des Leserbriefschreibers A B aus Schaan, 1. März 1994, Volksblatt

F: *O nogat an Bänderress ...*
B: *Jösses!*
F: *... und a blaus Oog.*
B: *A blaus Oog?*
F: *O vam Kneu, waascht. Der huara Lalli! Und etz kann i do alaa ummaseggla. Also, fangemer a? I sött o noch zo dan andra.*
B: *Klar, klar.* (nimmt einen Notizblock zur Hand) *I ha jo do scho a Beschprechig kha met em Konrad, odr, uf was do speziell Wert gleet wöra sött bi dera Waalkampanja, ned, i ha mer do o scho a paar Sacha ...*
F: *Alles klar, Meischter, alles klar! Dr Hampi het mer do sini Notizza ge. Wo han i si?* (sucht) *A do!* (zieht einen Büschel Notizzettel aus seiner Jackeninnentasche) *Also: fangemer aa.* (geht hinter die Kamera)
B: *Guat.* (nervös, prüft Haare, Krawatte etc). *Fangemer aa. Was söll i? I ha das jo no nia gmacht, so ...*
F: (knipst) *Es lernscht schnell, no kan Angscht. Guat. Luag no ganz normal'id Kamera.*

Ivan versucht, ganz normal in die Kamera zu kucken.

F: *Guat* (knipst), *guat, das ischt o guat, jo, und etz probieremers amol med amana früntlega Gsecht.*
B: *Jo es han i doch ...*
F: *Säg amol: Schiiiiisswaaala.*
B: *?*
F: *Schiiiss huara Waaala, kumm!*
B: *Schiiss-Waala.*
F: *Jo i sach, es het kan Wert. Machemer witter.* (kramt in den Notizzetteln) *Also, was hemmer do: Bürzle, Ivan. Klammer, der Schreckliche. Haha, es wörscht wool du sii. Also: s Wechtigscht zeerscht. Zivilstand: ledig. Schlecht, Ivan, ganz schlecht. Kinder: keine. Es ischt under denan Umschtänd wederum ned schlecht. Geschwister: keine. Jo harrgotzack, wo söllemer denn do d Goofa hära nee?*
B: *Was?*
F: *Jo halt o d Goofa!*
B: *Goofa?*
F: *Jo! Goofa! Förs Fotti.*
B: *Fotti?*
F: *Jo Harrgolamia, was henn s denn do för an uufgschtellt! Goofa! Förs Fotti! Ir Zittig!*
B: *Jo aber ...*
F: *Jo aber?*
B: *Han i kaani!*

F: *Han i kaani?*
B: *Goofa!*
F: *Eba!*
B: *Eba?*
F: *Eba hescht kaani. Und d Fründin? Het o kaani?*
B: *?*
F: *Öb d Fründin ka Goofa hei, Heilandzack! Voman andra vilecht! An, wo ned aso kluppig ischt met sim, sim …*
B: *I ha doch gär ka Fründin!*
F: *Was, du hescht ka Fründin?*
B: *I ha ka Fründin!*
F: *Blödsinn! Jeder het a Fründin. Öb khüroota odr net.*
B: (beleidigt) *I ha halt kaani!*
F: (entsetzt) *No nia kaani kha?*
B: (gereizt) *Natörleg han i scho aani kha!*
F: *Wenigschtens das …*
B: *Aani*
F: *Wenigschtens gond si ned med amana Schwudi gi kandidiera …*
B: *Was?*
F: *O nüüt. Jo und dia Fründin, dia ka ma ned irgendwia reaktiviera? Öberreda, dass si weder* (stösst B den Ellbogen in die Seite), *verschtooscht? Dass si weder …*
B: *Kaum!*
F: *Hesch si so verroggt gmacht? Ha?* (lacht dreckig)
B: *Nei*
F: *Jo het si mettlerwiil khüroota?*
B: *Nei!*
F: *Jo säg scho! Uusgwanderet? Ka ma ko loo! Is Klooschter? Zallt ma dem Klooschter an Abfindig! Also kumm scho!*
B: *Tot isch si.*
F: *Tot?*
B: *Jo tot. Gschtorba.*
F: *Tot*
B: *Hüroota hemmer wella.*
F: *Tot …* (überlegt)
B: *Und denn het si der Uufall kha.*
F: *Guat! Beschtens! Denn gommer nocher ufa Fredhof und machen dött noch a paar schööni Beldle. Es verschtond Lütt scho. Und Sümpatiischtimma gitts grad oo. Also: ka Goofa. Bischt wenigschtens Götti vo irgendeppas, he?*
B: *Jo vo wem denn?*
F: *O vomana Goof vo irgend amana Koleeg halt. Oder hescht o ka Koleega?*

B: *Klaar han i Koleega!*
F: *Guat. Nöömer halt a paar Goofa vo dena. Witter. Eltera?*
B: *Dr Vatter ischt im LBZ*[4] *...*
F: *Lallifotti machemer kaani.*
B: *Und Mamma ...*
F: *D Mamma?*
B: *Und Mamma het ...*
F: *D Mamma het? Hopp!*
B: (unwirsch) *D Eltera hen sich trennt dozmol. Gscheda ...*
F: *Und?*
B: *Jo nüüt „und". Khüroota het si weder.*
F: *Jo und? Es ischt doch hött normaal.*
B: *Es ischt scho normaal.*
F: *Aber?*
B: *Aber, dass es uusgrechnet an ehemoligs Regierigsmetgliid vo dan andra sii het mösa, es ischt net normaal.*
F: *Schitt, es het net sii mösa. Dia Schlampa!*
B: *?*
F: *O wegat da Fotti maan i. No wegat da Fotti!*
B: *A haa*
F: *Witter, mier verlüüren do no Zitt. Beruf: Jurischt. Wia könnts o anderscht sii.*
B: *Hä?*
F: *O an andra nön si doch gär numma!*
B: *Wia manscht etz daas?*
F: *O wian i s säg. D Jurischta sin doch dia anziga hött, ...*
B: *D Jurischta sin Träger vo öserem Woolschtand! Ischt das klar? Ooni Jurischta ka Liachtaschtaa! Ohne Jäger kein Wild. Wenn mier Jurischta üüs ned asoo ums Wool vom Staat UND vo da Lütt im Staat kümmera täten, wer täts denn? Wer macht denn dia ganz Arbet ...*
F: *?*
B: *Wer macht denn dia ganz Dräggarbet ...*
F: *Eba*
B: *Globscht du es ischt en Gschpass? All Taag dr Grind häraheba mösa för irgendwelchi Idiotta, wo sowisoo nüt verschtond ...*
F: *Nüt mee verschtond!*
B: *Wo nüt verschtond vo dära ganza Mateeri! Politik, was säg i, Staatsführung ist eine komplexe Angelegenheit höttstags, mein Lieber, do ka doch numma jedr Hinz und Kunz ummavolkswörtschafta und ummabuachhälterla wias em grad gfallt. Do bruuchts Eksperta, verschtooscht, met*

4 Liechtensteinisches Betreuungszentrum

Diplöömer, FACHLÜTT. Dia Zitta sin glöklegerwiis und endgöltig verbei, wo jedr dohärgloffnig Buur oder Leer oder oder Bibliotekaar Regierigsscheff het wöra könna ...

F: *Jojojojo, guat, guat, machemer wittr?*

B: *I ha do dermet no säga wella: soo aafach isch es oo wedr net.*

F: *Hobbis?*

B: *Tennis. Was globscht denn du, wövel Zitt das alls i Aaschproch nünt?*

F: *Und?*

B: *Und Golf natörleg. Wövel Uufwand und o Empeeriga*

F: *Golf natörleg. Was noch?*

B: *Segla, Reisa. Familena liiden under ösernan Absenza.*

F: *Also dine wol kaum.*

B: *I maan das jetz generell. Familena, Fraua, Kinder ...*

F: *Normaali Hobbis hescht kaani?*

B: *... s ganz sozial Netz, verschtooscht! Was manscht met "normaali Hobbi"?*

F: *Jo halt o was en normaala Liachtaschtaaner aso tuat am Fiiroobet.*

B: *Jurischta HEN KAN Fiiroobet!*

F: *Jo warom sach i eu denn dia ganz Zitt i da Spünta noch em Seksi?*

B: *Das sin Beschprechiga!*

F: *A so*

B: *Arbetsgschprööch*

F: *Und us denan Arbetsgschprööcher ka ma ka Hobbi maha?*

B: *Wia mänscht etz daas?*

F: *Mier sötten Fotti ha, guata Maa. "Hier sehen Sie unseren Landtagskandidaten Ivan Bürzle auf einem Segeltörn in der Karibik." - "Hier sehen Sie unseren Landtagskandidaten Ivan Bürzle beim US - Golf Open in Auguschta." - "Hier sehen Sie unseren Landtagskandidaten Ivan Bürzle bei einer folkloristischen Darbietung in Schwarzafrika." Globscht du, mier konn di aso verkoofa?*

B: *Jo ...*

F: *Nei! Kommer netta!*

B: *Jo aber ...*

F: (schaut auf seine Uhr) *Harrgolenti, gooscht nia an Stamm?*

B: *Moll, scho ...*

F: *Also*

B: *Im Real!*

F: *Jo, Gopf, ned deer! Gooscht du is Real gi jassa?*

B: *Nei ...*

F: *Also*

B: *I ka ned jassa!*

F: *Was? Ned jassa könna o noch! En Politiker, en JURISCHT, wo ned jassa ka. Wia, wia wetsch denn du di dorisetza?*

B: (eingeschnappt) *Met Argument!*

F: *Met waas?* (lacht unverschämt) *Argument?* (wieder ernst) *Witter: git s ka Beiz, wo d mengmol hiigooscht zom, zom* ... (lacht auf) *argumentiera?* (schüttelt den Kopf)
I maan völleg normaal, ooni Politik.

B: *Jo vilecht met da Koleega. Obwool ...*

F: *Obwool?*

B: *Jo i ha d Koleega halt o scho a Wiile numma gsaha. Z vil Arbet: Setziga, Parteitreffa, Komissioona undsowitter.*
F: *Aber i maan, wörscht jo jetz denn o baal amol gi weibla*[5] *mösa, ned?*
B: *Scho*
F: *Also. Wo gooscht denn? Is Real wol kaum.*
B: *Ned umbedingt, nei.*
F: *Also: Frittigoobet. Achti. Du wetscht gi weibla. Wohi gooscht?*
B: *„Real" dörf i ned säga?*
F: *Nei! „Real" dörfscht NED säga!*
B: *Hm, das ischt no schwierig. Is Wolf?*
F: *Is Wolf!? Am Frittigoobet, am achti. Weibla. Im Wolf ...*
B: *Genau: Am Frittigoobet, am achti. Wiibla. Im Wolf.*
F: *Wiibla?*
B: *Wiibla! Äh, weibla!*
F: *Und med WEM wetscht denn WEIBLA? Am Frittigoobet, am achti, im Wolf?*
B: *Jo halt o met da Lütt, ned?*
F: *Met da Lütt, klar. Und met wellna Lütt?*
B: *Jo halt o da Lütt, wo denn so im Wolf sin, amana Frittigoobet, am achti* (unsicher) ...
F: *Zom Büschpell?*
B: (überlegt) *Zom Büschpell, mmh, met, metam, mmh ... Met dr Anschi! Jo genau, met dr Anschi! Met dr Anschi tuan i denn weibla, am Frittig ...*
F: *Anschi wövel?*
B: *Anschi, Anschi waas doch net! D Barmeid halt oo!*
F: *D Barmeid? Guat. Met wem noch?*
B: *Jo halt met da Junga, ned. Do hets jo all a paar.*
F: *Met da Junga, so. Met dr Anschi und met da Junga goot dr Landtagskandidat Ivan Bürzle amana Frittigoobet am achti im Wolf gi weibla.*
B: *Genau!*
F: *Amana hundskomuuna Frittigoobet, korz vor da Waala, goot dr Landtagskandidat Ivan Bürzle am achti is Wolf z Vadoz gi weibla. Met foffzeha Junga, wo a.) entweder noch im Gimi sin, oder b.) irgendwo ir Welt irgendeppas am ummaschtudiera sin und zo 99% am Waalwochanend a irgend amana Steevaukonvent*[6] *odr gi Bangitschumpa sin und do dermet net gi wäala gon odr c.) en Schwizer Pass hen. Und derzwöschet pflegt er noch Konversazioo met dr Anschi, dr Fründin vo ösrem Landtagspräsident, anara Barmeid usem hindera Kloschtertal. Viil Erfolg, Herr*

5 weibla: um die Gunst potentieller Wähler werben
6 StV-Konvent: Versammlung der Mitglieder einer Studentenverbindung

Bürzle! Viil Erfolg bim weibla und o sövel bi da Waala!

B: *Guuat, okee!*

F: *Loos, guata Maa, s Wolf kascht vergessa, klaro? Du muascht id Dorfschpünta, verschtooscht? Real, Wolf, guat und recht, aber dött hoggen leider Gottes ned dia Lütt, wo di, möglicherwiis, wenn si sich no ned komplett blöd gsoffa hen, wäägla könnten, verschtooscht, KÖNN-TEN, wenns di kenna TÄ-TEN! Also: S ganz nochamol vo vorn: Frittigoobet, achti. Dr Landtagskandidat Ivan Bürzle verloot sis Huus, pötzlet und gschtreglet und met amana Huffa Geld im Sagg. Er loot s Auto ir Garrasch, …*

Ivan nimmt sein Notizbuch und schreibt mit.

F: *… ma waass jo nia, goot zomana Koleeg, an, wo ma kennt im Dorf, en Iiheimischa, am beschta en Handwerker med amanan aagna Gschäft, das kunnt all guat aa, Handwerker sin beliabt, und neutral, drum ka ma si ir höttiga Politik o numma bruucha, und denn, gsetztafalls du findsch so en naiva Idiott, gonder zemma in Hirscha oder is Schwert oder i d Poscht oder wohii o immer, no ned grad is Edelwiiss, klar?*

B: *Klar!*

F: *Ier gond ihi, du seescht ganz normaal: ‚Hoi metanand!'*

B: *‚Hoi metanand!'*

F: *Oder: ‚Guatan Oobet!'*

B: *‚Guatan Oobet!'*

F: *Denn gonder an Stammtesch und du frögscht: ‚Ischt noch frei?'*

B: *‚Ischt noch frei?'*

F: *Wenn si ‚Nei' sägen, seescht: ‚Schaad!'*

B: *‚Schaad!'*

F: *Oder: ‚Ka ma nüt maha!'*

B: *‚Oder ka ma nüt maha'.*

F: *No ned grad: ‚S ischt grad o gliich!'*

B: *Es netta.*

F: *Oder: ‚Nebet eu Döttel well i änawäg ned hogga!'*

B: *Es o netta.*

F: *Und denn gonder anen Nebatesch, nönd eppes Kliises und verschwinden sobaal as er fertig sin i dia nögscht Beiz. Klaro?*

B: *Klaro!*

F: *Wenn si aber ‚Jo' sägen …*

B: *Jo?*

F: *Wenn si aber ‚Jo' sägen, denn hoggender eu zuahi und du seescht:*

B: *Es waass i!*

F: *Jo?*

B: *‚Soooo, wia henders? Gonder o gi wäälä?'*

F: *Also, dr Aafang stimmt, jo. Sötscht na no ned scho gleich z verschtoo ge, wisoo du di zom erschta Mol set zwanzg Joor i der Spunta verirrt hescht. Also: ‚Soo, wia henders?' ischt ir Ordnig. ‚Gonder o gi wäälä?' ischt Selbschtmord, klar?*

B: (schreibt das Wort aus) *Selbscht – mord. Klar!*

F: *Und denn kunnts Frolein und denn? Was seescht?*

B: *‚En Gin Tonic! Met vil Iis und amana Oranschaschnetz!'*

F: *Neineineineinei …*

B: *Zitroonaschnetz?*

F: *Neiiii!*

B: *Jo aber andersch trink na ned!*

F: *Du suufscht öberhoppt kan!*

B: *Was?*

F: *Was globscht denn du, was d Lütt denken? Ka Fründin ha und Gin Tonic suufa! Manscht, dia sin blööd? ‚Gin Tonic. Met vil Iis und amana Oranschaschnetz'? Kasch dr jo glei dr Grind aamoola. Heiligs Verdeena!*

B: *Jo, was söll i denn?*

F: *A Bier, du Chaot! A hundsnormaals huara Bier. A Stanga. Und wenns kaani gitt, a Spetz. Kapiert? Afacht a Bier!*

B: *Aber …*

F: *Nüt aber! Du nünscht a Bier und ka Diskussioona. Und wenns ned magscht, denn worgsch es din Gorgel ahi, und wenns dr schlecht wörd. Waalkampf ischt Kampf. Kriag. Do wören Opfer broocht! Kriag ischt a Meenersach. Biersuufan oo. Drum suufschd du dis Bier wia mier alli o!*

B: *Aber …*

F: *Nix! Bier gsoffa wörd! Und sos gitts nüt! Bischt en Maa oder bischt kan!? ‚A Stanga bitte, Frolein!' Verschtooscht mi. ‚Eine Stange für den Herrn!' Und looss dr bloos ned iifalla, irgend aso na huara Mexikanerwässerle z bschtella, med amana Zitroonaschnetzle im Fläschahälsle …*

B: *Aber …*

F: *Waaas?*

B: *Kan i ned o en Köbel …*

F: *Köbel? Zom drikotza vilecht?*

B: *I ha jo no …*

F: *Jo, du häschd no. Du häschd no bschtella wella: ‚Eine Stange, meine Dame!' Und bim zwoota Mol gits a Rundi för alli, klar! Und derzua en Schnaps! En Krütter! ‚Alles auf meinen Deckel!' Verschtooscht? Und noher grad* *nochamol s Gliich! Hescht mi!*

B: (schreibt in seinen Notizblock) *Schnaps. Krütter. Stanga. Alles klar!*

F: *Also. Kommer jetz witter maha?*

B: *Med was?*

F: *Hogg di dött her, ufa Bank. Oder waart! Bring zerscht noch zwo Bier!*

B: (dreht sich beim Hinausgehen noch einmal um) *Warmi, kalti, iiskalti?*

F: *Schiissagliich! Afach zwo Bier. Und noch en Schnaps. Und a paar Gläässle!*

Ivan kommt mit einem Servierboy, darauf 2 Bierflaschen, 1 Schnapsflasche, 2 Biergläser, 2 Schnapsgläser.

F: *Kan Aanig … So, hogg di her do! Mach dr s bequem! Schenk dr ii!*

B: *Magschd oo?*

F: ?

B: *Ha mers doch denkt.* (schenkt F ein)

F: (hinter der Kamera) *Guat. Jetz tuascht asoo, wia wennd met dina Kolleega im Spunta hogga täätscht!*

B: *Im Real?*

F: *Suufschd dött Obschtler?*

B: *Nei …*

F: *Also …* (knipst) *Nümm en Schlogg!*

Ivan trinkt einen Schluck Bier.

F: *Jo jetza!*

Ivan nimmt einen grösseren Schluck.

F: *Das ischt scho besser. Und etz en Schnaps!*

B: *Afacht aso?*

F: *Jo wia soss?*

B: *O soss gits all aso Häpple derzua.*

F: *Häpple?*

B: *O Kanapee!*

F: *Kanapee ..?*

B: *Jo so klinni Bröötle med Zügs.*

F: *Zügs ..?*

B: *Jo. Görkle, Kääs, Laks.*

F: *Laks ..?*

B: *Mengmol sogär welda.*

F: *Welda?*

B: *Fileeschtöggle*

F: *Vom Laks?*

B: *Oder Muss ischt o fein!*

F: *Muss ischt o fein …*

B: *Oder Paschteetli*
F: *Med Obschtler?*
B: *Hh?*
F: *Weldlakspaschteetli med Obschtler?*
B: (lacht) *Was?*
F: *Suufschd du zo dina Weldlakspaschteetli Obschtler?*
B: *Wisoo söll i?*
F: *EBA! Du Narr! Was hends do blooss weder för an gfunda?*
B: *Jo was ischt jetz los?*
F: *SUUF!*
B: *Okeeokee, du bischt der Scheff! I ha jo no … i ha das jo*

no nia … (trinkt einen Schluck, verzieht das Gesicht) *Uuää!*

F: *Harrgotz! Mach ned a sona Gsecht! Nochamol!*

B: *Muass das ..?*

Fotograf ignoriert ihn.

B: *Guat! Wenns sii muass?! Wenns dr Meischter seet …* (trinkt das Glas leer, es schüttelt ihn)

F: *Kasch der ned normaal suufa?*

B: *Jo …?*

F: *Hopp! Iischenka!*

Ivan schenkt sich nochmals ein.

F: *Beedi Glääsle!*

B: *Magscht o an?*

F: *Witter!*

B: *Okeeokee! Aber zeerscht spüala* … (trinkt einen Schluck Bier) *Und etz: Ex und* … (stürzt den Schnaps mit einem Schluck hinunter)

F: *Ned aso schnell, Harrgolo! Waart bis i grecht bi!*

B: *Alles klar, Herr Kommissar!*

F: *Also!*

B: *Guat!* (nimmt den Schnaps, trinkt und rollt dabei mit den Augen)

F: *Was söll jetz daas wedr. Nochamol!*

B: *Nochamol. Guat.* (schenkt sich zwei Gläser ein) *Nochamol*

F: *Uund: Jetzt!*

B: (hält das Glas ausgestreckt) *Uf mini Partei und uf an groossa Siig vor …*

F: *Heiligs Verdiana!*

B: *… Grechtigkeit und vor Eerligkeit und vor Transchparentsch, ned? Und ufa suuberi* … (kippt sich die Hälfte über die Krawatte) *Hups!*

F: *Ischt das menschamögleg!*

B: (lacht dämlich, zieht sich die Kravatte über den Kopf) *Es kas jo gee, hihi. Nöömr halt nochamol a sona Dingiledo. Aber zeerscht* (streckt den Zeigefinger in die Luft): *Spüala!* (nimmt die Bierflasche und trinkt sie leer) *Aaahhhh! So! Meine Herren Geschworenen! An die Arbeit!* (nimmt den Schnaps) *Auf die Gesetze und den Landtag!* (stürzt den Schnaps)

F: *Halthalthalt!*

B: (schenkt sich wieder nach) *Und jetzt nöömer noch an ufd Verfassig. Proscht Verfassig! I bi dr Ivan!* (trinkt, während er seine Finger wie beim Pfadigruss gespreizt hält) *Ohne Wild, urps, keine Jäger!* (lacht) *Und denn natörleg noch an* *uf öseri,* (lacht) *uf öseri,* (Lachanfall) *uf öseri,* (lacht) *nei!* (verschüttet den Schnaps) *Hoppla!* (schenkt sich wieder ein, verleert die Hälfte)

Fotograf räumt seine Sachen zusammen, schüttelt den Kopf, geht.

B: *Soooo, un etz noch an uf öseri,* (lacht) *uf öseri Mona!* (lacht) *Monarchii!* (trinkt, nimmt im Trinken das andere Glas) *Und natörleg uf ösera hochgschätzt Erbprinz, äh, Förscht!* (erhebt das Glas) *Förscht! I maan, Hans Adam! I bi dr Ivan! Ufa schööni und erfolgriichi Tschemmanarbet, ned, und ufa* (trinkt) *zfredni Koeschk, Koegsch, Kokschi, Ko-ekschi-schtentsch, jawoll!* (schenkt wieder ein) *Du! Hämilten*[7]*! Mach noch a Fotti, wian i met em Hans Adam Duzis mach! Es macht all en guatan Iidrogg! Du! Wo bischt?!* (merkt, dass F gegangen ist) *Hei, Niuuten!? Jo wo ischter etz, der Lalli? Wo ischt er etz weder hii? Der Spetz-* (trinkt) *buab? Aber verschtoo tuat er grad o nüüt vo sim Gschäfft! Tölpel der! Etz könntr Belder maha! Etz! Aber nei. Hei! Spetzbuab! Mier hen doch noch ufa Fredhof wella! Mier hen doch noch ufa ...* (nimmt das Glas) *Munggile!* (steht auf, erhebt das Glas) *Munggile! Uf dis Wool!* (trinkt, kippt um, heult, was auch immer)

Der Einbürgerungswillige

Alexander **A** (mit schwäbischem Akzent) und Bruno **B**

B: *Jo Servus, Alexander, wia häsch es o all?*

A: *Hoi, Bruno, hoi! Gutt gutt, hab i s all. Und du? Was macht d Familie? Alle munter?*

B: *Alli munter, Alexander! Alli munter! Und dine?*

A: *Ach, es ischt doch immer dasselbe! Ma het doch immer irgendebbes, gell?*

B: *Du loos amol, Alexander, i ha do khöört, du wellisch di iibörgera lo? Ischt das woor?*

A: *Wer het dir jetzt daas wider erzellt?*

B: *Schpellt ka Rolla!? Khöört han is halt.*

A: *Jo wo?*

B: *Jo am Stamm, oder, wo ma so Sacha halt höört, ned? Möstischt halt o amol goo!*

A: *D Buschtrommla funktioniere wieder prächtig, ha, Bruno?*

B: *Jo, do wörsch di dra gwööna mösa, wennd än vo üüs wöra wetscht.*

A: *Ist scho klar, Bruno, ist scho klar. Des ischt jo bi uns dahoim genauso, gell!*

7 *David Hamilton, englischer Fotograf, Meister der Weichzeichner-Erotik*

B: *Eba. Aber säg etz, stimmts?*

A: *Ja i hab jetz amol a Gesuach gschtellt, gell. Weil mein Älteschta, das Peterle, der wird ja jetzt dann bald emol volljäärig, gell, und da hab i und di Helga halt denkt, mier versuachens halt emol, gell? S wär jetzt grad a guati Zitt ...*

B: *So nooch da Waala, mänscht?*

A: *Jo, zum Beischpil.*

B: *Jo und du wetscht ned Schwoob - äh - Dütscha bliiba?*

A: *Ach, Bruno. I bi doch jetzt scho viile Joor do bi euch im Ländle, gell. Und a sona Nazionalität ischt doch am End nur a Stüggle Papier ...*

B: *Also öseri seher netta, wennd ees mänscht!*

A: *Nei, nei, Bruno, so hab i das au wider net gmeint. I mein nur, die deutsche Staatsbürgerschaft liegt mir net aso am Herze wie ...*

B: *Wia d Liachtaschtääner, mänscht?*

A: *Jo zum Beischpil.*

B: *So*

A: *Jo und do hemmer halt denkt, vor allem wege de Junge, gell! Die wenn jo, wenn si emol gross sind, sicher au do im Ländle bliibe. Schwätze tun si jo wie richtige Liechteschtei-*

ner und, Bruno, wääle tun si sicher au s richtige, gell!

B: *Was mänscht jetzt do dermet?*

A: *Ebbe, das richtige halt, Bruno. Das richtige!* (Augenzwinker)

B: *Wenns no woor ischt.*

A: *Da kanscht drauf baue, Bruno! Die Junge sind scho recht.*

B: *Jo, s sin o weniger dia Junga, wo mer Sorga machen …*

A: *Wie meinscht jetzt das, Bruno?*

B: *O ma hóört do so einiges!*

A: *Zum Beischpil?*

B: *I säg etz nüüt. I ha no khöört.*

A: *Jo was denn, Bruno?*

B: *Loos, Alexander: i glob, DU bischt scho uf dr rechta Sitta. No: dini Aalt, verschtooscht, d Helga, ma red do so einiges.*

A: *Ach Bruno, dumms Züüg! No weil sie sich jede Mittwoch mit dene Fraue treffe tut? Meinscht das, Bruno?*

B: *I säg nüüt. I ha no khöört. Aber amol eppes anders. Wia wetsch denn du das aapagga do? Der Waalkampf? Hescht scho än Mänätscher?* (lacht) *Oder bischt din ägna Strateeg? Was ischd dine Taktik?*

A: *Wisoo? Brauch i eine?*

B: *Jo i täät scho säga, moll. Soss kas denn gern hintan ussi goo!*

A: *Jo Bruno, wia denn?*

B: *Zom Biischpell: bischt du i irgendamana Verein?*

A: *Jo aber Bruno, des weischt doch!*

B: *Tuan i das?*

A: *Aber sicher! I bin doch scho seit etliche Joor Präsident vom Schwäbsche Verein Liechteschtein. I verkauf doch jedes Joor mit den andere Vereinsmitgliider Spätzle und Maultasche am Fürschtefescht!?*

B: *Jo es ischt vilecht ned grad dr richtig Verein zom bin eran Iibörgerig en Huffa Stimma zgwünna, ned?*

A: *Meinscht? Aber mier verkaufe doch immer alles? Unsere Spätzle und Maultasche sin beliibt wie d Sau, Bruno, oder net?*

B: *Jo, solang si kän Liachtaschtääner Pass hen scho!*

A: *Wie meinscht jetz daas, Bruno?*

B: *A nüüt. Muascht da Lütt halt verschprecha, dass d im Fall von eran Iibörgerig met ebasoviil Elaan Vadozner si wörscht, wiad jetzt Präsident vo dem Spätzliklub bischt. Vilecht globts dr jo än …*

A: *Klar, Bruno, klar! Des mach i.*

B: *Und soss? Anderi Aktivitääta? Wo bischt soss noch derbei?*

A: *Jo, d Helga und ii sin letscht Joor amana Sportverein beitrete!*
B: *Ah, das tönt scho besser! Wellem?*
A: *Jo dem Golf Klub Bad Ragaz.*
B: *Wetscht mi etz veraarscha?*
A: *Wisoo? Das ischt en reschpektaable und au üsserscht seriöösa Verein!*
B: *Es glob dr ii ufs Wort, no …*
A: *Hm?*
B: *… no isches ned grad en Verein, wo da Lütt doo groossan Iidrogg macht, verschtooscht?*
A: *Nei*
B: *Sin do vil Liachtaschtääner i dem Klub?*
A: *Scho, doch!*
B: *Zom Biischpell?*
A: *Jo a paar Unterländer hets. Ganz netti Lütt.*
B: *Tschügger?*
A: *Jo! Vo Escha.*
B: *Wetscht du di z Escha iibörgera loo?*
A: *Nei …*
B: *Hets vilecht o Vadozner i dem Klub?*
A: *Vaduzner? Jo natürlich!*
B: *Wer?*
A: *Jo do dia Rengglis. Zauberhafti Lütt!*
B: *Renggli?*
A: *Jo. Er schafft bei der Hilti.*
B: *Renggli! Wer noch?*
A: *D Obermüllers!*
B: *Obermüller. A ha. Und dia hend alli en Liachtaschtääner Pass?*
A: *Also Bruno!? D Rengglis sind doch Schwizer und d Obermüllers …*
B: *… und s Obermüllers sin Fidler!*
A: *Aber lääbe scho lang in Vaduz.*
B: *Aber dörfen leider ned gi abschtimma!*
A: *Das stimmt, Bruno. Da hascht Recht!*
B: *Also! Wer noch!? Und jetzt mään i Vadozner! Ned irgendwelchi Habakuks und Habascha.*
A: *Jo zum Beischpil dia Beck.*
B: *Also was mier ischt, gits z Vadoz no noch än änzigi Vadozner Beck! Und dia dörft kaum imana Golfklub sii!*
A: *A so? Jo dann halt dia Nigg, ganz nette …*
B: *S gitt o ka Vadozner Nigg! Aber vilecht wetscht jo o Baalzner wöra!*

A: *Jo gitts dia Möglichkeit au?*

B: *Wennd nochamol zwanzg Joor waartischt! Also i säch: Der Golf Klub Bad Ragaz bringt di ned witter! Was tuan denn dini Goofa? Sin dia i irgendwellna Klüb oder Verein?*

A: *Jo klar! Also, das heisst, s Peterle net. S Peterle ischt ja imene Internat, gell. Er ischt ja soo intelligent! Der hetten s üüs doch da i dem Gümnasium kaputt gmacht, gell. Drum ischt s Peterle in Sankt Mooritz. Inere ganz anere guete Schul!*

B: *So?*

A: *S Gleiche gilt au fürs Katriinle.*

B: *Oo z intelligent?*

A: *Ach nei. Eher s Gegeteil, Bruno. Drum ischt si jetzt in Zuoz, gell. Si ischt aber immer noch im Schettland-Langhaarponi-Klub.*

B: *Langhoor wövel?*

A: *Schettland-Langhaarponi-Klub!*

B: *Gitts der scho lang?*

A: *Jo scho a paar Joor, Bruno.*

B: *Do z Vadoz?*

A: *Aber Bruno! Der ischt doch z Fraschtanz!*

B: *Fraschtanz. Witter awägg hets ned sii könna?*

A: *Ach Bruno. Zerscht het si doch i der Streichelkoala Verein welle.*

B: *Striichel waas?*

A: *Aber der ischt z Konschtenz! Ischt daas a Drama gwee, bis mier das Katriinle zum Überrede broocht hen, hei!*

B: *Denn hender noch än, ned? Dr Jüngscht!*

A: *Ach, der Günnder. Aber der ischt ned aso wi mier das gern hätte. A bisele aus der Art gschlaage, wie mier saage.*

B: *Wisoo? Was tuat er?*

A: *Ach! Er will ums Verregge Handwerker werre!*

B: *Handwerker? Jo schreklig!*

A: *Jo! Motorrad-Diseiner!*

B: *Gottswella! Verein?*

A: *Jo er het doch e so e Maschiin, gell! E so e Haarli. Und da gibts jetz so en neue Klub, gell!*

B: *A jo, han i o scho khöört dervoo. Min Jüngschta ischt dött glob o derbei: Haarli Deividsen Klub Liachtaschtää oder so eenlig.*

A: *Ned ganz, Bruno, ned ganz. I glaub, die han sich ned e so gut verschtande …*

B: *Wer?*

A: *Jo do der Haarli Klub, wo dei Jüngschter dabei isch und di*

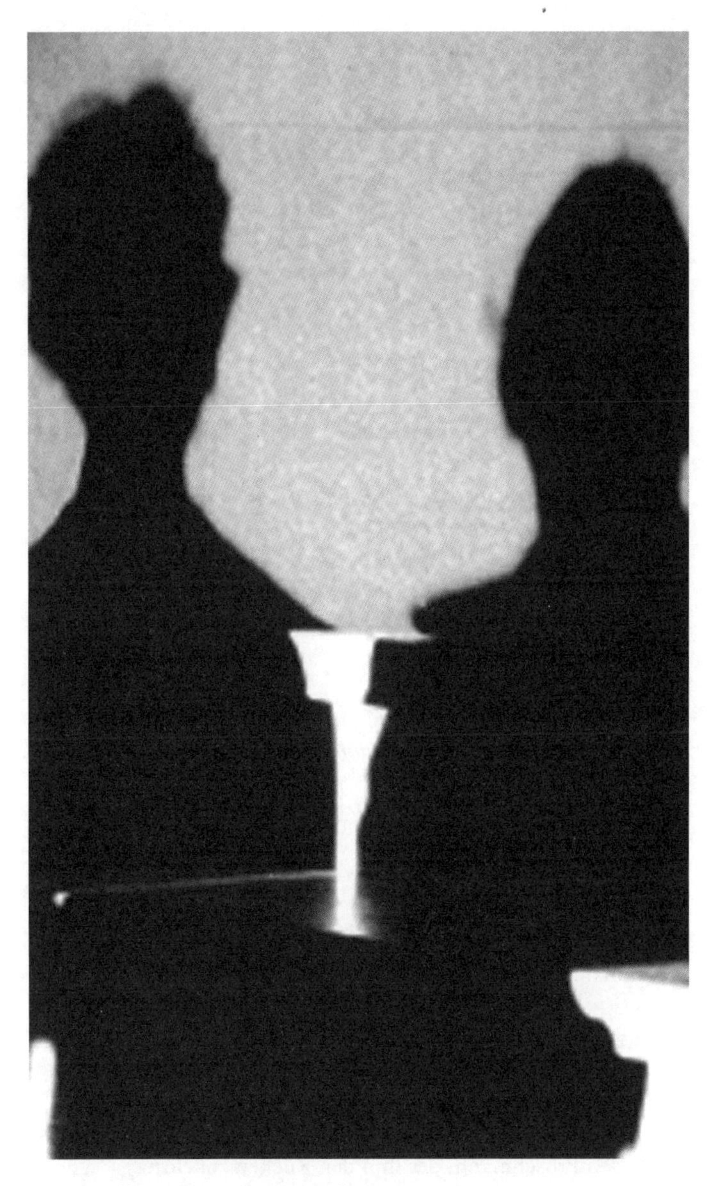

Kolleege vo meim Günnder.

B: *A so?*

A: *Jo und da habe si en eigene Klub gründet.*

B: *Und der häässt?*

A: *I glaub: Haarli Trend Villevirtel oder so ähnlich.*

B: *Aha. I glob, dr Karl het mer dervoo verzellt.* (hustet) *Und soss? Pfadi?*

A: *Ach, des war doch nix für unsere Bube. Z wenig Klasse,*

Bruno! Z wenig Klasse!

B: *Also mina Buaba hets taugt!*

A: *Ja, scho …*

B: *Tschutta?*

A: *Also Bruno, i bitt di!*

B: *Jo, Alexander, i säch do klinneri Probleem för dii.*

A: *Ach, Bruno. Das wird scho werre! Du kanscht ja vielleicht mal e bisele Werbig mache für uns, hm? Am Stamm! Hei! Soll dein Schaade nicht sein!*

B: *Mol luaga …*

A: *Hm? Mier verschtend üüs?!*

B: *I globs fascht.*

A: *So. Jetzt muass i aber witter.*

B: *Was häscht noch?*

A: *Ach! Unser neus Haus! Wemme do dene Arbeiter ned stendig auf d Finger schaut!*

B: *Neus Huus?*

A: *Ach. Das han dr jo gar net erzellt, Bruno! Mier baue!*

B: *Jo säg!*

A: *Nur so e kleine Villa!*

B: *Jo und wo?*

A: *Im Villeviertel.*

B: *Im Villaviertel? Jo, i ha gmännt, dött sei afoochas alls verbaut?*

A: *Z Vaduz schoo, Bruno! Z Vaduz schoo! Aber mier baue doch z Schaan! Hei!*

Finale

Froschmann **F**, Bauer **B**, Marco **M** und Haas **H**

Geräusch von Wasser, Blubbern, Seifenblasen
Froschmann mit Schnorchel, Taucherbrille, Jeans-Shorts und Flossen watschelt über die Bühne. Er spielt mit einem goldenen Ball. Bauer kommt auf die Bühne mit geschulterter Sense, begutachtet den Froschmann, der ihm den Rücken zukehrt.

B: *Jo was ischt jetz daas för än? Bischt du dr Froschkönig?*

F: (bemerkt den Bauern, spricht durch den Schnorchel) *Grüss Gott!*

B: *Hoi du! D Fasnacht ischt denn im Fall verbei!*

F: *Guter Mann, er störe mich nicht!*

B: *Was? Du höörscht mi ned? Jo ka Wunder …*

F: *Geh er des Weges!*

B: *Jo! Das ischt mini Segess!*

F: *Mach er einen Abgang!*
B: *Won i hiigang? Jo halt o ad Demo!*
F: *Demo?*
B: (knöpft sein Hemd auf; auf dem Unterleibchen steht: „Wir wollen keinen Diktator wo das Volk nicht will"[8]) *Do! Am füüf vor zwölfi, vor em Schloss! Kunnscht oo?*
F: *Der Kerl soll hier keine Rast machen!*
B: *Palastwachen? Jo vergess es. Du bischt wol ned vo do?*
F: *Der Bauer beliebt zu faxen!*
B: *Aus Sachsen? Ja so! Jo und was suachscht du do?*
F: (entnervt) *Den Froschköönig!*
B: *Was? Hosch wenig? 346 Kloofter, wenn s gnau wössa wett!*
F: *Den Froschkööönig!*
B: *Was isch es? Föönig? Ka Spuur! Aber du spüürscht na glob!*
F: *Den Froschkönig!*
B: *Dr Schorsch Thöny? Nei, er kenn i jetz netta!?*
F: *Den Froooooschkööööönig!*
B: *Los, guata Maa, i verschtand di ned. Red doch dütsch oder gär netta!* (Bauer ab)
F: (nimmt den Schnorchel aus dem Mund) *Den Froschkönig!* (Pause) *Es ist was faul im Staate! Sein oder mein! Sein oder nicht hier sein. Das sind die Fragen! Ob's edler im Geblüt, die Pfeil und Schleudern des wütenden Geschicks erdulden oder, sich waffnend gegen einen See von Plagen, im Widerstand zu enden. Sterben - schlafen. Schlafen! Vielleicht auch träumen ...*[9]
M: *Mach du jetz gschiider, dass d hei chuscht. Sus holt di no dr Pöökibau*[10]*!*
F: *Der Pöökipau?* (fasziniert)
M: *Ja, oder wian ier sägät: dr Frooshaas*

Ein unheimlicher Wind beginnt zu pfeifen, die Kirchenglocken läuten. Auftritt Haas.

H: *Heilig, heilig, ...* (er steppt und singt zur Melodie)
F: *Bist du der Frooshaas ...?*
H: *Nein, mein Sohn! Gott ist die Liebe und ich bin der Haas!*
F: (reisst sich die Brille vom Kopf) *Jetzt reicht's mir endgültig!*
H: (ebenfalls aus der Rolle) *Ach du mit deinem beknackten Heimatabend ...*

Es entwickelt sich ein Streit zwischen F und H resp. A und B. Marco spielt weiterhin die Melodie von "Heilig, heilig", wechselt schliesslich in "Liechtensteiner Polka". Sobald A und B den Wechsel bemerken, stellen sie sich in Würde auf und singen mit Textblatt zur Melodie der "Liechtensteiner Polka". Bei der zweiten Strophe Polonaise hinaus.

8 Plakataufschrift während der grossen Demonstration vor dem Regierungsgebäude (28.10.1992)

9 aus: Hamlet (von William Shakespeare), 3. Aufzug 1. Szene

10 Triesenberger Variante des Froshas (Sagenfigur)

D Bank voräm Huus

Ma ka z Vadoz goo i und uus,
A Bank hets baal vor jedem Huus.
Si sin net no för riichi Lütt,
Si genn o gern dan Arma Kliikredit.
(… si genn o gern dan arma Schwii Kredit)

Am Eeni und am Enkelkind,
Da Buaba, wo am studiera sind,
Am Töchterli, wo nan In-Beiz wett,
Am Frommelt, Banzer und am Risch und Beck.
(… am Drago, Pablo und am Mohammed)

Wenn denn noch schweerer Arbet Lascht,
Ma i da Banka findet Rascht.
A betzli plaudara ischt so nett,
Vor ma Cüpli suufa goot is Lett.
(… vor ma schlüüfa tuat is Wasserbett)

Ma frooget, was im Land passiert,
Well das a jedes intressiert:
Wer z wenig het, wer öberzooga,
Wer bir Stüürrechnig het gloga.

So het man alli schöö im Greff
Und alli halten brav s Leff.
Hm hm hm hm hm hm hm hm hm hm
Hm hm hm hm hm hm hm hm hm hm

Und in den Kirchen wird weiterhin gebetet
Für die im Riet, im Wald, im Rhein.
Dr Freda litt uf Feld und Flua,
No dr Guggu gitt hött gär ka Rua.

Mier gon usanand noch allna Sitta,
Doch dr Guggu tuat nüüt Guats bedütta.
Ma luagt noch schnell, was dr ander macht,
Zom letschta Mol: Liachtaschtää, guat Nacht!

1994 Das LiGa, und wie alles anfing

„Am Donnerstag, den 7. April um 20 Uhr hat im Restaurant Frohsinn in Gamprin der Heimatabend ‚s Benkli voräm Huus' der neugegründeten liechtensteinischen Kabarettformation Das LiGa Premiere. Das LiGa, oder besser: Das Liechtensteiner Gabarett, wurde im Januar dieses Jahres gegründet und setzt sich zusammen aus: Ingo Ospelt (Darsteller, Regie), Mathias Ospelt (Darsteller, Texte) und Marco Schädler (Musiker). Mit ihrem ersten Programm, ‚s Benkli voräm Huus. Ein Heimatabend' möchten sie mit allen ihnen zur Verfügung stehenden theatralischen und dramatischen Mitteln des Kabaretts eine Regionsbeschau im allgemeinen und eine Landesshow im besonderen bieten. [...]" Volksblatt, 6. April 1994

Mein Bruder Ingo und ich hegten schon lange Ambitionen, etwas Gemeinsames auf die Bühne zu stellen. Im Herbst 1993 kam es zu einer Lesung im „Frohsinn", an der ich satirische Texte und kleinere Szenen/Sketche vorstellte (Heimatbrett, Leserbriefe, Wildbach, Bänkle-Gespräch etc.). Ingo meinte anschliessend, dass man mit diesen Texten etwas anfangen könne. Das war's dann eigentlich. Ursprünglich hatten wir eine Trilogie über Liechtenstein geplant. Das Kabarett sollte dabei als „Heimatabend" den Anfang machen.
Uns war klar, dass Kabarett nur mit Musik funktioniert. Da wir

uns aber beide auf diesem Gebiet nichts zutrauten, gingen wir auf die Suche nach einem Musiker, der bereit wäre, mit zwei „Schwaben" (wir sprachen damals noch vorwiegend Hochdeutsch) ein solches Projekt durchzuführen. Wir hatten zwei Namen auf der Liste. Marco erreichten wir als ersten. Im Januar 1994 trafen wir uns mit ihm im Café Guflina in Triesenberg und stellten ihm unser Projekt vor. Er war sofort bereit, mitzumachen. Von Marco, der damals der „berühmtere" von uns Dreien war, stammt auch der Name „Das LiGa – Das Liechtensteiner Gabarett". Davor hatten die Vorschläge gelautet: „Ospelt & Ospeld", „Die Benklisänger", „Los Peltos" oder „Mathias Ospelt & Ingo Lispelt".

Zu den Aufführungen

Das 'Benkli' wurde im Oktober 1995 nochmals an vier Abenden in einer leicht überarbeiteten Version im Frohsinn Gamprin aufgeführt. Die Änderungen betrafen vor allem die Zwischentexte, die 'Leserbriefe' wurden ersatzlos gestrichen und der 'Frauensketch' wurde durch die Nummer 'Marion Hornhofer-Röckle' ersetzt. An Silvester 1995 wurde das ganze Programm auf Radio L übertragen. 2002 erschien eine Live-CD, die auf dem 95er Programm basierte.

Das LiGa

Ivan goes Landtag

Texte: Mathias Ospelt
Musik: Marco Schädler
Regie: Ingo Ospelt
Premiere: 25. April 1996, Frohsinn, Gamprin
Derniere: 23. Mai 1996, Rathaussaal, Schaan

Programm

Klassische Eröffnung (7.August)

Song: Wahlkampf-Medley (Amarillo)

Begrüssung

Die Bilanz (8. August)

Der Präsident

Salutatio (9. August)

Der Ortsgruppenführer

Exordium (10. August)

Song: Der Kokser (The Boxer)

Das Telefongespräch

Das neue Oberhaupt

Die Jungwähler

Song: Reminiszenz an die Jugend

(A Whiter Shade of Pale)

Die Alternative Opposition (11. August)

Die Botschafter

Der Künstler (12. August)

Abstimmungen und Wahlen

Elocutio (13. August)

Song: Fürstenrave

(Sound-Collage: M. Schädler/ S.Frommelt)

Der Katzenjammer (14. August)

- Song: Ivan (My Way)

- Song: Ivan Bürzle (Tom Dooley)

Hypocrisis (15. August)

Zwischenszene: Kommando Sabrina Sele

Die Lösungen

Song: Kein schöner Land (trad.)

Die Bilanz (8. August)

Landtagsabgeordneter Ivan Bürzle **I** und Parteifreund Kuno **K**

In Ivans Wohnzimmer. Sonntagmorgen. An der Wand hängt ein Abreisskalender: 8. August. (In der Folge hängt jeweils ein anderer Kalender an der Wand, jeweils den folgenden Tag anzeigend.) Ivan Bürzle liegt auf dem Sofa. Dunkle Hose, offenes Hemd. Er schläft. Eine Zeitung über dem Gesicht.Vor dem Sofa eine Flasche Cognac, zwei Cognacgläser.

Türglocke

I: (aus dem Schlaf geschreckt, springt auf) *Bitte! Herr Parteipräsident!*

Türglocke

I: (erwacht richtig, lehnt sich wieder zurück) *Harrgo ...*

K: (platzt rein) *Hescht hött scho d Zittig glesa?!*

I: *Hoi. Zerscht amol.* (sitzt auf, kratzt sich, schaut auf die Zeitung) *S Radio ischt all noch im "Minus vor Wocha".*

K: *Net daas!*

I: *Jo a falsches Fotti hen si halt weder gnoo.*

Kuno nimmt Zeitung vom Tischchen.

I: *Won er mer doch verschprocha het, er teis numman ussagee.*

K: *Do!* (zeigt Ivan einen Abschnitt) *Les!*

I: *„Herr Bürzle, wie sieht Ihre persönliche Bilanz nach 100 Tagen Landtag aus? - Ivan Bürzle:" - also ii - "Ich muss sagen, dass ich schon etwas auf den Boden der Realität geholt worden bin. Die meisten der Parlamentarier scheint es ja nicht sonderlich zu kratzen, was gerade an der Tagesordnung steht. Da scheint die richtige Temperatur des Kaffees schon wichtiger. Ich hätte mir da also schon etwas mehr Einsatz und Interesse gewünscht. Ganz besonders enttäuscht bin ich dabei auch von einigen meiner Parteikollegen, namentlich der Monarchie-Lobby, wo ..."*

K: *Langet scho!* (reisst Ivan die Zeitung aus der Hand) *Langet scho! Säg amol, bischt du noch ganz khöörig!?*

I: *Wisoo?* (nimmt sich die Zeitung wieder) *Stimmt doch!*

K: *Stimmt doch! Natörleg stimmts doch, du Waansinniga! Aber das muass doch net jeder ir Zittig nochlesa könna!* (reisst Ivan wieder die Zeitung aus der Hand)*" ... namentlich der Monarchie-Lobby, die ja ohnehin nicht gerade durch pflichtbewusste Erledigung ihrer Polit-Hausaufgaben glänzte." Und witter dunna: "Ein solch ewiggestriger Monarcho, wie wir ihn in der Person unseres eigenen*

Regierungsmitglieds finden, stellt eine nicht zu unterschätzende, potentielle Gefahrenquelle innerhalb unserer Partei dar!"

I: *A soo han i das denn im Fall net gseet, gell!*

K: *Das hemmer üüs natörleg scho oo denkt.*

I: *Gseet han i vil mee:* (nimmt die Zeitung und liest den Artikel nach) *"Stellt eine nicht zu unterschätzende, potentielle Gefahrenquelle innerhalb unserer Partei dar", DA ER UNSEREN POLITISCHEN GEGNERN IN DIE HÄNDE SPIELT - so han i das gseet - UNSEREN POLITISCHEN GEG ...*

K: *I globs net. I globs afacht netta. Wia kunnscht du derzua, a sonen verdammta ...*

I: *Das khöört doch jetz zo mina Pflechta, Kuno ...*

K: *... huara Seich ...*

I: *... jetz als Metgliid vom ...*

K: *Metgliid vo was?!*

I: *Jo vom Landtag halt oo.*

K: *Du bischt en Stellvertreter, du Waansinnsmaa! An hundssimpla Stellvertreter! En Trettbrettfahrer ufem Regierigs-Zögle. En Beisitzer ufem Landtags-Töff.*

I: *Jo aber der Eid?*

K: *Was för en Eid?*

I: *Jo min Eid, won i met dan andra bir Eröffnigssetzig ...*

K: *Mein Eid, dein Eid. Es haasst doch nüüt!*

I: *Was haasst do "haasst doch nüüt"?*

K: *Wer het dr der Eid abgnoo?*

I: *Jo o dr Förscht.*

K: *Eba. Dr Förscht. Wer aber, Ivan, wer stoot i ösrem Pflechtaheft a oberschta Stell!? Wem allaa khööört ösri ganz Uufmerksamkeit? Wem ösers ganz Ongaschmong? Wem allaa hen mier am End als erschts Rechaschaft abzgee, wenn eppes krumm lauft? Wenn eppes net aso ischt, wias sii sött? Weriliweer ischt öseri högscht und wechtigscht Inschtanz? Eppa der Förscht!?*

I: *Seher net!*

K: *Also: Wer denn?*

I: (überlegt) *Dr liab Gott?*

K: *O Jesses Gott, dr liab Gott! WER, Ivan, ischt NOCH wechtiger als der* (zeigt mit dem Daumen himmelwärts) *..?*

I: (überlegt länger) *D Verfassig, Kuno?*

Kuno zeigt keine Reaktion.

I: *D Gsetzer?*

Kuno zeigt keine Reaktion.

I: *S Volk?*

K: *BLÖDSINN! Ivan! Zo waas machen mier das alles?! Rooti, Schwarzi, Wiissi? Eppa dermets ösra Verfassig besser goot? Oder ösrem Volk? Seher netta! Da Lütt goots guat gnua! Zomindescht zor Zitt! Zomindescht noch bis Wienächta. Vilecht o noch bis nögschti Oschtera. Also! Zo waas stiigen dia wertvollschtan Element vom Staat, also mier, d Elita, id Politik i!? För der liab Gott? För d Gsetz? Seher netta. Und ganz secher netta föra Förscht! Und am allersecherschta netta föra Pö ..., för d Lütt! Also! Säg etz: för wer machen mier das alls? Ivan!*

I: *Jo, Kuno, för wer machen mier das alls?*

K: *För ÜÜS natörleg! För üüs alaa! För üüs. Und d Partei! Dermets üüs guat goot, Ivan. Und besser. Dermets üüs noch a betzile länger guat goot wia bis gi Oschtera. Oder Pfingschta. Und dermet das passiera ka, Ivan, ischt so eppes wia Solidarität gfrooget, verschtooscht, und Loyalität. Dermet mier, d Partei, also du und i und der ander, o wenn er en Schoofseckel ischt, zemmaheben. O wenn alls um üüs ummi zemmakeit. "Ich gelobe, die Staatsverfassung und die bestehenden Gesetze zu halten und in dem Landtage das Wohl des Vaterlandes ohne Nebenrücksichten nach bestem Wissen und Gewissen zu fördern, so wahr mir ...[1]." und so witter. Mumpitz! Das het vilecht noch för en Pfarr Frommelt[2] oder der Abt vo Aspen[3] golta. För üüs haasst das hött: "Ich gelobe, MEINE Verfassung und die ungeschriebenen Gesetze der freien Marktwirtschaft zu halten und in dem Landtage das Wohl der Partei ohne Rücksichten nach bestem Wissen und mit bestem Gewissen zu fördern. Bis dass der Tod uns scheide". DAS ischt der Eid, wo mier ablegen. Und was mier do ganz speziell NET bruucha kond, ischt a sonen Schwafli wia du, wo üüs do irgendeppes vo* (nimmt die Zeitung) *"Ideal" und "hehren Motiven" verzapfa well! Das Wohlergehen unserer Partei ischt ösers Motiv, und der Zemmahalt und d Loyalität under dan Exponenta vo der Partei sin öseri Ideal! Du kascht gern dini aaga Partei offmacha, wennd Problem hescht dermet, aber zerscht* (mit der Zeitung drohend) *züchscht du üüs us dem Schlamassel ussa, wod üüs met dina sauklappata Bemerkiga ihigretta hescht! Hescht mi!*

I: *Also a soo sauklappet ...*

K: *Klappa zua! Und etz speer dini Ooran uuf! Mier hen hött*

1 Eid, den die Landtagsabgeordneten zu Beginn einer neuen Landtagsperiode in die Hände des Fürsten oder seines Bevollmächtigten abgeben (Verfassung, Art. 54).

2 Kanonikus Anton Frommelt (1895 – 1975), Geistlicher und Politiker, Regierungschefstellvertreter der FBP in den Jahren 1932 – 1938, Ikone der FBP

3 Dr. Gerard Batliner, Regierungschef von 1962 – 1970, FBP

am Morga weget dim missionarischa Iifer und dina sensationella Geischtesbletz a Kriisasetzig kha.

I: *Jo und wisoo het ma mier do dervo ...*

K: *I säg der s jetz!*

I: *Jetz! Jetz! I het das doch vil früener ...*

K: *Jetzt ischt früa gnua!*

I: *Aber soss het i doch ...*

K: *Jo denn hettischt glei zom Radio seggla könna, um noch mee Blech z verzapfa. Loos etz! Dr Kriisaschtab ischt zo folgenda Öberlegiga glangt:*
1. Es gilt, das Ansehen der Partei zu wahren.
2. Es gilt, unter allen Umständen einen zweiten Fall Büchel[4] *zu vermeiden!*

I: *Jo haasst das, dass i weget dena paar Sätzle* (zeigt auf die Zeitung) *mini politisch Karriera an Nagel henka ka?*

K: *Loos doch zua! "Es gilt, unter allen Umständen einen zweiten Fall Büchel zu VERMEIDEN!"*

I: *Eba! Das haasst doch, dass i gang?!*

K: *Falsch! DU blibscht! Dr Franz goot!*

I: *Dr Franz? Jo aber der Franz ...*

K: *Der Franz ischt en gschtressta Maa, Ivan. Weich woran i dem Gschäfft. Und als Sproochrohr vor Förschta-Lobby a Nervasääg. Luag Ivan: glökligerwiis gits höttstags noch Lütt, wo die Zeichen der Stunde erkennen. Wo a betzile a Gfüül hen för historischi Entscheidiga. Wo iischtond för na Zroggtretta. Wenns d Bedüttig vom gschechtliga Moment UND d Solidarität zo dan aagna Lütt verlangen. Meener, wo sich net scheuen, am Scheidewege heraklischi Laschtan uf sich z nee. Wo bereit sin, sich för iri Öberzügig z opfera und s Muul halten und afacht gond. Maasbelder, wo us amanan andra Holz gschnetzt sin wian en Ivan Bürzle. Lütt, wo erkennen, wem die Stunde gleich einmal schlägt und wo iischpringen, wenn Not am Manne ischt. Natörleg hets o a betzle Öberredigskuuscht bruucht, zom der Franz vo sim heroischa Tua z öberzüüga, aber im End ischt alls fair verloffa und der Franz het ösri und vor allem o sini Situatioo im allgemeinan Iiverschtändnis richtig iigschätzt. Und schliassleg hemmer o an Underschreft vo im.*

I: *Guat! Eigentlig ischt er jo ganz en freia und o en guata Maa gse, der Franz. Trotz sim Monarcho-Blech ...*

K: *Loos amol, Börschtle! A so an wia der Franz finden mier a so uf d Schnelli kan Zwoota me! Und met dier scho grad gär netta. Es ischt aas, wo secher ischt! Und denn looss der noch eppes gseet sii: Wenn mier üüs einigermaassa suuber*

4 In Anspielung auf den „100-Tage"-Regierungschef Markus Büchel (FBP), dem im September 1993 von seiner eigenen Partei das Vertrauen entzogen worden war.

us deran Affära z zücha vermögen, denn isches net eppa WEGET dier, sondern TROTZ dinera Gschiidi! Mier hend en wol mengmol uuagneema und zittawiis össerscht läschtiga, aber letschtendlig guata und integra Maa verloora. Aber ned eppa, zom di dermet z gwinna, sondern anzig und alaa um d Partei z retta! I hoff no, dass der das i da nögschta Tääg nia, verschtooscht mi, NIA usem Grind goot!

I: *I da nögschta Tääg?*

K: (nimmt die Cognac Flasche, öffnet sie, schenkt sich ein

Glas ein) *Dr Kriisaschtab het hött am Morga dia folgend Entscheidig gfasst. Und etz loosischt mier gnau zua: Hött am Nomittag faart vorem Huus vom Landtagsabgeordneta Franz K. en Waga vor Rettig vor. Under der Leitig vom Dokter Frommelt ...*

I: *ÖSREM Dokter Frommelt?*

K: *Richtig. Ösrem Dokter Frommelt. Em ‚Aids'. Under sinera Leitig störmen zwei Sanitäter is Huus, wo denn a betzle spööter met em Franz uf der Baara weder ussakond. Hopp, dia Waar in Rettigswaga, Blauliacht aa, und ab di Poscht is Spitool Vadoz. Dött wörd denn der Franz vom ‚Aids' gnäuer "untersuacht", morn meldet s Radio, der Franz hei a kliises Schlägle kha und öbermorn kasch denn lesa, dass der Franz K. "zum Bedauern seiner Partei aus gesundheitlichen Gründen" sin Rocktrett usem politischa Leba vom Liachtaschtaa bekannt ge muass.* (nimmt einen tiefen Schluck). *Du waascht, was das bedüttet?!*

I: *Jo wenn das stimmt, was du do seescht, Kuno, jo, denn bedüttet das ... Jo das haasst, dass du en Hellseher bischt!*

K: *Koordinator, Ivan, net Hellseher. Ko-or-di-na-tor!* (stellt das Glas auf den Tisch) *Aber jetz zo dier! Was passiert im Fall vom Uustrett vomana Parlamentarier usem Landtag? Hm?*

I: *Öh, denn kunnt en Neuan ihi ...*

K: *Irgend en Neua, Ivan?*

I: *Jo, Kuno, halt o eer, wo met am meischta Stimma numman in Landtag ihiko ischt ...*

K: *Und wer wär das i ösrem Fall?*

I: *Öh, das wär, jo das wär ...* (lacht dämlich) *das wär jo denn wol ii! Hihi.*

K: *Richtig! Das wärscht denn wool du! Der Ivan Bürzle! Und do ka ned amol der Paul Vogt*[5] *eppes dergeget undernee! Also. Ich rekapituliere: Franz K. Schlaganfall - Demission aus gesundheitlichen Gründen - Nachruf, Ehrungen, pipapo - Auftritt Ivan B. Und etz loos: Weget dim Interviu sin MIER schwer i der Bedrullie. Afachi Rechnig: Soll und Haben - Haben und Sein - Sein oder nicht sein. Am 15. Auguscht kunnscht du dia Chance öber, din aagna Hamlet uufzfüera. Vor tausiga vo Lütt. Live. Und am Radio! Und i hoff no för di, dass us dim Hamlet kan Oskar Werner*[6] *wörd!*

I: *Live am Radio?! Und wia stellen ier eu das vor?*

K: *MIER! Ivan! Ned IER!*

I: *Jo guat, aber wia stellen mier üüs das vor?*

5 Landtagsabgeordneter der Freien Liste, seit 1993

6 Oskar Werner (1922 – 1984), österreichischer Burgschauspieler und späterer Hollywood-Star (Jules et Jim, Fahrenheit 451). Lebte seit 1952 in Triesen (FL). Litt in seinen letzten Lebensjahren unter Depressionen und Alkoholproblemen.

K: *Easy, Ivan, ganz easy. Als denn vollwertigs Metgliid vom Landtag wörscht du, der Ivan Bürzle, ÖSER Ivan, als der offiziell Vertreter vo ösra Partei us Aalass vom Förschtafescht zor beschta Sendezitt a flammendi Aaschprooch haalta! Du wörscht dia Möglichkeit woornee, zom i aller Öffentlichkeit und i allna Stoba vom Land d Harmonii, dia beischpiilloos Zemmanarbet vo Regierig und Landtag, der Vierjooresplaa vom politischan Aaschtand vo dan einzelna Parteia under-, über- und nebadanand grad o im Zemmahang met dera leidiga Verfassigs-Diskussion ussizheba und uf en gebüürenda Sockel z stella! Verschtooscht! Vo morn aweg wören mier weget diina sautumman Enthülliga im Mettelpunkt vom öffentliga Interessi stoo. Di ander Zittig wörd üüs weget dem ir Loft verropfa. Das öbernönd ösri. Eppes anders kon si jo sowisoo net. Am Morga vom 16. Auguscht aber – also i acht Tääg! - stoot öseri Partei imana ganz neua, glänzenda, schillernda Liacht do. Dank amana retoorischa Füürwerk vom neua Stern am Landtagshimmel, ar neua Krona ir Nationalflagga, em Abgeordneta Ivan Bürzle! Du wörscht der Oppositioo i dineran Aaschprooch d Grundsätz vor Loyalität um d Oora haua und der im Real exischtierend Konsens innerhalb vo ösra Partei als das anzig geltend und funktionierend Aatriibsräädle im Kreislauf vo Wool-schtand, Reichtum, Kontinuität, Freda, Neutralität, Uufschwung und Freiheit loobend und unmissverschtändlig ussaschtriicha. Ischt das klar!?*

I: *Ier hend dia Reed jo hoffentleg scho gschreba.*

K: *Loos, Ivan Bürzle, mier sachen dia ganz Gschecht o als Bewiis vo dinera Globwördigkeit und vo dim Bemüa um d Ideal und Ziil vo ösera Partei. Mier hend us dem Grund beschlossa, dass du dia Reed selber schriiba wörscht! Mier konn dier isofern entgega, dass mier di zomana Executive Media Training Crash Course aagmolda hen. Start: i füüf Tääg. Koschten: trägt der Angeklagte. Das wär eigentlig alls, wo der ii im Namma vor Partei säga ka!*

I: *Acht Tääg?*

K: *Und als Fründ gib der ii noch en letschta guata Tip:* (nimmt die Zeitung) *Looss amol neui Fotti vo der maha.* (ab)

Der Präsident
RadioL-Verwaltungsratspräsident **VP**

Der RadioL-Verwaltungsratspräsident kommt mit Bürostuhl in der Hand, Kopfhörer um den Hals, Radio L T-Shirt.

VP: *Alls muass ma etz selb macha. Sogär das Retaktiera oder wia das haasst. S ischt jo im Grund gno gliich, was ma tuat. Hoptsach, s flüügen nocher a paar Spään. Dia aana suufen, dia andera nönd Medis, dia dretta jagen iri Lütt zom Teifel! Jedem das seine, ned! Legemer glei los, VerWalter?! Wer hemmer dia Wocha ufem Program? Üüs? Nei! Ned, WER s Programm macht, han i gfrööget! Wer FLÜGT, well i wössa. WAAS hemmer kaani mee? Alli scho dervo-gsegglet? Sauböck! Aggressiivi! Was macht eigentlig ösers Finanzgenii? Setz uf alli Fäll scho amol a Schriiban uuf! Oder waart: Looss na zerscht noch a paar Franka id Wäschmaschin … äh, in Sender ihipumpa! Ma waass jo nia, för was dass es guat ischt! Nojo. Wörd ned a so schwer sii, das Moderationiera. Also, was hen d Buaba gseet? En guata Namman ischt s Wechtigscht! Der Rescht ischt Nebasach! Wemma en guata Namma het, isches Worscht, wia d Nochrechta tönen. Sind jo ee all dia gliicha. Washington, Bagdad, Japan. Tresa. Also. En Namma!* (überlegt) *Hi! Do ischt der MC Verwaltigsroot. Nei! Das ischt vil z aggressiiv! Öberhopt Verwaltigsroot! PRÄSIDENT vo dem Root. Präsident vom Root … Präsident … Root … P … R … Das tönt wia na Büro: P R. Pii Aarr. Jooo! Das ischt guat! Pii Aarr. Das tönt wia: Dschii Aarr. Haha. Dschii Aarr. Hesch ghört, VerWalter? Dschii Aarr! Tätscht bittschön lacha, wenn der Präsident en Witz macht! Soss bischt denn glei amol du der nögscht! So fangen nämlig dia Palaschtrevolutioonan aa. Wenn d Lütt numma lachen, wenn der Präsident a Spässle macht! Denn goots da Lütt z guat! Denn wören si aggressiiv! Lütt, wo aggressiiv sin, lachen numma. Das ischt a bekannts Phänomen! Und der VerWalter lacht o scho lang numma! Er mannt wool, s gängi im z guat!* (macht sich bereit) *Also: es ischt füüfe und Sie loosen Radio … Du! VerWalter! Wia haassemer eigentlig? Was? Ufem Liible?* (schaut auf sein T-Shirt) *A jo. Genau. Do stoots jo. Guat. Es ischt sekse. Und Sie loosen Radio* (schaut aufs T-Shirt) 7. *Was hescht? Was stimmt net? Du, kummer noch a so sauaggressiiv! Radio 7 stimmt net! Wenn der Präsident seet, der Radio haasst Radio 7, denn haasst er Radio 7! Ischt das klar! Was*

mannscht denn du eigentlig, wer d bischt! Börschtle! D Familia vom Präsident het scho Radio gmacht, do hen si bi eu daham noch gmannt, der Papa vom Präsident tei us amana klinna Holzkäschtle ussischwätza! Radio 7 stimmt net! A so en saufrecha, aggressiiva Mensch! Em Präsident säga, wia SIN Radio haasst! Isches zom globa? Wia haast er denn?! WAS?! Radio L? Das dörf doch etz aber net woor sii!? Radio L! Das ischt doch en Hundenamma! Säg amol, wia söll sich en Höörer medamana L identifiziera!? Lappizüüg! Lällisender! Das het etz rassig a Hööreti! Ab sofort haassemer, em, es ischt zeene und Sie loosen, eeem, Radio Rappaschtaa, oder oder Radio Ellhorn. Aber Radio L! Das tönt jo scho aso aggressiiv! L. L-aboga. L Salvador. L-vis. Lutter so aggressiivi Saha. L-KW. L-SV. L Walser. Simmer etz endleg uf Sendig? I sött schliassleg o noch schaffa! Guat. Also: es ischt zwölfe. Sie loosen Radio El … Dorado und am Mikrofon hoggt der Dschii Aarr. Mee kan i do derzua net säga. AUS!

Der Ortsgruppenführer

Ortsgruppenführer Heinrich Anton Zeck **OF**

OF: *Liechtenschteiner!*
Ein Geischt geht um in unserem Land! Der Geischt des Fortschritts, des Wandels, der Veränderung! Der Geischt des Andern-vor-der Türe-Kehrens! Der Geischt der Weltverbesseritis! Ich, der Heinrich Anton Zeck, sage Euch: Nichts, was einmal gewesen ischt, wird so sein, wie es einmal gewesen ischt! Nichts, was einmal recht und ordentlig gewesen ischt, wird je wieder Recht und in Ordnung sein!

Dafür sorgen die Herren und Damen Weltverbesserer schon! Nichts schreckt sie ab. Nichts ischt ihnen heilig. Haus und Herd nicht. Die Nachtarbeit der Frau nicht. Die Polizeischtund nicht. Die Sechs-Tage-Woche nicht. Das Läuten von den Kirchenglocken nicht. Das Verbrennen vom Laub im eigenen Garten nicht. Kurz: Das naturgegebene Recht eines jeden aufrechten und graden Liechtenschteiner Bürgers, zu tun und zu lassen WAS, WIE und WO es ihm gefällt, solange dies im Einklang mit einem gesunden, natürligen Verhalten geschiecht.

Es hat eine Zeit gegeben, Freunde, in der es niemand gewagt hätte, uns, den Liechtenschteinern von Gottes und Liechtenschteins Gnaden in die Mehlsuppe zu spucken! Weil nämlig unser Tun von der Liebe und der Sorge zu unserer Heimat geprägt gewesen ischt. Drum!

Wie einen Hund, den wir aus Liebe züchtigen, so haben wir unser Land behandelt. Unser Volk und unsre Frauen. Unser Blut und unsre Böden. Unsern Staat und unsre Verfassung. So, wie nur wahre Liebe die Fähigkeit verleiht, sich auszudrücken: Mit Strengi! Damit das Land um uns weiss. Damit es weiss, dass wir da sind, wenn es uns braucht! Und das Land ischt dankbar dafür gewesen!

Nun gibt es aber einen in des Volkes Mitte, wo sich für besonders schlau und gefitzt hält. Einer, wo sich durch besonders kranke Ideen hervortun zu müssen glaubt. Einer, wo, wie könnt es auch anders sein, ins AUSLAND gehen hat müssen, um dort - weil es ihm hier auf natürlichem Wege verwehrt geblieben ist - eine sogenannte Bildung zu erfahren!

Dieses Bürschlein hat es also tatsächlig gewagt, in einem jüngscht erschienenen Zeitungsartikel lauthals zu verkünden, mit unsrem Lande gänge es dem Endi zu. Das Volk müsse sich darauf einschtellen, UMZUDENKEN!

UM - ZU - DEN - KEN! Welch grosses Wort in kleiner Kehle! Welch unflätige Hülse von einem tuberkulösen Begriff! Welch ketzerischer Geischt! Welch teuflisches Gedankengut, wo sich dahinter verbirgt!

Männer! Es braucht kein Umdenken, um zu denken! Ein freier Mensch, ein freier, liechtenschteinischer Mensch DENKT nicht um! Da denkt ein freier Liechtenschteiner Mann nicht dran! Ein freier Liechtenschteiner denkt überhaupt nicht! Der freie, liechtenschteinische Mensch FÜHLT, ja LIEBT sein Land. IN - STINK - TIEF!

Dies ganz im Gegensatz zu diesem verblendeten Winkeladvokaten aus Andreas Hofers karger geischtiger Backschtube. Diesem heimligfeischten Pharisäer im Nadelschtreifen-Porsche! Diesem Samariter-Klon aus dem EU-Versuchslabor! Diesem Nichts von einem Verkehrs-Kadetten in der durch Gott und Vaterland vorgegebenen Nahrungskette!

Ihm, meine Freunde, wollen wir zurufen: NICHT MIT UNS! Wir haben schon viele kommen, aber auch ebensoviele wieder gehen gesehen!

Liechtenschteiner! Freunde! Nachbarn! Bodenbesitzer! Ein Geischt geht um im Liechtenschtein. Der Geischt hat einen Namen: IVAN BÜRZLE!

Der Kokser

I bin riicha Tölpel, mini Gschecht ischt wohlbekannt:
I verschwend mis ganzi Leba
Vörna Priisa wiissa Schnee, wo mii so lebig macht.

S ischt alls en Witz!
Aber i höör, was i hööra well.
Der Rescht ischt mier egal.
Hmhmhmhmhmhm

Won i fort vo Huus und Mamma bi
Bin i noch a Gööfle gse
In era Kligga vo ganz coola
Und o geila Supertypa,
Wo mi ufgnoo hen.

Schtinkig riich
Han i allnan alles zallt,
Well mi soss niamert metgnoo het,
Niamert zaaget hetti,
Wo d Sau abgoot.

Lailalai pschschschsch …

Im Bemüa um Kollega
Han i alles för si gmacht,
Aber niemert well mi.
Ossert wenn i grad a Linia
Uf der Schiissi züch.

I gibs jo zua, s het a Zitt ge,
Do het i ums Hoor
Der Grind id Schössla gschteggt.
Lalalalalala

Lailalai, pschschsch …

I zück mengsmol mis Pijaman aa
Und hoff, i wär dahäm
Bir Mama,
Wo der Schneeschtorm i mim Bölli
Endlig nohi loot.
Worschtsaloot bir Mama!

I sim Trans Am hoggt der Kokser
Und er pfiifft zo Boney M.
Und er treet im Gsecht dia Spuura,
Vo jedem Idiot und Saftsack,
Won en usgnötzt und in gleet het
Und er brüalt und tuat wia weld:
"I mag numma, i mag numma!"
Aber bliiba tuat er doch.

Lailalai …

Das neue Oberhaupt

Moderator **M** und Bill Gates **G**

Spot auf altes Radio

M: *I ha jetz do der Herr Bill Gates am Telefon ... Herr Gates, hören Sie mi?*

G: (mit amerikanischem Akzent) *Jup, ik khören Sie.*

M: *Herr Gates, körzleg ischt amol ir Zittig gschtanda, der Förscht könni sich vorschtella, s Liachtaschtaa o z verkoofa. Zom Beischpil a ires Microsoft Imperium*[7]*, und us üüs, da Liachtaschtaaner, wören denn Micro-Softies. Was halten denn Sie vo deran Idee?*

G: *Ääh, Likteschtaa? Heiligi Kua ...*

M: *Kennen Sie das net? Liachtaschtaa? Prinzipäliti of Liechtenstein?*

G: *Litschenstiin? Wie schriibt ma das? Mit CNN?*

M: *Nei! Met LGT!*

G: *No nia gehört der Namma! Was för en Syschtem isch das!?*

M: *Ehm, Liechtenstein ist eine konstitutionelle Erbmonarchie auf demokratischer und parlamentarischer Grundlage.*

G: *Kennen i nöt! Das muess e koreanische Syschtem sii. Anyway. Grundsätzlik koofen i alles, was mit die neuen Windows 95 kompatibel ischt! Ischt di Software vo dem - wie heisst das nomal: Litschenschtiin? - kompatibel?*

M: *Jo sit eppa fofzg Joor.*

G: *Wie ischt der Hardware uusgerüschtet?*

M: *Noch em Proporzsyschtem.*

G: *Wi vili Megabite?*

M: *Zircaneppa driissgtuusig.*

G: *Heiligi Kua! Ka ma dött a Muus aaschlüssa?*

M: *Also mier schlüüssen üüs grundsätzlig niemertem aa. Drum het der Förscht o ussaloo, dass ma üüs koofa könnt. Er well jo irgendwenn amol a dem Ladahüeter eppes verdiana.*

G: *Jo und a simpels Updating goot nöt?*

M: *Das schitteret wol a der Software!*

G: *I danken Ine för das Gschprööch.*

7 In einem Interview mit der Financial Times im Jahre 1995 erklärte SD Fürst Hans Adam II., er könne „sein" Liechtenstein auch an Bill Gates verkaufen.

Die Alternative Opposition (11. August)

Radiomoderator Hampi Frommelt **H** und Wolfi Meyer-Meier, Vertreter der alternativen Opposition, **W**

Radiostudio
Eine rote Lampe leuchtet auf, sobald das Interview beginnt.
Der Kalender zeigt: 11. August.

H: *Do isches Radio Freies Liechtenstein met em Faif-o-Klok Tü-Gschprööch. Min Gascht am höttiga Nomittag ischt der Wolfi Meyer-Meier, an vo dan unabhängiga Sprecher vom Sprecherinna-Root vor Alternativa Opposition. Grüass di Wolfi!*

W: *Guata Tag, Hampi!*

H: *Wolfi, ma seet …*

W: *Wer söll das sii?*

H: *Wer?*

W: *Er, wod jetz grad gseet hescht!*

H: *Wer söll i ..? E he …*

W: *Eba do der … hm hm*

H: *Der "hm hm"? … Ahh, der "ma"!*

W: *Genau*

H: (lacht) *Aber Wolfi, es seet ma doch: "ma seet"!*

W: *MIER sägen das scho lang numma!*

H: *A so? Jo und was sägen denn ier?*

W: *MIER droggen üüs spezifischer uus!*

H: *Schpezifischer? He he. Also guat denn: Dia Schwarza*[8] *hen körzleg …*

W: *Wer?*

H: *Dia Schwarza …*

W: *Also bitte!*

H: *??*

W: *Findscht der Uusdrogg ned a betzle dernebet?*

H: *Weller?*

W: *Eba DER!*

H: *Dia Schwarza?*

W: *Schscht!! I muass mi also workleg frööga, Hampi! Du hescht wol dia ganza Diskussiona um a politisch korrekti Sproochwiis, wo jetz doch scho sit mee als zwanzg Joor gfüert wora sin, verpennt, ha?! Das sött aber amana seriösa Radiomaa wia dier ned passiera, du. Het ma eu das i euerna Körsle ir Staa-Egerta*[9] *ned beiproocht? Hm?*

H: *Öh … Also khöört han i scho dervo. Aber i ha halt all gmannt, das sei noget weder a son en imperialistischa Sprooch-Forz vo dan Amis. Wias Städtle-Englisch. Oder s*

8 „*Schwarze*": *Vertreter und Wähler der Fortschrittlichen Bürgerpartei, im Gegensatz zu den „Roten" (Vaterländische Union) und den „Weissen" (Freie Liste)*

9 *Stein Egerta: Haus der Erwachsenenbildung, Schaan*

Banka-Tütsch. Kommer jetz bitte wittermaha?!

W: *Jo natörleg. Gern. Drum bin i jo do.*

H: *Eba. Also: D FBPL*[10] *het körzleg ...*

Wolfi nickt zustimmend.

H: *... verlutta loo, dass dia Roota ...*

W: *Das machscht etz z laad, gell!*

H: *Was!? Ä dia Roota? Ha ha!* (sichtlich genervt) *D VU natörleg! Ha ha. Also. Si hend verlutta loo ...*

W: *Wer?*

H: *Jo dia Dings halt oo! Dia Schw ... d F B P L!!*

W: *S goot jo! Hampi! S goot jo!*

H: *Kan i bitte min Satz fert ...*

W: (öffnet die Arme, lächelt gönnerhaft) *Natörleg!*

H: *... ig maha? D FBPL het also verlutta loo, d VU sei irem politischa Uuftraag numma kwaksa. Was sägen jetz ier als dia klinscht Partei ...*

W: *Dia stimmamässig am meischtan ussagforderet, manscht?*

H: *Als dia Stimm ... WAS SEET DIA WIISS PARTEI DO DERZUA!*

10 Unter ihrem Präsidenten Dr. Norbert Seeger hiess die FBP für kurze Zeit FBPL. Das „L" stand vermutlich für Liechtenstein.

W: *Jetz wart, Hampi! I glob, i muass do zeerscht amol a betzle Entwekligsarbet leischta und do am Radio a paar grundsätzligi Sacha kläära. I ha di jo scho VORHER uf a paar sproochligi Schlampereia hiigwesa. S wär jetz natör-leg z viil verlangt, scho glei und uf der Stell a positivs Feedback vo DINERA Sitta her öberzko. Bsundrigs, wo sich d Verwendig vo dena Faarbbegreff grad i DEM Land a so hartnäckig haaltet. I Fleisch und Bluat öbergangni Traditioona lond sich ned a so afacht usmerza. Do hend MIER vor Alternativa Oppositio scho o Verschtändnis derför! Jetz isches aber aso, dass mier üüs scho vor amana Zittle entschlossa hend, uf dia ÜÜS bir Gründig vo ösra Partei vo OSSA zuataalt Faarbbezeichnig - i säg das etz no zom bessara Verschtändnis vom Sachverhaalt, aber denn nia mee! - üüs vo dera Faarbbezeichnig - Achtung! Gänsefüassle!* (zeichnet mit beiden Zeigefingern Anführungszeichen in die Luft) *"wiiss". Gänsefüassle! - z trenna. Das ganz bewusst im Gegasatz zo da zwo etablierta Regierigsparteia, för dias jo allem Aaschii noha zom Partei-programm khört, d Interessa vo MINDERHEITA - o das en eener heikla Begreff - met da Lederschüale z tretta!*

H: (schaut verlegen auf seine Lederschuhe) *E he! Also ...*

W: *Mier hend ÜÜS drum denkt, dass MIER DAS vor ÖSERNA Noochkomma und Noochkomminna ned verantworta kond, a so verantwortigslos met amanan ERNIGA Begreff umzgoo. D Faarb ...* (Zeigefinger-Anführungszei-chen, lautloses Aussprechen von "wiiss") *... wörd jo primär und fascht uusschliasslig ALL als Huttfaarb ver-schtanda ...*

H: *Also etz muascht denn ...*

W: *Nütt! Z Amerika hen si do dröber scho i da Sechzger Undersuachiga gmacht. I ka gern am End vo dera Sendig noch a paar Literatur-Aagaba zo dem Thema dorigee. Sövel Sendezitt muass scho sii. Schliasslig goots do um eppes Wesentlichs. Und das stoot o DEM Radio vilecht ned schlecht aa! Nebet all dem andr ...*

H: *Machscht bitte witter!*

W: *Natörleg, Hampi, gern: Speziell DIA Faarb wörd etz also uusschliasslig met ösera Huttfaarb, der Huttfaarb vo dan Eroberer, dan Unterdrogger, Uusbütter und Schiweltmeischter gliichgsetzt. Natörleg aber oo met der Huttfaarb vom Oobetland, vom riicha, woolgnäärta Weschta met all sinan Errungaschafta, sim Fortschrett, sim Weltbeld und ned zletscht sinera technischa Öberlegaheit gegetöber em Reschta vor Welt. So kunnts denn schliassleg oo, dass d*

Komplementärfaarb zo ÖSERA Huttfaarb, also d Huttfaarb vo öserna afrikanischa Fründinna und Fründ ALL im Gegasatz zo ösra ... (Zeigefinger-Anführungszeichen, lauloses Aussprechen von "wiissa") ... *Faarb verschtanda wörd. Verschtooscht?*

H: *Öh ... Also Komplementäärfaarba sin doch ...*

W: *SCHWARZ - i sprech das jetz ganz bewusst ganz provokativ uus - schwarz ischt all negativ konnotiert. Schwarza Maa. Schwarzfaarer. Schwarzgeld. Schwarza Peter. Schwarzi Butzi ...*

H: *Ha ha. Richtig!*

W: *Alls negativ belaschtet. Kunnscht druus?*

H: *Jo scho. Aber ...*

W: *Mier konds üüs drum NED leischta, ÜÜS uf Köschta voneran unterdroggtan eetnischa Gruppierig - i tua do ganz bewusst uf der am Aafang schlampig verwendet Begreff "Minderheit" verzichta. O ii stand imana Lernprozess! - med amana vo vornherein ooni ösers direkt Derzuatua positiv gwerteta Namma z profiliera! Kunnscht nohi?*

H: *Scho! Aber wer sind ier denn etz? Grüani?*

W: *Hampi, Hampi! Grüani goot doch oo netta! S gelt jo mettlerwiil als secher, dass es im All noch anders Leba wia noget ösers gitt. Wisoo söllen denn MIER o privilegierter wia anderi sii? Do hoggen also irgendwo grüani Mennli und Wiibli und vilecht sogär o noch grüani Zwitterli und dia Wesa, öseri kosmischa Fründinna und Fründ, tätens doch secher als en Affront empfinda, wenn mier üüs afacht aso aamaassa täten, met ierem Karakteristikum, der grüana Faarb, politisch husiera z goo. Oder eppa net?*

H: *Also Grüani netta! Wia wärs denn met: Faarblosi?*

W: *Negativ. O DER Begreff kommer leiderleider för ösri Aaschpröch als politisch korrekt denkendi und handlendi Gruppierig ned nötza. ÜÜS als Farblosi z bezeichna, tät doch nüt anders haassa, als wia üüs SELB gegetöber all DENA, wo Faarba hen, trägen oder bekennen, abheba z wella. Und DAS goot natörleg i KAM Fall, Hampi! Gnaugnoo sin mier jo alli an anzigi groossi Famili und do sött doch niemert för sich a bevorzugti Stellig beaaschprocha und do dermet anderi Familia – met – glieder und ooni usgrenza. Das schad no em Familiageischt. Manscht net o?*

H: *Jo aber wia haassen der denn etz!?*

W: *Du. För üüs ischt das ganz okey, wenn mier momentan noch kan neua Namma hen. Mier füülen üüs zo dera wechtiga Entscheidig no ned ganz bereit.*

H: *Seer guat! Und wenn i jetz gi abschtimma gang und euri, em, unterdroggt ethnisch Gruppierigspartei - trotz allem - gern wääla täät, jo Sakrament WER WÄÄL I DENN!*

W: *Du. Das ischt ganz aafach. Denn wäälscht mii, der Wolfi.*

H: *Dii, der Wolfi?*

W: *Genau. I hoff, du hescht ka Problem do dermet?*

H: *Neinei. Ka Problem.*

W: *Schö*

Beide sitzen eine Weile schweigend in ihren Stühlen.

H: (räuspert sich) *I sach grad, öseri Sendezitt goot langsam z End ...*

W: *Das ischt scho ir Ornig.*

H: *Aber a Froog het i em Wolfi Meyer-Meier doch noch gern gschtellt.*

W: *Bitte!*

H: *S Förschtatum Liachtascht ...*

W: *S FörschtInnatum, bitte!*

H: *Förschtinna? Söll das etz a Verar ...*

W: *O wenn d Fraua noch da Huusgsetzer*[11] *vom Schloss domma ka Recht gnüüssen, so haasst das för üüs noch lang netta, dass d Bewooner- und Iiwoonerinna vo ösrem Land - öb si jetz vor oder hinder digga Schlossmuura hoggen - i ierna gsetzlig feschtgleeta Recht beschnetta wöra dörfen. Vom Förscht netta und o vo sina Huusgsetzer netta. Ma ka jo sowisoo dervo uusgoo, dass ...*

H: *HA! Jetz han i di verwöscht!*

W: *Verwöscht?*

H: *"MA ka dervo uusgoo". "MA"! Du hescht "ma" gseet!*

Schweigen

W: (hievt sich aus dem Sessel, lehnt sich über den Tisch, hält die eine Hand über das Mikrophon - das rote Signallicht geht aus - , mit der anderen Hand packt er Hampi am Kravattenknopf) *Loos amol, du klinna, digga, roota Butzi! Globscht du, i mach do zom Gschpass dr Idiot! Wenn i mi do politisch net absolut korrekt verkoof, denn machen mi mini Wiiber zom Neger! Schnipp schnapp, Schwanz ab! Verschtooscht! Du fetta, hässliga, schwachsinniga Zwerg!* (er lässt den Hampi wieder los, setzt sich zurück)

H: *I dank der Wolfi, för das uufschlossriich Gschprööch und mier machen etz witter met amana aktuella Beitrag öbers Qualifikationsschpeel vo ösra Fuassballnati.*

11 Hausgesetz der Fürstlichen Familie. 1996, in den letzten Tagen der 100tägigen Regierungszeit des Regierungschefs Markus Büchel als Dankeschön an seinen Mentor, den Landesfürsten, in den Verfassungsrang erhoben.

Abstimmungen und Wahlen
Alexander **A** und Bruno **B**

In der Alpenbotanik
[...]
B: *Loos, Alexander: s gitt ir Liachtaschtääner Politik en Huffa Sacha, wo för en ossaschtehenda Beobachter ned ganz dorsichtig sin. Do derzua ghöören under anderem d Landtagswaala. Waala sin wianen Poker. S goot ned drum, z gwinna, s goot drum, WIA ma WER för WAS am beschta verkooft. Bida Waala goots ned drum, dass es Volk överkunnt, was es well. Bi da Waala goots drum, dass dia Kräft im Hintergrund, wo scho sit jeher im Hintergrund gse sin, UNDERanander iren Siiger uusmachen. Dass ma sich gegasittig ääs uswöscht. Dass ma sich gegasittig uf d Zeha stoot. Do goots net um d Zuakunft, Alexander. Do goots um d Vergangaheit. Aalti Rechniga! Wer het wem dua a so und a so, und wia gitt mas im zrogg. All vier Joor! Wer denn wia und wo im Endeffekt Politik macht, ischt spöter noget vo statistischem Interesse. Wechtig ischt der Waalkampf. Dött wörd Hirni und Schläui und Macht und Stärki bewesa. Politik macha, a so wia mier si bruuchen, es ka doch sit fofzg Joor jeder.*

A: *Also o en Ivan Bürzle?*

B: *Der Ivan Bürzle ischt a Versäha, Alexander. En Kukuk im Falkanescht. Dor a Falltör vor Gschecht i ösri Partei gschtolperet. Der Ivan Bürzle dörfts gär net gee, verschtooscht!? Er nünnt der Platz awägg för eppes viil Gröössers. Wechtigers. Wia dia huara Spörry Fabreka[12]!*

A: *Also i muss sage, mier gfallt der Bürzle. I find en sümbadisch!*

B: *Genau us DEM Grund hen MIER a so eppert wia DI o ned gwäält!*

A: *Also Bruno!*

B: *S ischt jo o woor. Ir Liachtaschtääner Politik ischt kän Platz för emotionaali Entscheidiga! Mier sin do schliassleg net z Dütschland! Wenn bi üüs än imana digga Merz vorfaart, plötzlig d Lütt grüasst und ina Franka is Födla schoppet, denn nön mier das zwor aa, aber das häässt noch lang net, dass mier der Menschafründ o mögen! Wenn bi üüs än d Problem vom Land erkennt und Löösigsvorschläg zo dena Problem a so formuliert, dass si för jedermaa nochvollzüchbar sin, denn häässt das noch lang netta, dass ma dem gschiida Schwätzi o globt!*

12 Fabrikgebäude in Triesen und Vaduz, heute u.a. Kulturstätten

A: *Ah drum glaubt ma au dem Fürscht kei Wort!*

B: *S Problem bim Förscht ischt, Alexander, dass der Förscht zwor Löösiga büttet, s Problem aber osser Acht loot!*

A: *Aber di Lösige sin doch spitze!?*

B: *Scho möglig, dass si "spitze" sin, aber o dia bescht Löösig nötzt di en Füachta, wenns zo dera Löösig ka Problemschtellig gitt! Verschtooscht!*

A: *Aber s Problem litt doch uff der Hand!*

B: *Du wetsches äfach net begriiffa, gäll!? För ÜÜS GITTS ka Problem. Baschta!*

A: *Aber Recht hat der Fürscht doch!*

B: *Ier Tütscha met eurer Gfüülsduselei! I ha der doch vorig gseet, dass das bi üüs nüüt zellt! Wemma bi üüs noch Kriteria wia richtig, schöö, sympathisch, kompetent und gschiid uuswääla tät, denn wär II Regierigsschef und DU Börgermeischter vo Vadoz.*

A: *Jo und der Marco?*

B: *Jo und der Marco wär Intendant vom Tak*[13]*. Gell, Marco!*

13 *TaK: Theater am Kirchplatz, Staatstheater in Schaan*

Elocutio (13. August)

Ivan **I** und Instruktor Hans Ruedi Tschümperlin **T**

Seminarraum des Executive Media Training Crash-Kurses

T: *Grüezi woll. Min Namä ischt Hans Ruedi Tschümperlin. Ich dörf Sie ganz härzlig im Namä vor Tschümperlin Media Agency begrüesse zo däm Äksekchjutiv Media Training Kchräsch Kchurs. Wie mier vo Iräm Orbetgäber mitteilt ...*

I: *Partei! Vo minera Partei!*

T: *Wie mier vo Iräm ORBETGÄBER mitteilt worden ischt, wönd Sie i dä nögschtä zwöi Tääg olles Wüssenswärt und Relevont im Zämähong mit äm Ärorbeite vonärä perfäkchte Reed leere, dämit Sie vor ämne userwäälte, kchompetänte und kchwolifizierte Publikchum beschtönd. Mini Uffgab würd sii, Ine, Herr Kchüenzli, ...*

I: *Börzle, bitte!*

T: *INE, HERR KCHÖTZLE, dos z vermittle. Nütt eifocher ols doos. Mier vor Tschümperlin Media Agency büttet Ine i dä nögschtä ochtevierzg Stund ä Volliifüerig i euses*

Süschtäm DEPP! (Flip-Chart) *DEPP, dos stoot füer:*
Discipline
Engagement
Personalité,
Professionalité
Verlüüre mer olso kchä Zitt und föömer gli oo:
DISCIPLINE. Uf guät Schwizertütsch: DIS-ZI-PLIN.
Öppis, womit mier Schwizer kche Problem hend, wo aber
för Sie, Herr Bünzli, …

I: *Börzle!*

T: *WO FÖR SIE, HERR BÜTZLI, ES FRÄMDWORTSII TÖRFT! Mini longjöörig Ärfoorig uf däm Gäbiet zeiget, doss d Liächtäschteiner do dermit diä grööschte Probläm hen. Ich frööge mich mengisch, wiä dos Iren Füürscht mit Ine uushaltet! Und werum är nid scho längscht dävoogsekchlet ischt. Hehe! Ober das isch jo kches Wunder. E so ooni Milidäär! Dä Schuäl vor Disziplin. Äm Wichtigschte. Im Läbe. Vomänä. Maa! "La Discipline", Herr Fürzli, …*

I: *Börzle!*

T: *"LA DISCIPLINE", HERR FÜNZLI, "LA DISCIPLINE C'EST LE MÄDIZIN, HÄ!" Wiä scho dä Gänärol gseit hät. Medizin för olles! Dos ischt au mini Däviisä.*

I: *O wenn amol der Waal abbrennt[14]?!*

T: *RUÄ!! Wenn Sie mit Ärfolg us däm Kchurs usecho wönd, dänn gits numän eis: DISZIPLIN. DISZIPLIN! DISZIPLIN!*

I: *Das sin denn aber scho drüü …*

T: *ZWOITENS: ENGAGEMENT. Uf guät Schwizertütsch: Isotz! Sie müen sich för dos, wo Sie verchaufe wönd, mit Hutt und Hoore ongaschierä. Verschtönd Sie! Sich iisetzä! Bis zom "gäät nicht määr". Und nött vergässä: Oller Iisotz ischt för d Fükchs, wän är ooni DIS-ZI-PLIN ärfolcht! DRITTENS: PERSONALITÄ. Uf guät Schwizertütsch: Pärsönlechkcheit! Diä mönd Sie ho, susch nützt Ine dos gonz Ongaschmong en huärä Schissdräkch. Und wiä erreichät Sie ä Pärsönlichkcheit uf däm vo Iräm Orbetgäber gforderätä Nivoo?!*

I: *S wörd doch wol net eppa dor Disziplin sii?! Hm?*

T: *MOCHET SIE KCHE WITZ DO! Notüürlich isches d Disziplin! Drum dörft s Ine au schwär folle, d Voruussetzigä für dä lätschti Punkcht vom DEPP-Program mitzbringä: PROFESSIONALITÄ! Broffässionolität, Herr Stützli, …*

I: *So etz los mer amol genau zua, du Tschumpel! Börzle haass i! Net Stützli, net Fützli und o net Jützli! Börzle! Du*

14 Bei Schiessübungen des Schweizer Militärs, die während eines orkanartigen Föhnsturms stattfanden, wurde am 5. Dezember 1985 ein Waldbrand entfacht, der auch die Gemeinde Balzers bedrohte.

	Schoofseggel! Well das net i din Militär-Grind!
T:	*LIÄCHTÄSCHTEI! UUFPOSSE, WO D SEISCH!*
I:	*Uufpassa, uufpassa! I geb der glei uufpassa! Du huara Funkamajoor. Anderna Lütt der Waal aazünda ...*
T:	*DOS ISCH IMMER NOCH OISÄN WOLD GSII!*
I:	*... und denn mier do irgendeppes vo Disziplin und Broffässionalitää verzapfa wella!*
T:	*MEINSCH, DÄ MAJOR ASCHMANN[15] WÄR BEFÖRDERET CHO, WENN NÖT OLLES MIT RÄCHTÄ DING ...*
I:	*Met rechta Ding! Met rechta Ding! Wörd ma bi eu för "Unterlassung der Hilfeleistung" beförderet? Bi üüs kämmt ma för so eppes is Pfängis! ...*
T:	*RUUUUÄÄÄÄÄ! DU BISCH JO NÖD EMOOL EN REKCHRUT!*
I:	*... Du sauklappata Armeefrosch!*
T:	*MIT SO ÖPPIS DISKCHUTIÄRÄN ICH DOCH GOOR NÖÖT! WENNS NÖT WÄGÄT DÄ UUSGEZEICHNÄTÄ BEZÜCHIGÄ ...*
I:	*Waascht, was ma bi üüs met klinna Buaba macht, wo ummazüüslen!?*
T:	*... ZWÜSCHET MIM EMD UND DIM KCHADER WÄÄR, WÜRD ICH SO ÖPPIS WIÄ DIICH NÖD EMAL MIT ÄM FÜDLI AAL ...*
I:	*RAACHE FÖRA NIKLAUSTAG 85!* (tritt Tschümperlin dorthin, wo es sogar einem Schweizer Militärler weh tut)

Hypocrisis (15. August)

Ivan **I**

15. August, Staatsfeiertag

I: *Liebe Festgemeinde!*
Es erfüllt mich mit grosser Freude, an diesem, heutigen Tage auf diesem Wege ebenfalls das Wort ergreifen zu dürfen. Wie schon der Herr Landtagspräsident, der Herr Landtagsvizepräsident, der Regierungschef, der Regierungschefstellvertreter, die Damen und Herren Regierungsräte sowie etliche Damen und Herren Landtagsabgeordnete vor mir so richtig ausgeführt haben, gibt es heute allen Grund zur Feier. Ich schliesse mich damit auch gerne den bereits geäusserten Worten der Freude der Herren Parteipräsidenten, Gemeindevorsteher und Bürgermeister, Amtsstellenleiter und Vertreter aus Industrie, Handel und Gewerbe an.

15 Verantwortlicher des Waldbrandes ob Balzers. Wurde später für seine „Verdienste" um die gutnachbarschaftlichen Beziehungen befördert.

Mir, als dem letzten ins Parlament eingerückten Parlamentarier, soll es heute … (Papier fällt ihm zu Boden) *Harrgolenti! … soll es ein grosses Anliegen sein, „der Opposition die Grundsätze der Loyalität um die Ohren zu hauen und den im Real existierenden Konsens innerhalb meiner Partei als das einzige geltende und funktionierende Antriebsrädlein im Kreislauf von Wohlstand, Reichtum, Kontinuität, Frieden, Neutralität, Aufschwung …" Hm? Da sind mir wohl die Notizen ein wenig durcheinander geraten.*

Mein Anliegen soll mir heute natürlich ein ganz anderes grosses Anliegen sein. Mein Anliegen gilt heute vielmehr der Frage: In welcher Verfassung präsentieren wir Liechtensteiner und Liechtensteinerinnen uns eigentlich? Heute. Und überhaupt. Nicht nur zur Maria Himmelfahrt. Nein. Auch am 15. Auguscht. Dem Fürstgeburtstag. Unserem Nationalfeiertag.

Sind wir eigentlich in einer guten Verfassung? Lässt unsere Verfassung nicht zu wünschen übrig? Gibt es Anlass zur Sorge? Gibt es Grund zur Klage? Und wenn der Zustand unserer Verfasung nicht an uns selber liegt, ja, an wem liegt's?

Ich bin mir bewusst, dass ich mit solchen Fragen anecke. Ich bin mir bewusst, dass ich mit solchen Fragestellungen hüben wie droben nicht nur Freunde gewinne. Doch hatte ich in den letzten Tagen Zeit, mir den einen oder anderen Gedanken hierzu zu eigen zu machen.
"Ich habe Kenntnis von den an mich gerichteten Vorwürfen und mit Genugtuung festgestellt, dass ich mir weder Vertrauensbruch noch sonst ein rechtlich relevantes[16]" Laster verhalten kann.

Liebe Festgemeinde!
Stellen wir unsere Verfassung zur Diskussion! Stellen wir uns unserer Verfassung zur Diskussion! Stellen wir uns selber zur Diskussion! Wer sind wir denn? Wo kommen wir her? Wo soll's denn hingehen? Und in welcher Verfassung? Körperlich. Geistig. Finanziell.
Ich fühle mich nicht in der Verfassung, Antworten darauf zu geben.
Der Weise sagt: Auch der untrainierteste Marathonläufer, also der, wo sich in schlechter Gesellsch …, äh, Verfassung

16 Der 100-Tage-RegierungschefMarkus Büchel, FBP, anlässlich einer Pressekonferenz zu den Rücktrittsforderungen seiner eigenen Partei, 2. Sept. 1993

befindet, mag das Ziel erreichen. Den Kopf jedoch verliert er trotzdem.
Nur später.
Ich danke Ihnen für die Aufmerksamkeit.

Zwischenszene: Kommando Sabrina Sele
Aktivisten **1, 2** und **3**

Die Aktivisten 1 und 3 des Kommando Sabrina Sele springen auf die Bühne. Gesichter mit Nylonstrümpfen verdeckt. 3 hält eine Bierflasche mit einer zusammengerollten Zeitung im Flaschenhals.

1: *Niemert verloot der Saal!* (schaut sich um) *Das Sääli! Alls looset uf öseri Befeel! Rua dött! Nummer 2!*

2: (stösst zu 1 und 3, schiebt sich Hemd in die Hose, Schuhe offen etc.) *Kommander! Auftrag erfolgreich ausgeführt! Die Künschtler befinden sich in unserer Gewalt! I ha si ir Garderob iibschlossa.*

1: *Bravo! Hen si Widerschtand gleischtet?*

2: *Melde gehorsamscht: der Widerschtand konnte durch einen in Aussicht gestellten Fürschtlichen Ratstitel gebrochen werden!*

1: *Rua! Mier sind s Kommando Sabrina Sele!*

2: *Mier hend üs so benennt noch ösrem Vorbeld ...*

3: *Ünschi Sabrina!* (Faust hoch)

2: *... der Sabrina Sele vom Tresaberg!*

1: *Anera muatiga und tapfera Kämpferi vo ösera grechta Sach:*

2: *Der Unterwanderig vor Zensur ir Landespress!*

1-3: *Haut dem Meier*[17] *in die Eier!*
Ho-Ho-Hoch[18] *und Co*
schreiben für das Gästeklo!
Volksblatt, Liewo, Vaterland
verkaufen unser Heimatland ...

2: *... für blöd! Es han i no net ganz hoss.*

1: *D Sabrina Sele het em Estäblischment der Kampf aagseet. Het öserna harmoniigschädigta Schriiberling zaaget, wo der Fidel sini Stümpa holt.*

2: *Am 28. Oktober 1994 het s Volksblatt imana Brechtle öber d Fertigschtellig vor neua Tresaberger Ghirnwäschalaag im Obergufer s folgendi Zitat vor domoliga Föftklässleri Sabrina Sele ...*

3: *Ünschi Sabrina!* (Faust hoch)

2: *... het s Volksblatt also dia folgenda Wort vor Sabrina Sele abdroggt:*

1: *"Schade ist einzig, dass der Pausenplatz geteert wurde"*

1-3 verharren in stiller Anerkennung.

2: *D Sabrina Sele ...*

17 Günther Meier, damals Chefredaktor des „Liechtensteiner Volksblatts", dem Parteiorgan der FBP bzw. FBPL

18 Hubert Hoch, damals Chefredaktor des „Liechtensteiner Vaterlands", dem Parteiorgan der VU

3: *Ünschi Sabrina!*
2: *D Sabrina het för dia unerhöört Kritik amana waalunabhängiga Bereich der geballti Zorn vom Süschtem z spüüran öberkho!*
1: *Ma het si gschnetta uf der Strooss!*
2: *Kann Neujoorsbatza hets me gee!*
1: *D Verwandtschaft verlügnet si!*
2: *Der Pfarr verweigeret ira d Absolution!*
1: *Aber das het etz an End!*
2: *Sabrina!*
3: *Ünschi Sabrina!*
2: *Mier sin stolz uf di!*
1: *Mier sin uf dinera Sitta!*
2: *Zemma wemmer för a neus, bessers, freis Liachtaschtaa kämpfa!*
1: *Schluss met der Bevormundig vom Volk dor öseri Zittiga!*
2: *Schluss met der Zwangskaschtratio vo objektiva Fuassballprecht!*
1: *Schluss met der Euthanasii vo Theaterkritika!*
2: *Der eetischan Indikatio bi jeglicher Kritik ar Operettabüüni!*
1: *Der sozialan Indikatio bir Kritik ar Füürweerunderhaltig!*
2: *Der medizinischan Indikatio bir Kritik a Tornerkränzle!*
1: *Wia haassts öbermorn weder ir Zittig?*
2: *"Die Texte waren gut gelernt".*
1: *"Respekt. Die Szenen waren gut einstudiert".*
2: *"Besonders gut gefiel das Bühnenbild".*
1: *"Liebevoll gestalteter Abend".*
2: *"Der Musiker spielte einfühlsam".*
1: *"Der Musiker WAR einfühlsam".*
2: *"Klasse. Der Musiker konnte Noten lesen".*
1-3: *Ho-Ho-Hoch und Co*
kopieren aus dem W&O![19]
Haut dem Pack um den Meier
auf den Sack und in die Eier!
1: *"Sehr gelungen war auch der Sketch über das liechtensteinische Zeitungswesen".*
2: *"Etwas pfiffiger ging es in der Nummer über die Landeszeitungen zu und her".*
1: *Wisoo schriiben dia Zittigslütt net afacht, was si denken!?*
2: *Wisoo schriiben dia Zittigslütt net, was d Lütt denken?*
1: *"Der sogenannte Sketch über das liechtensteinische Zeitungswesen ging wohl voll in die Hosen".*
2: *"Einziger Wehmutstropfen eines ansonsten - für*

19 *Ostschweizer Tageszeitung „Werdenberger und Obertoggenburger"*

Liechtensteiner Verhältnisse ganz anständigen - Kabarett-abends: die hochnotpeinliche Darbietung des pseudo-anarchistischen Agitpropkommandos Sieglinde Schädler".

3: *Ünschi Sieglinde!*

1: *"Bunter Abend"!*

2: *"Pfadi-Abend"!*

1: *"Frechheit!"*

2: *"Wir verlangen die sofortige Wiedereinführung der Lex Heinzel"!*

1: *So sötten si schriiba. Wenn si noch a betzile Mumm under dan Achsla hätten!*

2: *Ina feelt, was mier hen!*

3: *Ünschi Sabrina!*

2: *MIER sind anderscht!*

1: *MIER hend noch en Idealismus!*

2: *MIER wennd noch a besseri Welt!*

1: *MIER wennd an objektivi Brechterschtattig!*

2: *Met Fotti!*

1: *Du! Mier sin do jo gär ned im TAK!?*

1-3: *Mescht! (*rennen ab)

1996 Das LiGa und der richtige Ort

Die Premiere des ersten LiGa-Programmes – „s Benkli vorām Huus" – fand im Gasthaus Frohsinn in Gamprin statt. Der „Frohsinn" wurde Anfang der 90er Jahre von einer ambitionierten Gruppe junger Liechtensteiner als Alternativ-Beiz geführt. Neben dem eigentlichen Lokal im ersten Stock gab es einen Ausstellungsraum, der auch als Raum für Lesungen diente, sowie einen kleinen Kinosaal unter dem Dach, in dem auch Konzerte durchgeführt wurden und der dem LiGa als Proberaum und Bühne für die ersten beiden Produktionen zur Verfügung stand. Für uns war es damals sehr wichtig, an einem Ort auftreten zu können, an dem wir uns absolut wohl fühlten und wo wir eine hundertprozentige Unterstützung fanden. Gerade Letzteres war denn auch durch die „Frohsinn"-Besitzer Christel und Fredi Kind gewährleistet, aber auch durch die tatkräftige Hilfe des gesamten „Frohsinn"-Teams. 1996 erfuhr der „Frohsinn" eine Umorientierung. Das Lokal und der Ausstellungsraum wurden einer Kindertagesstätte zur Verfügung gestellt und somit fehlte uns die nach einem Auftritt so wichtige Begegnung mit dem Publikum.

Nachdem wir mit dem „Ivan" bereits auf „Wahltournee" gegangen waren und fremde Bühnenluft geschnuppert hatten, war der Wechsel vom „Frohsinn" zu einem anderen Aufführungsort nicht völliges Neuland. So fand das LiGa für die folgenden zwei Jahre eine Bühne im TaKino in Schaan. Anfänglich noch als Unterstützung gedacht in einer für das TaK schwierigen Phase, führten wir die gute Zusammenarbeit 1998 weiter, nicht zuletzt aufgrund des ausgezeichneten Einvernehmens mit der TaK-Technik-Crew. Nachdem jedoch das Engagement des LiGa auf der obersten TaK-Etage keinerlei Echo fand, hatten wir in der Folge keine Probleme damit, uns nach anderen Lokalitäten umzusehen: 1999 wurde das Kellertheater Vaduz (unter dem Vaduzersaal) bespielt, im Jahr 2000 bezogen wir erstmals das leerstehende Hotel Schlössle. Dort spielten wir von 2000 bis 2002 im grossen Speisesaal im Erdgeschoss und seit 2003 hat das LiGa im eigens zum Kellertheater umgebauten „Schlösslekeller" (ehemalige Schlössle-Kegelbahn) seine Hausbühne.

Zu den Aufführungen

Weitere Aufführungen im Rathaussaal Vaduz, im Restaurant Samina (Triesenberg), im Schlosskino Balzers sowie im Rathaussaal Schaan.

Das LiGa

Fürstenliga

Texte: Mathias Ospelt
Musik: Marco Schädler
Regie: Frank Schwarz
Premiere: 20. April 1997, TaKino, Schaan
Derniere: 14. Mai 1997, TaKino, Schaan

Programm

Vorrunde

Nationalhymne

Song: Kürzlich weilt' ich in der Ferne

Anpfiff

Wahlen

Wahlverhalten

Song: An einem schönen Tag im letzten Herbste

Lasset uns weibeln!

„Wir tun was"

Elf Freunde (Kommunikation – Flughafen Bangkok - Hausbesuch)

Fürstenwitz

(Text/Stimme: Sebastian Frommelt)

Führungsleute

Schlussoffensive

Song: Oh, Oligarchie!

(Nationalhymne/Champs Elysees)

Verlängerung

Vorrunde
Offizieller **O**

O tritt vor den Vorhang.

O: *Aufgrund von besonderen Vorkommnissen in der letzten Zeit, insbesondere des epidemienhaften Auftretens von Hobby-Kabarettisten in den Print- und Audio-Medien dieses Landes und des dazugehörigen Bistums, hat sich die Regierung des Fürstentums Liechtenstein einstimmig dazu entschlossen, ein Amt für Ausgewogene Unterhaltung zu schaffen. Ich, in meiner Funktion des Amtsvorstandes, bin damit beauftragt, das werte Publikum über diesen Sachverhalt jeweilen in Kenntnis zu setzen. Danke.*

Also. Im Klartext haasst das, dass i vor Regierig beuuftreet bi, z luaga, dass im Bereiche des Humors die politische Ausgewogenheit gewahrt bleibt. I und mini Mitarbeiter hen üs drum geschtert Oobed d Generalprob vo dem Gabarett aagluaget und hen sämtligi Nenniga vo Politiker und Hiiwiis uf politischi Gruppieriga metzellt.

Derbei het sich denn o tatsächlich ussagschtellt, dass es ein nicht tolerierbares Missverhältnis bir Zaal vo da Nenniga gee hetti. Mier hen denn dia Herra Gabarettischta dervo öberzüga könna, uf der völlig unuusgwoga Sketsch „Liechtenstein im Kriege“ z verzichta, womet mer denn d Differenz zwöschet VU und FBPL uf an anzigi Nennig hen reduziera könna. Glöcklegerwiis hemmer denn gemeinsam noch aa Nennig vo da Wiissa gfunda, wo mier denn zo da Schwarza derzuazellt hen und sin do dermet uf a liachtaschtaaverträglichs Unentscheda ko.

Wia mier der Herr Ospelt vom LiGa gseet het, könnis etz aber sii, dass er ir Nervösi dinna der aa oder ander Namma vergesst, verwekslet oder dorananderbringt. Und dass sich do dermet bim aagna Metzella an anders Ergebnis wia das vo mier grad eba gnennt ergitt. Er möcht sich scho im Vornherein derför entschuldiga. Das sei denn im Fall kann Absecht. Sit irem Uuftrett im „Wolf“ z Vadoz[1] seien si sowisoo gebrannte Mandeln. Er hei jo denn o noch versuacht aus Gründen der Ausgewogenheit met em LiGa am Jubiläum vor Frauanunion s Kalb z macha, aber si heien si dött afacht net ha wella. Uf sin Vorschlag, er und der Herr Schädler teien als ‚Fish & Chippendales‘ uuf-

1 *Im Winter 1996 traten Mathias Ospelt und Marco Schädler anlässlich einer von der FBP-Ortsgruppe Vaduz organisierten, aber überparteilichen Veranstaltung im „Wolf“ in Vaduz auf.*

tretta, seien si ned amol iiganga. Schliassleg heiens denn aber wenigschtens der Herr Schädler akzeptiert. Als Emili Lieberherr[2].

Mier vom Amt för Uusgwogaheit konn met dena bereits im voruus gleferetan Entschuldigunga leba. D Froog ischt no, öb Sie das o konnd? Falls netta, mösst i Sie leider aawiisa, s Takino z verloo. Mier kond üs i dem jungan Amt ka schlechti Press erlauba! Der Iitrettspriis wörd Ihna selbschtverschtändlich vo da Stüüran abzoha.

Alles klar?
Super

Kürzlich weilt' ich …

Kürzlich weilt' ich in der Ferne
Aus berufsbedingten Gründ'.
Ferne hab' ich gar nicht gerne
Und schon gar nicht Schwäbisch Gmünd.

Kürzlich weilt' ich fern der Heimat,
Auf dem Ozean war ich,
Dort fühlt' ich mich nicht daheimat
Und so weint' ich bitterlich.

Bin ich fern von meiner Heimat,
Bin ich traurig noch dazu,
Weil sich nichts auf Heimat reimat,
Rufe ich den Fremden zu:

> *Mein Heimatland ist Liechtenstein.*
> *In Liechtenstein bin ich daheim.*
> *Daheim, das ist am jungen Rhein,*
> *Am Rhein da möcht' ich ewig blei'm.*

Liechtenstein hat einen Fürsten,
Dem gehört das ganze Land:
Alle Banken, alle Würste,
Alle Zähne, allerhand.

2 Emilie Lieberherr, Stadtzürcher Politikerin (SP) und Ständerätin (1978 – 1983), die 1996 von der Frauenunion (VU) zu einem Vortrag geladen worden war

Alle Dörfer, alle Böden,
Alle Kinder, alle Leut',
Die Gescheiten wie die Blöden,
Bis in alle Ewigkeit.

Alle Buchen, alle Föhren,
Alle Bäume, alles Geld,
Alles, alles tut ihm g'hören,
Alles, alles auf der Welt.

Mein Heimatland ist Liechtenstein ...

Anpfiff:

So! Es han i bruucht! Grüass Gott!
Do wäremer weder. Trotz amana Förscht, wo seet, jo ER mösi gwöss ned im Land bliiba. Trotz amana Bischof Wolfgang, wo seet, ER mösi gwöss numman ir Kircha bliiba[3]*. Trotz amanan Alt-Regierigschef Markus Büchel, wo seet, ER sei d Zuakunft vo Liachtaschtaa. Wer etz do seet, Konkurrenz belebt das Geschäft, em haui aas id Schnorra! För üüs Gabarettischta sin ernigi Lütt mee als noget geschäftschädigend. Dia betriiben Mundraub! Unlauterer Wettbewerb ischt das! Nicht EWR konform! HAUEN AB! Das ischt ösers Revier! Ischt das klar!*
Hier regiert die LIGA-rchie!
Hier regiert die LIGA-rchie!
Mier meschen üs jo schliassleg o ned i Euri Aaglegaheita! No netta! Also.

Was förna Joor! Ha!? Was förna Joor ischt das gse, sit mer üüs s letscht Mol troffa hen. S letscht Mol, won i eu gsaha ha, do sinder sooo grooss gse. Aber was förna Joor:
Zerscht der USV[4]*! Med amana 2 zu 1 geged Arbon secheret er sich am 26. Mai 1996 der Zwotligaerhalt*[5]*. Der Faber ir 17. und der Matt ir 46. - öbrigens i sim letschta Speel, het denn grad o noch a Verwarnig öberko, was gär kann guatan Iidrogg gmacht het! - hen alles klar gmacht. Do het o s Aaschlossgool vom Gökbayrak ir 73. Minuta nüt me gnötzt. Arbon het aber o a betzle Pech kha! Ir 36 Minuta het jo der Riemle der Ball noget ad Latta knallt. Und för a Schidsrichter Jürg Kummer us Waltensburg isches s letscht 2. Liga Speel gse. Us Altersgründ bitte, gell. Und ned eppa, well er versuacht het, der Firma Totomat Röthlisberger s Veterana Cupfinal z verkoofa! Mier wören na i gueter Erinnerig bhaalta! Dia Pfiifa!*

3 Bischof Wolfgang Haas in einem Interview der „Rundschau" (SFDRS) vom 5. Februar 1997

4 USV: Unterländer Sportverband (allg.). Hier ist der Fussballverein der Gemeinden Eschen und Mauren gemeint.

5 Zweite Liga des Schweizerischen Fussballverbandes

Da Schaaner isches a dem Samschtig Nomettag ned a so guat gloffa wia dan Unterländer: 0 - 5 hen si geged der FC Chur ufa Sack öberko. Immerhin ischt der Abschteg i dia 3. Liga zo dem Zittpunkt scho feschtgschtanda. Hen sich d Schaaner vorem Speel wenigschtens nüüt vormacha mösa. I man, MIER hen jo scho lang gwösst, dass d 2. Liga förd Schaaner scho a betzle, wia söll i säga, a betzle, jo, Schaa …

D Vadozner sin do jo ganz anderscht! Dia hen am gliicha Tag 5 - 0 gwunna. Sachen Sie der Untersched? Schaan 0. Vaduz 5. Sachen Sies? Schaa. Und Vadoz. 3 mol ischt der Polverino[6] erfolgrich gse, dia andera Töpf hen der Kubli und der Milosavljevic gschossa. Der Patrick Sklarsky ischt öbrigens als öberzäliga Ossländer uf der Bank ghogget. Do het er denn o schöö sini Missio verfeelt.

Apropos ‚met irem Ossländerschtatus kokettierendi Tschutter'[7]: Der Mössiö Polverino sött do a betzle uufpassa! Het na doch der domolig Trainer vor Nati, der Herr Dr. Weiss[8], vorem wechtiga Dütschlandschpeel im Juni gfrööget, öb er net o metschpela

6 Daniele Polverino, damaliger Topscorer des FC Vaduz

7 Dieses Zitat geht auf das Radio-L-Verwaltungsratsmitglied Walter Bruno Wohlwend (wbw) zurück, der öffentlich erklärte, Liechtensteins Ausländer würden mit ihrem Ausländerstatus kokettieren.

8 Dr. Kurt Weiss: Intendant des TaK. Der Trainer der Nat.-Mannschaft hiess Weise.

welli. Prego. S sei a Fründschaftsschpeel. Do könnten o, em, ossländischi Metbörger mettschutta. Ossländischi Metbörger, das noget zom bessera Verschtändnis för dia aawesenda Delegierta vo Radio und TV Verwaltigsrööt, ossländischi Metbörger sin Lütt, wo kann Liachtaschtaaner Pass hen, aber gliich ums Verrecka do im Liachtaschtaa woonen, ganz im Gegasatz zo da Liachta-schtaaner, wo ir Regel en Liachtaschtaaner Pass hen, aber, und das ischt etz entscheidend, net unbedingt im Liachtaschtaa leba muand. Oder sötten. Eigentlig an afachi Regelig. Aber wia gseet, das noget nebetbei.

Also. Der Dr. Weiss frögt der Polverino, öb er geged d Schwoba metschpela welli, und ma globts net, do seet doch der Signore Polverino pump: „I bi Italiano. Ha!? Habe nix gege Liechteschtai. Hoi nomola. Nit falsch verschto. Aber ike nix wolle spile für Liechteschtai. Squadra di merda." Wobei er worschinnleg ned gmannt het, dass er ned NED FÖR Liachtaschtaa spela well, sondern, dass er ned GEGED dia Dütscha verlüüra well. 9 - 1[9]. Vor 8 Milliona Fernseezuaschauer. För Italiener ischt das halt eppes schlimms. Geged dia Dütscha verlüüra. Üs ischt das jo gliich. Solang si do verschtüüren.

Aber der Herr Weise het i dem Fall sim Namma ned grad alli Eer erwesa. ER het der Polverino halt scho i früenera Länderschpeel uufbütta sölla. Geged Balkan Chur zum Beischpil. Oder „Jule's Blaue Pinsel". Denn het er sich spööter ned aso liicht ussawinda könna. Italienisch verabschida! Aber asoo? Asoo het denn halt en Spanier[10] s Goal för Liachtaschtaa schüssa mösa. Gottlobunddank isches kann Vietnames gse! Mein Gott, wär das peinlich gse! För dia Dütscha!

Noch denan Erfolg vom USV und vom FCV hen denn a Wocha spööter o d Balzner eppes zom fiira kha. Zom erschta Mol sin si Seniora Cupsieger wora. 4 - 1 hen si gschpellt. Geged Tresa. Jo Tresa. Dia gitts noch! Die wieselflinken Triesner. Zumindescht im Seniorafuassball. Aber Müa heien si kha, öberhopt a Mannschaft ufa Platz z stella. So heien si noch schnell öber Funk i allna Büss vom Land der Juli[11] suacha mösa. Dermet si öberhopt hen aatretta könna.

Jo und wo denn alls entscheda gse ischt uf allna Magerwesa vom Land und ma bereits weder gwösst het, dass Dütschland Europameischter wörd, nochdem si üüs fuassballerisch gförderet hen, ma muass das 1 zu 9 positiv aaluaga, do het sich denn oo s Balzner Eins zoneran Entscheidig bequemt. Bi ina isches uman Uufschtig i dia 1. Liga ganga. Geged Horga! Horgazack! Aber si hens spanned macha wella. Zerscht 0 - 0 z Horga, denn 1 - 1 z

9 Länderspiel Deutschland – Liechtenstein vom 4.6.1996 in Mannheim, letztes Vorbereitungsspiel der Deutschen vor der EM in England.

10 Marco Perez

11 Julius Hoch (1935 – 2002)

Balzers, denn Entscheidigsschpeel z Glarus und dött hen si denn, nochdem eppert s Fluatlicht abgschtellt het und sich d Balzner im Dunkla schinnts sowisoo besser z recht finden, 4 - 1 gwunna und sin do dermet noch 5 Joor weder amol fascht so guat wia mier, also i, d Vadozner.

Du Marco? Was hen eigentlig d Berger gmacht? (Marco zuckt mit den Schultern)

Denn, mier wössens alli, ischt Vadoz i dia erscht Hoptrundi vom Europacup iizoha. Öber Universitate Riga. Zeerscht hen si am 8. Auguscht spela mösa. Im Eiropas Kausu Stadion. Z Riga. Im tüüfschta Baltikum. 1 zu 1 hen si gmacht. Der Hispano-Liachtaschtaaner Perez ir 43. und leiderleider a Minuta spööter der Zarins sin Toorschötza gse.

(zu einer Frau im Publikum) *S ischt doch all weder faszinierend, was d Lütt interessant finden? Hm? Finden Sie netta? I bi zom Beischpil o all weder fasziniert, was mengi Lütt am Ummabiiga vo Bluamatöpf ir Stoba und am Ummarumma vo Kochigräät interessant finden. Aber mier bliiben do ganz tolerant, gell! Mier sin jo erwaksni Lütt! Mier tuan üüs do jetz politisch ganz korrekt verhalta. Gell? Schnuufen tüüf i und tüüf uus. S ischt glei verbei. S ischt glei verbei. S ischt glei verbei. No noch 50 Minuta. Es schaffen Sie scho.*
Het der Maa gseet, Sie söllen metko? Nei? A hen Sie gseet ..? A son a Pech. Ha? Isches s letscht Mol löschtiger gse? Hetten Sie liaber daham noch a betzle d Bluamatöpf ummabega? Oder d Kochiregal uusgrummt?

För d Fraua muass jo all eppes laufa. För d Meener muass all eppert laufa. Fraua muan jo all i Bewegig sii. Fraua sin jo eener eine bewegliche Masse. Wärend d Meener eener statischi Ob-jekt sin. An Ehepaar im Kleidergschäft zom Beischpiil: Bir Frau ischt dött alls i Bewegig. Alls. D Ooga (schaut herum). *D Nasa* (nimmt Witterung auf). *S Muul* (singt). *D Hend* (schafft Platz). *D Finger* (prüfen Stoff). *D Füass* (steigt in Hosen). *Während sich der Maa imana Zuaschtand vo totaler Rua befindet* (steht mit leerem Gesichtsausdruck da). *Meditativs Iikoofa* (leerer Gesichtsausdruck). *Die Esoterik beim Sockenkauf! Eins sein mit Jacke und Hose* (starr und leer).

(wieder zur Frau) *Sie konn mier etz a betzle uuruhig vor! Wia na Raubtier. Ir Umkleidekabina. Und s sin erscht zeha Minuta verbei! Hei! Und Sie wössen, dass es ka Pausa gitt? Netta!? Aber Sie schaffen das scho! S ischt baal verbei. S ischt baal verbei. S ischt baal verbei. Noch 49 Minuta. Noch 48 Minuta und 58 Sekunda.*

S ischt baal verbei. Fraua heben jo mee uus wia Meener. Schinnts.

Drum bin i bim Europacup Qualifikations-Retourschpeel vo da Vadozner o ned im strömenda Rega am Rii doss gse. Sondern ha mer im „Grüaneck“[12] *bimana Bier d Live-Öberträgig aaglooset. Es wör i nia vergessa! 1 - 0 isches gschtanda. Dora typisches Abschtoober-Gool vom Zarins ir 47 Minuta. Wobei der Gooli Heeb o a betzle metgholfa het! Aber denn: Dia 91 Minuta! Aa Minuta*

12 Letzte Kneipe vor dem Vaduzer Rheinpark-Stadion

ir Nochschpeellzitt. Niemert het mee ana Fuassballwun-der globt. Nedamol der Daniele Polverino. Aber do schüsst er doch pump us heiterem Himmel a Gool und do dermet isches denn zor Verlängerig ko, wo Vadoz denn, mier wössens alli, hm, (zu der Frau) *Sie vilecht netta?, im Penudlaschüüssa gwunna het. Dank em Martin Heeb. Der Liachtaschtaaner Antwort uf, ufa, ufa Polverino!*

För Vadoz ischt das Gool im allerletschta Moment also - beinah - Gold wert gse. Aber zo dem Zittpunkt het ma jo noch ned wössa könna, dass d Eschner weged dera 1 zu 0 Niderlag geged d Vadozner im Cupfinal all noch a Rechnig im Sportpark off kha hen. Uf jeda Fall isches a ganz a wechtigs Gool gse, s speelent-scheidend, und erscht noch ir Nochschpeellzitt gschossa. Das muass ma sich amol vorschtella! So eppes gitts doch net! Und was seet der Maa am Radio, der Herr Frommelt, angesichts des unerwarteten, spielentscheidenden Torerfolgs? Was seet er zmet-zet i dia Rua vorem explodierenda Jubel? I der emotional Mag-mafloss ihi? I dia Erlöösig?: „Super!" Seet er. Nei! Er seet net: „Toooooooor!" Oder: „Jawool!" (macht die ‚Säge') *„Der Polverino schiesst den FC Vaduz in die Hauptrunde vom Euro-pacup, wo uns super Live-Übertragungen und vielviel Gegentore erwarten! Uusgrechnet der Polverino, wo net geget dia Dütscha het 9 zu 1 verlüüra wella, verschüüsst sis Polver geged Riga. Ösera super Daniele* (nimmt Krone vom Ball) *polverisiert d Trömm vo da Letta!"* (schiesst Ball ins Publikum) *„Hurraaaah!" Nei! Het er alls netta: „Super". Seet er. Oder vilecht: „Su-perr!" Immerhin het er net gseet: „Super, hoi".*
‚Super'. A super Wort. Ir sin a super Publikum. Das ischt en super Aalass. Mier hen hött a super Mosig. Das ischt en super Obed. Mier hen a super Opposition. Und a super Oligarchii. Und en super Förscht. Mier sin a super Förschta super Liga!

Wahlen

Luagen Sie, för eppert wia mi, ischt alls im Leban a Speel. A Fuassballschpeel gnau gno. So duuret a Leba o zwo Hälftena lang und wörd dora korzi Pausan unterbrocha. För dia aana goot si ebafalls fofzeha Minuta. Wo s noget Zitroonaschnetzli gitt. Und lauwarma Tee. Und för a paar gitts o a Verlängerig. Noch amana Schlägle zom Beischpil. Denn gitts Heimschpeel. Und Osswärtsschpeel. Wo ma för dia osswärts erziilta Schöss ebafalls dopplet zallt. S gitt Fäns, wo jublen und s gitt Hooligans, wo alls vertublen. Uf alli Fäll, muass ma sich entscheida, uf wellera Sitta dass ma metschpela well. Wemma metschpela well. S gitt Lütt, dia konn sich a Leba lang ned entscheida. Dia lon sich scheida. Oder wören uusgwekslet. Und öber allem thront en

Oberfunktionär, wo luagt, dass alls lauft und der Rubel rollt. Bi dan aana haasst a sonen liaba Maa dr liab Gott. Oder Sepp Blatter. I öserna Breitagrada nennt ma der Maa Förscht.

Öseri Waala zom Beischpil, das ischt Fuassball. In Reinkultur. Der Waalkampf ischt d Minimalversio vonera Fuassball-Liga. Vergliichbar met em Eishockey ir DDR. Do hen o noget zwo Mannschafta a ganzi Saison lang um der Meischtertitel kämpft. Huara langwiilig. Aber s het jo soss nüt gee. „Gefrorenes Wasser Ballspiel Konkubinat Mecklenburg Pommerland" geged „Stasi Berlin". Und „Stasi Berlin" geged „GWBK Mecklenburg Pommerland". En ganza Winter lang. Es muass ma sich amol beldhaft vorschtella! Und denn sacht man eppa d Tragik, äh, Tragwitti vo öserem Waalkampf!

Immerhin sin bi ösera Meischterschaft, der Förschtaliga, drüü Mannschafta met vor Partii. Aani kämpft glei amol ir Uf-Abschtegsrundi, wo sich um der ominös Achtpunkte-Strich[13] *bewegt, dia andera zwo kämpfen verbessa um der Liga-Titel. Do wören Trainer gwekslet, Speeler iikooft, Speeler zom Tüüfel gjackt, Gelder ihipumpet und verlochet in Verein, Gröcht wören i Umlauf gsetzt, Prognosa gschtellt, d Vergangaheit beschwört und Fans, Funktionär und Speeler kon geged End vor Liga der Liga-Koller öber. Das lauft denn underem Motto: Emotionalisierig vor Finalrundi. Und wemma im Fuassball seet: „Ein Spiel dauert 90 Minuten", denn haasst das bi üs: „A Kollegialregierig duuret 4 Joor", „Ein Spiel hat zwei Hälften" „A Regierig 5*[14]*", „Der Ball ist rund" „Dr Bölli vom Mario*[15] *o", „Dann schaumamal", „Denn luagemer witter".*

Ganz witt gluaget het am letschta Waalsunntig o der anera Leischtigszerrig ummadoktorierend Parteisekretär vo da Schwarza: der Herr Scarnato[16].
„Herr Scarnato, grad eba sin dia erschta Resultat ihako: dia Schwarza hen z Planka[17] *domma en Huffa Stimma verlora? En erschta Grootmesser?"*
„Nei. Jetz luagemer üüs dia reschtligan Uuszelligan aa und denn luagemer witter!"
„Herr Scarnato, grad eba hören mier, dass dia Schwarza z Ruggell dunna super zuagleet hen, wia dütten Sie das super Resultat?"
„Gär net. Mier luagen üüs jetz noch dia reschtligan Uuszelligan aa und denn luagemer witter!"
„Herr Scarnato, es luagt a so uus, dass es im Unterland super

13 Die sogenannte 8 Prozent-Hürde

14 Die Fürstliche Regierung besteht aus 5 Mitgliedern (sowie 5 Ersatzmitgliedern)

15 Dr. Mario Frick, Regierungschef von 1993 - 2001

16 Marcello Scarnato, damals Parteisekretär der FBP

17 Planken ist jeweils die erste Gemeinde, die ihre Wahl- bzw. Abstimmungsresultate präsentiert. Über die Jahre hat sich gezeigt, dass diese Resultate jeweils einen Gradmesser für den landesweiten Wahl- bzw. Abstimmungsausgang darstellen.

eng wöra könnt. Dia Schwarza und dia Roota verlüüren beedi all mee Stimma! Finden Sie das ned super?"
„Jo, do luagemer etz witter!"
„Herr Scarnato, iri Partei het dia super Waala 97 verloora! Sin Sie super truurig?"
„Mier hen dia Waala verloora. Richtig. Aber i glob net, dass mier dra Tschold sin. Jetz luagemer afacht amol witter."
„Danke, Herr Scarnato."
„Bitte."
„Übrigens, Herr Scarnato ..."
„Jo?"
„Hen Sie net met em Regierigsschef zemma d Matura gmacht?"
„Öh, jo!"
„Super! Das ischt doch secher en super Troscht för ösra Herr Scarnato!"

Ned ganz bi Troscht sin o noch anderi gse. So het zom Beischpil der Chef-Analysant vom Land[18] d Tatsach, dass ma im Liachtaschtaa afacht ka Fraua im Landtag ha well, a so z erklära versuacht:

„Äähm, Schold a dera ganza Situatio, i darf das jetz ruhig o amol so inin Raum ihi schwätza, stellplaziera, und i mään das jetzt ganz bewusst, ganz gemeingefährlich, das darf ma, mier sin do schliassleg, d Regierig ischt do schliassleg mittlerweile o so witt, und schliesst sich meiner Meinung an, dass ma, also i, das säga tarf. Ähm, dass die Schuld vo da Fraua, also. Dass d Fraua im Landtag untervertretta sinbliiba wören. I säg das etz ganz offa: Schold ischt: Dia Frei Lischta! Schliassleg ..."

I körz das etz för Sie ab. Es haltet ma jo soss ned uus! D Wälerinna und Wäler vor Freia Lischta sin Schold, well si schliasslig o ka Frau in Landtag gwäält hen. Drum! Do steckt a bestechende Logik derhinter. Das ischt eppa genauso, wia wemma säga tät: Schold, dass es dena Tibeter z Tibet a so miiss goot, sin d Tibeter selb, well si bi da Waala ka Tibeter i dia chinesisch Regierig ihiwäälen. Oder: Schold, dass öseri Nationalmannschaft ned ganz aso supertoll tschuttet wia mier das gern hätten, sin mier, well mier si am Fernsee z wenig aafüüren!

18 wbw, damals Chef des Wahlstudios auf Radio L

The Art

VADUZ
PIONEER
The Art of Entertainment
PIONEER
The Art of Entertainment

Wahlverhalten

S Waalverhaalta vo da Lütt im Land sorgt sowisoo immer weder för Gschprööchschtoff. Ned no a da Waalsünntigöbed. Derbei isches doch ganz simpel. Bi üüs gelt jo an aalts Sprechwort: Dia Rota wäälen rot. Dia Schwarza wössen no ned gnau, was si denn am End wäälen, aber irgendeppes wören si denn scho wääla. Worschinleg schwarz. Vilecht o wiis. Im Detail luagt das denn a so uus:

En traditionella rota Wääler nünnt der rot Stimmzettel, striicht alli Wiiber und wörft dia rot Lischta id Urna. Fertig.

En progressiva rota Wääler nünnt der schwarz Stimmzettel, striicht alli Schwarza, ersetzt dia Schwarza dor Roti, mierkt, dass er en huara Seich fabriziert, verbodlet der schwarz Zettel und wörft dia rot Lischta id Urna. Aus.

En revanchistischa rota Wääler nünnt der schwarz Stimmzettel, striicht alli Schwarza und schriibt met wasserfeschtem Filz över dia ganz Lischta: Huara Sauhünd! Und molt denn vilecht noch en Totakopf derzua. Met amana Schnutz. Oder amana Beret.

En traditionella schwarza Wääler aber, der zücht d Finkan aa, holt sich a Bier usem Küalschrank, hocket id Stoba, macht sichs bequem, nünnt der schwarz Stimmzeddel und fangt a striicha. Zerscht amol alli Wiiber. Denn striicht er dia, won er ned kennt. Denn dia, wo in ned grüasst hen. Wo ner met em Auto dors Städtli gfaaran ischt. Im Rega. Am 24. Dezember. 1965. Denn kon dia dra, wo med im id Schual sin. „Ha! Manscht eppa, seischt eppes bessers? Hä?“ Und wenn denn noch eppert öbrig bliibt, telefoniert er a betzle ummanand und holt sich a paar Informatiöönle i. Mengmol sogär grad direkt bim betreffenda Kandidat: „Hoi du. Du loos, i wääl di scho, aber säg mer noget schnell, wia ischt etz das dua nochamol gse, wo du mier ‚Schwiihund‘ ustäält hescht? Bischt etz du do im Recht gse oder ..? Du? Bischt secher? Guat. I dem Fall. Denn machs recht. Jojo. No kan Angscht. I wääl di scho.“ S nögscht Mol vilecht. Du huara Saukröppel!

Der fortschrittlig schwarz Wääler goot eppa genau so vor. Ossert, dass er statt amana Bier en Rotwii oder en Wisswii trinkt. Und dass er, wenn er denn alli erfolgriich gschtrecha het, nebed dia gschtrechna Nemma d Nemma vo da gliicha Lütt nochamol herschribt. Und dia denn nochamol striicht. Und denn dia rot Lischta nünnt und dött alli Rota striicht und d Nemma vo da schwarza Kandidata dernebet schriibt. Zom si denn nochamol striicha. Und denn all noch net zfredan ischt. Well dia, woner striicht, jo ned wössen, dass er si gschtrecha het. Und dia Deppa denn vier Joor spööter weder kond und sägen: „Gell, wäälscht mi denn scho!?“ Und er weder lüüga muass. Hartneckigi Koga!

Denn hemmer noch dia Frei Lischta:
Der traditionell Freie Lischte Wääler nünnt der wiiss Zeddel. Und striicht amol alli Wiiber. Huara Emanza. Denn striicht er der Hasler[19]. Es ischt grad o a Wiib! Hausmann! Pah! Der Rescht ufem Zeddel und dia frei gworna Plätz föllt er denn uuf met Kandidata vo dera Partei, won er früener all gwäält het. Wobei denn en potentiella Schwarza sich noch gnau öberlega muass, wer er denn nochträglig noch striicha sött.

Der fortschrittlig Wiiss nünnt der wiiss Zeddel, wörft nan uugänderet id Urna und verzellt sina Parteifründ, er hei schwarz gwäält.

Wemma all das waass, denn wörd am scho bewusst, werom sich höttstags kaum me Lütt finden, wo sich als Kandidata und im Speziella als Kandidatinna rekrutiera lon. Und wia das lauft, do dervo verzellt das Liad:

19 René „Hasi“ Hasler, Landtagskandidat der FL. Machte den „Fehler“, sich in der Wahlwerbung als „Hausmann“ zu bezeichnen.

För öseri politisch interessierta ossländischa Mitbewohner, för dia ma worschinnleg demnögscht us lutter Verzwiiflig, well ma soss d Lischtana numma zom Fölla bringt, d Waalgsetz ändera wörd, das ganz uf Hochdütsch:

eins zwei:

An einem schönen Tag ...

An einem schönen Tag im letzten Herbste,
Da klingelt's an der Türe wie verrückt.
Zwei Mann steh'n draussen, sehen aus wie Ärzte:
Verflixt! Wer hat mir DIE vor's Haus geschickt?

Erst sagen sie: „Grüass Gott!" und „Hoi! Wie geht es?"
„Wie läuft es im Geschäft?" „Was macht die Frau?
A propos mit den Landtagswahlen steht es
Noch nicht so gut. Wir sind noch auf Beschau."

Dann sagen sie, sie hätten was gelesen.
Als Zeitungsleser hätt' ich mich beschwert.
Ich nähme regen Anteil an dem Wesen
Vom Staat und dies sei keinesfalls verkehrt!

So Leut' wie mich könnt's Land sehr gut gebrauchen!
So grade Typen mit Courage und Schneid,
Die mässig trinken, keine Joints nicht rauchen!
Mit solchen Eigenschaften bringt man's weit!

Ganz artig will ich mich fürs Lob bedanken.
„Kein Ursach!" sagen da die zwei im Chor.
Gar viele hegten solcherlei Gedanken.
SIE brächten nur des Volkes Stimme vor!

Drum wenn ich Sorgen hätte, ja dann söll ich
Mich jederzitt bei ihnen, ungeniert ...
Da muss ich blöde grinsen, was nun völlich
Den Ernst der Unterhaltung sabotiert!

Die beiden Herren räuspern sich und blicken
Mir tief ins graue Äugelein hinein.
Sie mustern mich, sie schau'n sich an und nicken:
„Sag, willst nicht Kandidat fürn Landtag sein?"

Da muss ich aber leider lauthals lachen:
"Ja ist das euer Ernst? Ja sapperlott!"
Sie nicken nochmals, sagen solche Sachen
Wie: „Du machst unsern Dampfer wieder flott!"

Ich sage ihnen: „Ich bin etwas komisch!"
Sie kontern, davon hätten sie gehört.
Das sei bei ihnen fast schon beinah chronisch,
Dass sie so etwas nicht im g'ringsten stört!

"Nun gut", sag ich, "dann will ich's gerne wagen."
Ich hätt' ja auch schon einige Ideen.
„Ja super," sagen beide, „darf man fragen?
Worin die supertoll'n Ideen bestehn?"

"Nun gut", sag ich, "dann will ich's mal versuchen:
Verfassung, Schulreform und Zonenplan ..."
Da fangen beide lauthals an zu fluchen:
Ich sei ein dummer Hund! Ein Blödrian!

So fand am End' die vielbeschwor'ne Wende
Ganz ohne meine Hilfsbereitschaft statt.
Denn meine Karriere war zu Ende
Bevor sie überhaupt begonnen hat.

Lasset und weibeln!

Lasset uns weibeln[20]*:*
Orgel
Liebe Liechtensteiner,

Liechtenstein geht's gut. Das Gute bewahren heisst auch, manches zu verändern. Wir haben noch viel vor! Wir bauen die Brücke ins nächste Jahrtausend.

Ihre Stimme ist ein Vertrag mit Zukunft. Die Zukunft unseres Landes beginnt jetzt. Die Zukunft Liechtensteins darf nicht dem Zufall überlassen werden! Weil die Zukunft nicht einfach passieren darf. Unsere Zukunft ist gesichert! Holen Sie sich ein Stück

Zukunft! Die Zukunft gehört allen. Im Interesse der Zukunft Liechtensteins. Springen Sie mit! Wählen Sie Kompetenz und Leistung. Vertrauen Sie unseren Kandidaten! Kreativität und Mut wählen. Wer unsere Arbeit schätzt, wählt uns. Wählen Sie diesmal fortschrittlich! Nicht blah blah!

20 Der Text dieser Predigt ist ausschliesslich aus Slogans und Texten der Parteien FBP, FL und VU zur Wahl '97 zusammengesetzt

Für eine grundsätzlich neue Verkehrspolitik. Wir führen die bewährte Zusammenarbeit mit der Schweiz und Österreich fort!

Schon von klein auf läuft bei uns alles bestens. Unser Kulturleben kann sich bei allen sehen lassen. Geld kann man nicht essen. Wir haben viel geleistet. Und wir haben noch viel vor. Wir halten Sorge zu unserem kulturellen Erbe. Quak quak quak. Wir tun was. Wir zeigen, was wir tun.
Besuchen Sie uns im Internet!

Unsere Umwelt liegt uns am Herzen. Gesunde Umwelt und gesunde Wirtschaft schliessen einander nicht aus. Von der „Insel" in die „Fläche". Wenn es den Pflanzen und Tieren gut geht, geht es auch uns Menschen gut. Zwei Frauen im Landtag sind zu wenig. Wir stehen dafür, dass es so bleibt!

Danke!

Elf Freunde

Im Fuassball gitt ma als Rezept förna guat funktionierends Team gern a: „Elf Freunde müsst ihr sein." Bi üüs bruuchts noget füüf, und dia sin etz noch sechzg Joor abanand[21]*. Aber neui Fründ sin schnell gfunda. Und scho haassts weder: Fünf Freunde bilden eine Regierung. Es wär en Buachtitel: Fünf Freunde im Schlaraffenland. Fünf Freunde stehen dafür, dass es so bleibt. Eine spannende Geschichte für Jungen und Mädchen. Fünf Freunde tun was. Fünf Freunde und das Burgverlies!*

Wechtig för s Ufrechterhalta vonera Fründschaft bzw. vonera guatgehenda Findschaft ischt Kommunikation. D Sproch. Wenn Sie a so wend. I bi zom Beischpil der feschtan Öberzügig, dass s Liachtaschtaaner Bankgeheimnis no drum a so guat funktioniert, well d Liachtaschtaaner Finanzelita druuf beschtoot, met irna ossländischa Kunda uf Hochdütsch z kommuniziera. Aber o soss schaffen mier gern an Atmosphära vo linguistischa Kompaktheit. Zom Beischpil met öserna Nochbuura:

Hei! Sie! Nachbauer! Ich hab Sie nur wöllen frägen, öb Du noch ein paar Grundbirnen förig hascht?
(laut) *Was Du wollen? Kcheib!?*
Grundbirnen sött ich heben! Haben! Eben.
(laut) *Sie meinent aber nichcht EPA Herdäpfeli?*
Schon!
(laut) *Das Globi jo gar Nötli. So geil. Herdäpfeli kchchönnen Sie rübig. Haben. Reudig viel oder ein Birnen Bitzeli.*
Des isch su-perr! Und Salot?
(laut) *Salötli? Einenweggli! Was für Wettingen?*
Ja machens mier ein Eingebot!
(laut) *Schaurig gern! Bönli, Erbsli, Schwarzwürzeli, Rüebli, Krüttli, Rüttli, Spärgeli, Schwarzwürzeli, Geflügeli, Ruccolali, Bitterli, und so witterli*
und so fort.

Denn gitts natörleg o der Fall, dass sich zwo Iiheimischi im ned dütschschprochigan Ossland begegnen. Zum Beischpil i der VIP Lounge vom Flughafa z Bangkok:

21 Nach den für sie äusserst ungünstig verlaufenen Landtagswahlen 1997 verabschiedete sich die unterlegene FBP erstmals seit 60 Jahren aus der Regierungsverantwortung und ging in die Opposition.

Hello!
Good Day!
Are you from America?
No. Nix Steits!
Are you from London?
No. Nix from London!
Parlez vous Frangsä?
Vui! Jö parlez vous un Pneu.
Voulez vous de Frangs?
No. Nix from Monacco Franze!
Parliamo italiano?
Io nix Gaschtarbeiter! Hoinomola!
Du sprechen Dütsch?
A kleale.
Wo du schaffe dann?
I schaffa Liechtenstein!
Super! I au schaffa Liechtenschtein. Wo du schaffa Liechtenstein?
I schaffa Finanzdienschtleischtungssektor.
I nugat schaffa Schualamt.
Jo aba wans denn doaten schaffa tuascht, denn bischt jo am End a Liachtaschteina?
Naa. I bin a Luschnauer!

Körzleg hets bi mier daham ar Tör glüttet und well i grad nüd gschiiders z tua ka ha, han i off gmacht. Schweera Feeler! „Grüezi Herr", Bleck ufs Klingelscheldle, „Herr Defekt, Sie hen sicher Interesse a schöne Büecher?" Natörleg han i Interesse a schööna Büecher. Aber eba! Schöö sötten si sii. Hilfswerk hii wia her! Aber i ha denn dem guata Maa net der Tag verderba wella, und do han i mier denkt, i betriib a betzle Kommunikation met dem Vogel. Und well i jo grad körzleg en Video[22] ussagee ha, - Der gitts öbrigens ar Kassa zom koofa. Ganz bellig! Dia letschtan Exemplar! - han i dem aalta Depp d Gegafroog gschtellt. „Si, Herr", Bleck uf sis Köfferle, „Herr Russisch Leder, wenn Sie sich a soo för kulturelli Sacha interessieren, denn hen Sie secher o Interesse a schööna Video? Warten Si, i hol ina glei amol an!" Und Sie wörens net globa, won i zrock ko bi, ischt der Kerle verschwunda gse! So eppes Uufründlegs! Jo und sither frög i dia Lütt jetz all, wenn si vor minera Tör ston, Hilfswerkler, Zeugen Jehovas, Polnischi Studenta, der Valserwassermaa, d Stromableseri, öb si min Video scho heien. Und Sie wörens ned globa, jedsmol, wenn i met amana Exemplar kumm, sin dia Lüttle fort. Drum! Koofen doch an! Er haltet s Huus frei vo spirituella Stoobfänger!

22 *„METANAND. För Rubel, Rebel, Rappaschtaa", 1996 erschienener Video des LiGa, in dem einzelne Szenen der Programme „s Benkli voräm Huus" und „Ivan goes Landtag" an Originalschauplätzen nachgedreht wurden. Regie: Sebastian Frommelt.*

Aber das ganz het mi denn ufan Idee brocht. Und zwor han i mier denn öberleet, wian i das Süschtem jetz o uf anderi Sacha, wo mi aaschiissen, aawenda könnt. Wenn i afacht der Spiass ummdrei! Und so han i mi denn o entschlossa, der Summer a Woonmobil z miata, met dem uf Holland z faara und dött denn der ganz Summer lang im Schneggatempo zo da Stoosszitta uf da Hoptverkeersschtroossa ummazschliicha! Mol luaga, wia dena das gfallt! Und nögscht Joor gang i denn is ehemolig Jugoslawia, nümm 20 Kollega met, und denn tuamer der ganz Summer lang nüt anders als i da Koofhüüser am Iigang ummazschtoo und da Lütt, wo eppes iikoofa wen, der Weg z verschpeera. Und do ver-

bring i i Zuakunft jedi frei Minuta dermet, id Schwiz dori z faara, noget zom dött uusrüafa, wias bi üüs dena schönner und belliger und süüberer und süperer sei. Halt aso wia alli andera Liachtaschtaaner o!

Und wenn i grad derbei bi: wenn Ier mier persönlig en riisagroossa Gfalla tua wend, denn bringen doch Euer Altglas, Altpapier, Altöl, alti Konserva, was er grad hen, bittebitte ufd Sammelschtell im Haberfeld z Vaduz. Und bitte amana Frittig. Und, ganz wechtig: am füüf vor Vieri! Füüf Minuta bevor dia Kerle ufs Wochanend aaschtoossen!
I wör eu das nia vergessa!

Führungsleute

Bim Fuassball, um nochamol uf das Thema zrogg z ko, bim Fuassball gits, wia scho gseet, en Oberfunktionär. Und wia ebafalls scho gseet, haasst der i öserem Fall Förscht. Ir Hierarchii vom Fuassball gitts etz aber o noch eppert ÖBER dem Oberfunktionär. Das tät denn bedütta, dass es öber öserem Förscht o noch Leba gitt. So quasi en liaba Havelanche[23]. Und d Rolla vom Herr Havelanche het i dem Land denn o ösera Ober-Oberfunktionär. Und das wär natörleg, - Nei! Net der Dr. Peter Ritter, und no ned s Vaterland, - sondern ösera Bischof Wolfgang. Haas. Nota Bene. Bi dem Namma lauft jedem Fuassballfründ s Bluat us der Nasa: Joe, Jack, William und Averell Haas. A Fuassballdynaschtii. I da goldena Zitta. Vom FC VaDuzle[24]. Super. Aber uf das han i eigentlig gär ned ko wella. Mi interessiert jo ösera Wolfgang. Haas. Vo Chur.
„Nei, jetz kunnt der weder met em Haas! Won er doch verschprocha het, er tei na i Rua loo." Han i jo wella! Han i jo wella! Aber wenn er mii ned i Rua loot!? Wenn er mier a Briafle schriibt! A Hirtabriefle! Hen Sie sin super Hirtabriaf glesa? Netta? Sötten Sie aber. Unbedingt. Also Sacha ston dött dinna! I muass es vorlesa. Soss haassts denn, i hei das erfunda. Und welli ösera Bischof lächerlich macha. Ii!? Lächerlich!

Also, dass er do am Aafang schriibt: „Liebe Brüder und Schwestern im Herrn! Ihr seid alle durch den Glauben Söhne Gottes[25]" es well em jo jetz noch dorgoo loo. Schliassleg het er das vom Paulus abgschreba und zo dera Zitt ischt ma no ned a so pingelig gse. Dass es ösera Bischof vilecht der Wert gfunda hetti, das a betzle z aktualisiera, es ischt mier o gliich. I bi weder en Bischof noch a Tochter. Aber denn:

23 *João Havelange, damals Präsident der FIFA, des Weltfussballverbands*
24 *Modestus „Duz" Haas, Fussballlegende des FC Vaduz*
25 *Aus dem Hirtenbrief des Jahres 1997. Beim Hirtenbrief handelt es sich um ein vom Bischof verfasstes Lehrschreiben, das jeweils an einem bestimmten Sonntag zu Beginn der Fastenzeit in allen katholischen Kirchen eines Bistums verlesen wird.*

Zitat: „Unsere Würde als Christen besteht nicht im Tragen von Prunkgewändern, Titeln und Auszeichnungen." Seet der Bischof Wolfgang. DR Bischof Wolfgang[26]*.*

Und denn. Zitat: „Der katholische Christ, der in der Fülle der Christus- und Kirchengliedschaft lebt," - also dia Verbindig dunkt mi denn grad o gwoogt: Glied und Schaft. Öberhopt büsst er sich bi sina witteran Usfüeriga gär a betzle a dem Begreff

26 Bischof Wolfgang schmückte sich eine Weile lang unerlaubterweise mit einem Doktortitel.

„Glied" fescht - „Item. Der katholische Christ, der in der Fülle der Christus- und Kirchengliedschaft lebt, versagt sich jede Form des Auswahlkatholizismus. Er lebt seine katholische Identität nicht nach der Art einer à-la-carte-Mentalität." Seet der Bischof Wolfgang. Und denn seet er ir „Rundschau" vom Schwizer Fernsehen DRS[27]: „Ich bin selber [Kirchen-]Steuerzahler. Ich gehöre hier zur Kirchgemeinde Chur, ich bin bis jetzt nicht ausgetreten, obwohl ich nicht sehr zufrieden bin mit dem, was hier in der Kirchgemeinde läuft. Ich habe es nicht im Sinn, aber denkbar wäre auch so etwas." Auswahlkatholizismus? Austritt denkbar? Denkbar? Do gitts doch no eppert, wo en Ustrett för denkbar haltet. Oder verschideni Szenaria vo Ustrett. „Für den Fall eines Rückzuges des Fürstenhauses sind verschiedene Szenarien denkbar"[28] Seet der. Und denn ischt Schluss met dera Förschtaliga!

Aber sägend amol: Was ischt denn met öserna Füerigslütt los? Alls Mimösle? Ned Früaligsmüadigkleit, sondern Füerigsmüadigkeit! Was sin denn das för Vorbelder! Ned gnua, dass ma i da Waarahüüser ständig vo Goofa beläschtiget wörd, wo ummalärmen, well si ned öberkon, was si wenn, nei, das lauft etz o noch uf der Kommandoebene ab. Wenn es no ka Nochaamer find ir Regierig!

27 siehe Fussnote 3

28 Fürst Hans Adam II. von Liechtenstein in einem Interview mit der NZZ, 1997

1997 Das LiGa und seine Sponsoren

So sehr das LiGa auf der Bühne mit einer professionellen Darbietung zu überzeugen vermochte, so wenig gelang es uns, die finanzielle Seite einer jeweiligen Produktion in den Griff zu bekommen, geschweige denn aus einer durchaus erfolgreichen Karriere materiellen Gewinn zu schlagen. Andererseits konnten wir uns aber über die Jahre auch nicht des Eindrucks erwehren, dass für manche kulturellen Institutionen des Landes das Präsentieren finanzkräftiger Sponsoren fast wichtiger war als die eigentliche künstlerische Darbietung. Wir spielten da jeweils in einer anderen Liga ...
Für unsere erste Produktion schrieben wir die üblichen Stellen und Stiftungen an sowie auf Anraten von Marco den Dr. Peter Sprenger. Dieser war denn auch der Allererste, der uns – damals noch unbekannterweise! – eine schöne Spende überwies. Weitere Gelder kamen von der Gemeinde Vaduz und vom Fürstlichen Kulturbeirat. Das Bürgermeisteramt der Gemeinde Vaduz schrieb uns damals, dass „im Speziellen zu begrüssen ist, dass die Kunstform des Gabaretts wieder aufblüht." Der Stiftungsrat einer ebenfalls angeschriebenen Stiftung lud mich zudem zu sich ins Büro ein, wo er mir als erstes eröffnete, dass er festgestellt habe, dass keiner von uns Dreien Abonnent seines Heimatmagazins sei. Anschliessend wollte er wissen, wie wir es mit der Monarchie hätten. Geld gab's dann keines.

Nachdem sich das LiGa von der „Frohsinn"-Bühne mit seiner Mini-Zuschauerkapazität von maximal 50 Personen verabschiedet hatte und wir fortan jeweils vor 100 bis 200 Zuschauern pro Abend spielten, wurden auch keine Unterstützungsgesuche mehr zu den jeweiligen Produktionen versandt. Uns schien dies unnötig. Erst bei den letzten Programmen, die mit einem gewissen bühnen- und kostümtechnischen Aufwand operierten, wurden wir wieder klinkenputzend aktiv. Seit der „Fürstenliga" (1997) konnten wir jedoch auf die Druckerei Lampert als Drucksponsor bauen. Alfred Lampert hielt uns selbst dann die Stange, als er wegen seines Sponsorings von einem Kunden massiv unter finanziellen Druck gesetzt wurde.
Ach ja: Einmal – beim „Holding" – hatten wir es mit der Marketingabteilung einer Liechtensteiner Bank zu tun. Damals ging es um die Mitfinanzierung unserer CD. Wie es da zu- und herging, lässt sich in der Nummer „Der Sponsor" nachlesen (Hirsch& Wurscht)!

Das LiGa

Auf Wache!

Text: Mathias Ospelt
Musik: Marco Schädler
Regie: Ingo Ospelt
In weiteren Rollen: Albi Büchel, Lars Fischer, Martin Hilti und Roland Tribelhorn (Ministranten)
Premiere: 5. Februar 1998, TaKino, Schaan
Derniere: 24. März 1998, TaKino, Schaan

Programm

Ave Securitas

Appell (20.15)

Song: Wenn es Nacht wird in Vaduz

Sicherheitssystem (20.47)

Jugenderinnerung 1 (21.00)

Jugenderinnerung 2 (21.04)

Erzbistum (22.15)

Jimmy 1

Zufallsversicherung (23.21)

Song: Bishop of Hearts (Another Day in Paradise/Candle in the Wind)

Lampentanz

Jimmy 2

Bürgerwehr (00.03)

Song: Namma und Stamma

EDI-Land (01.45)

Fragestunde (02.20)

Tuttla Song

Zukunftsvision 1 (04.00)

Zukunftsvision 2 (04.04)

Dokumente (05.00)

Feuerwerk

Song: Oben am Jungen Rhein!

Ave Securitas

Oho-o, Oho-o
Ave, ave Securitas

Hans Adam, Schöpfer der Verfassungsdiskussion,
Beschirm deine Pfründ, behüt deinen Thron.
Unsre liebe Marie mit deinem Haas
Zieh die Decke über unsere Nas.
Santi Niggi Neggi mit deinem Stab
Behüt uns vor Lüge und Machtgehab.

Sankt Argus, der Wächter am Bankentor,
Schütz uns vor Dieben, bewach den Tresor.
Bann dem Gläubiger seinen gierigen Fang,
Verschliess dem Erben den Zugriff, dem Jud den Gang.
Sperr DRS den Tritt, CNN den Weg,
Zertret der Presse das Micro, dem TV das Gerät.
Sankt Finanzer, heiliger Schutzpatron,
Bitt für uns bei EU und Zollunion.

Sankt Trustus, hör unser Bitten und Flehn:
Lass kein Unglück am Finanzplatz FL geschehn.
Sankt Kneterich, Fürbitter in aller Not,
Bewahr uns vor humanitärem Gnadenbrot.
Sankt Geiz, du Heiliger mit dem Bettelstab,
Wende Recht und mehre unsere Hab.

Lieber Sankt Neid,
Weck uns auf zur rechten Zeit.
Behüt uns Rom in unserm Tal,
Allhier und überall.
Das geschehe im Namen der heiligsten Dreieinfältigkeit:
Dem Geld, dem Geiz, dem Neid.
Oho, behüt uns Gott!
Oho, erhalt uns Gott!
Oho, vergelt's Gott!

Appell

Biedermann **B**, Brändle **Br** und Schädler **S**

B: *Aaaaaaaaachtung! Alles stillgestanden!*

Alle drei stehen still.

B: *Eins zwei!*

Br: *One!*

S: *Tü!*

Br: *One!*

S: *Tü!*

B: *Rühren!*

Brändle und Schädler nehmen lässige Haltung ein.

B: *Stillgestanden!*

Stramme Haltung

B: *Rühren!*

Lässige Haltung

B: *Wachmänner! Kameraden! Mirko! Edi! Heut Nacht ischt ein wichtiger Tag für uns vom AUGE! Heut Nacht ischt Tag der offenen Türe! Ab jetzt bis* (schaut auf die Uhr) *in die frühen Morgenstunden sind ein paar intressierte Zeitgenossen hier bei uns in der Zentrale zugegen. Sie möchten sich ein Bild von unserer Arbeit machen. Und einmal hautnah miterleben, wie es so bei uns zu- und hergeht. Haha. Damit Sie nachher beruhigter schlafen können. Haha.*

Br: *Weil's ja bekanntlig mit beten und singen allein nicht getan ischt!*

B: *Edi! Ruhe! Also Männer! Ich hoffe, Ihr seid Euch der Verantwortung bewusst!*

Brändle und Schädler murmeln etwas, zupfen an ihren Jacken.

B: *Wir wollen einen guten Eindruck machen! He!*

Br und S murmeln etwas.

B: *Ausgezeichnet! Fangen wir an! Geräte-Check!*

Brändle und Schädler nehmen die Walkie-Talkies und sprechen gleichzeitig.

B: *Stooop! Einer nach dem anderen! Eins zwei!*

Br: *One!*

S: *Tü!*

Br: *One!*

S: *Tü!*

B: *Sehr gut. Sehr gut. Liebe Gäschte, darf ich Ihnen unsere Mannschaft vorstellen? Mein Name ischt Biedermann. Heribert Biedermann. Ich bin zuschtändig für den Ablauf vom heutigen Abend. Kurz: I bi der Chef! Mir zur Seite stehen: Wachmann Brändle, Eduard.*

Br: (tritt vor) *Wachmann Brändle! Der Beschte im Ländle!*

B: *Unser Edi. Immer zu einem Spässlein aufgelegt. Haha! Wegtreten! Hopp!*

Brändle macht einen Schritt zurück.

B: *Wachmann Schädler, Mirko.*

Schädler zupft an seiner Jacke rum.

B: *Ünscha Schädler. Dann haben wir noch ein paar Leute im Aussendienscht. Jemand muss ja die Häuser und Dings, das Immobiliar bewachen, haha. Heut hat grad auch noch ein Neuer angefangen. Unser Jimmy. Ein Tibeter! Haha! Der sollte sich ab und zu mal in der Zentrale melden. Damit er sich im Dunkeln nicht verläuft. Mirko? Hat sich der Neue schon gemeldet?*

Schädler zuckt mit den Schultern.

B: *Rüafscht nan amol? För d Gäscht!*

S: (geht an die Kommandobrücke) *Hallo? Hallo?*

Rauschen

S: *Hallo!? Hallo?!*

Rauschen

Br: *Er het worschinnlig s Gräätle ned iigschaalta!*

Biedermann schaut vorwurfsvoll.

Br: (zum Publikum) *Er hat wohl das Gerät nicht eingeschalten.*

B: *Wachmann Schädler. Gib em Milosevic Bscheid, er söll em Neua s Gräätle iischalta!*

S: *Hallo! Hallo!*

Rauschen

B: (stolz) *Das ischt jetzt eben unsere neue Kommandobrücke.*

Br: *Het 2 Milliona koscht!*

B: *Wachmann Brändle! Das ischt jetzt eben unser Poppile. Es leidet halt noch ein wenig an Kinderkrankheiten.*

Br: *Dia hen bis jetz 3 Milliona koscht!*

B: *Gang du gi Kaffee macha!*

Brändle salutiert und ab.

B: *Frühner hatten wir eine viel kleinere Zentrale. Gell, Mirko! Aber die war gar nicht auf der Höhe der Zeit! Hat den Anforderungen gar nicht entsprochen. Für damals hat es genügt, aber heutzutage ischt der Dienscht des Sicherheitsbeamten schon ein andrer. Wir machen ja nicht mehr nur Rundgänge und kontrollieren Gebäude, nein nein! Seit wir hier die neuen Verhältnisse haben, machen wir auch verstärkt Artenschutz. Gerade bestimmte aussterbende Arten sind vermehrt auf uns angewiesen! Wobei ich jetzt nicht Krotten und Schneehasen meine! Ich sag jetzt nicht, welche ich meine! Das darf ich nicht! Da habe ich eine Order. Von* *oben. Auf jeden Fall ischt jetzt alles komputtergeschteuert. Tiggitaggisiert. Nicht wahr. Viel einfacher zu bedienen. Und blitzeschnell! Du, was ischt eigentlig das do för en Knopf?*

Schädler zuckt mit den Schultern.

B: *Hm. Söll i amol? Was manscht?*

Schädler zuckt.

B: *I drogg amol!* (drückt auf den Knopf)

Off: *Hallo! Hallo! Höört mi eppert? Harrgottzackrament!*

B: *Ja wer ischt denn das?*

S: *Hallo! Hallo!*

B: *Hallo! Wer bischt?*

Off: *I bi der Neu!*

B: *Jo wo bischt denn dra?*

Off: *Ma het mi iibschlossa! Hilfe!* (während des Sprechens kommt Brändle auf die Bühne, der in sein W-T spricht) *Hilfeeee!*

B: *Wart wart wart! Mier konn der glei zor Helf! Wo bischt draa?*

Br: *Kan Aanig! S ischt a so dunkel!*

Schädler, der Brändle bemerkt hat, klopft Biedermann auf die Schulter und zeigt auf Brändle.

B: *Sehr loschtig, Edi. Sehr loschtig. Aber Sie sachen, liabi Gäscht, Sie sehen, dass bei uns der Humor nicht zu kurz kommt. Haha.* (böser Blick auf Brändle) *Dann wollen wir den Gästen einmal zeigen, was wir so draufhaben! Männer! Aufstellung!*

Schädler und Brändle stellen sich auf.

B: *Aaaaaaachtung! Position 1: Verdächtiges Geräusch aus Einfamilienhaus.*

Schädler rennt davon, Brändle klettert auf Spind.

B: *Position 2: Verdächtige Geräusche aus Parterrewohnung, junges Frolein.*

Schädler und Brändle springen in den Spind.

B: *Position 3: Verdächtige Personen schleichen um Bankgebäude.*

Schädler rennt davon.

Br: *Hoi semma!*

B: *Position 4: Verdächtige Personen schleichen mit Benzinkanister um Ausländervereinsgebäude.*

Schädler geht in Deckung.

Br: *Hoi metanand!*

B: *Sehr gut! Kameraden! Auf Eure Poschten!*

Schädler an Kommandobrücke, Brändle hinter Biedermann.

B: (ins W-T) *Kamerad Schädler! Höörscht mi?*

S: (ins W-T) *Hallo! Hallo!*
B: (ins W-T) *Kamerad Brändle! Höörscht mi?*
Br: *Klar und düttlig!*
B: *Sehr gut! Und los geht's! Wachmann Schädler!* (ins W-T) *Mier fangen denn a!*

Wenn es Nacht wird in Vaduz

Schau, da geht die Sonne unter!
Ei, wer hätte das gedacht!
Uns ist's gleich, wir werden munter,
Denn wir sind auf Wacht!

Schau, jetzt ist es dunkel worden.
Ohne Licht geht's schliesslich auch!
Stehlen, brennen, fluchen, morden.
Das ist unser Brauch!

Wenn es Nacht wird in Vaduz,
Wenn alle Leute träumen träumen.
Patrouillieren wir zum Schutz
Vor Euren trauten Heimen.

Wenn es Nacht wird in Vaduz,
Wenn alle Konten schnarchen schnarchen.
Schauen wir auf Hab und Stutz
von Bauern und Monarchen.

Schau, da schleicht wer ums Gebäude.
Mitten in der dunklen Nacht.
Das macht uns die grösste Freude,
Denn wir sind auf Wacht!

Schau, da hält sich wer den Schädel.
Ohne Polizei geht's auch.
Schnell jetzt heim zu meinem Mädel.
Das ist unser Brauch!

Wenn es Nacht wird in Vaduz ...

Sicherheitssystem

B: *Bei uns wird Sicherheit grossgeschrieben. Im Haus. In der Zentrale. Denn damit wir unsere Arbeit auch ordentlig ausführen können, muss erscht einmal die Sicherheit im Hause gewährleischtet sein.*

Br: *Nicht, dass wir am Abend zur Arbeit kommen und unsere Zentrale ischt ausgeräumt. Alles abtransportiert. Mit einem gestohlenen Kleinbus. Und nachher steht unsere schöne Zentrale irgendwo in Zentralasien.*

B: *Beim Hineinlaufen in dieses Gebäude haben Sie daher ein ausgeklügeltes Sicherheitssischtem passiert. Hehe.*

Br: *Hehe!*

B: *Ich gehe davon aus, dass Sie nichts davon gemerkt haben! Hehe.*

Br: *Hehe.*

B: *Wissen Sie, bei uns wird nicht nur die Sicherheit grossgeschrieben, sondern auch der gesunde Menschenverstand.*

Br: *Hehe.*

B: *Ich habe daher ein Sicherheitsdiapositiv entwickelt, wo weniger auf modernem High Techno Krimskrams aufbaut, sondern auf der Nutzung natürlicher Rekurssen. Dabei kommt uns folgendes Hilfsmittel zugute* (zeigt das Motorfahrzeugverzeichnis). *Sobald Sie mit Ihrem Auto vorgefahren sind, wird Ihre nationale Identität von unseren Damen am Eingang anhand von diesem Motorfahrzeugverzeichnis ermittelt. So wissen wir gleich, mit wem wir es da zu tun haben. Auf diesem Wege sparen wir einen Haufen Geld, wo bei anderen Wachfirmen für eine teure Erkennungsanlage ausgegeben wird.*

Br: *Und wenn's ein ausländisches Nummernschild ischt?*

B: *Wenn es ein ausländisches Nummernschild ischt, umso besser. Dann heisst es nämlich verstärkt Obacht zu geben. Wir fragen uns: Was will ein Auto mit ausländischem Nummernschild hier? Was ischt sein Ziel? Was sein Begehr? Zu diesem Zwecke arbeiten am Empfang auch je eine Dame aus dem benachbarten Öschterreich und eine aus der Schweiz. Die kennen dann schon den einen oder die andere. Wir suchen für diesen Zweck auch gezielt Damen aus, wo auf eine gewisse, sagenwireinmal, Lebenserfahrung zurückblicken, nicht wahr. Ich meine, man muss das realistisch sehen, nicht. Es ischt ja immer in etwa dieselbe Klientelle, wo hierher kommt. Die kennt man dann schon. Speziell, wenn sie aus dem Ausland kommen. Auf jeden*

Fall sind wir sofort in Wachposition und die betreffende Person wird genau beobachtet.

Br: *Und wenn die betreffende Person zu Fuss kommt?*

B: *Wenn die betreffende Person zu Fuss kommt, dann besteht kein Grund zur Beunruhigung. Die Erfahrung zeigt, dass Verbrecher immer mit einem Auto unterwegs sind. Meischtens mit einem ausländischen Nummernschild. Also noch ausländischer als Öschterreich oder Schweiz. Also weiter weg. Nicht wahr. Ich will da jetzt keine Staaten nennen. Aber Autos mit polnischen Kennzeichen z.B. sind schon sehr verdächtig. Besonders, wenn Sie hierher zu uns kommen.*

Br: *Und wenn die verdächtige Person ausgemacht ischt? Was dann?*

B: *Dann wird sie abserviert.*

Br: *Abserviert? Observiert?*

B: *Abserviert. An neurologisch wichtigen Punkten innerhalb der Zentrale haben wir Abservierungsposchten deponiert. Ein solcher Poschten befindet sich zum Beischpil dort droben* (zeigt auf den Technikraum), *ein anderer Aktivposchten ischt der Kollege Schädler. Mit Adleraugen bewacht er das Geschehen und gibt gegebenenfalls sofort seinen Kollegen über besondere Vorkommnisse Bescheid.*

S: *Hallo? Hallo!*

Br: *Gut. Dann ischt hier also alles beschtens abgesichert.*

B: *Genau. Das ischt dann auch schriftlig feschtgelegt* (zieht ein Blatt Papier raus). *Diesem Dokument kannscht du entnehmen, dass alles nach rechten Dingen verläuft und dadurch die Sicherheit gewährleischtet ischt.*

Br: *Ja brauchts das?*

B: *Natürlich. Solche Dokumente haben sich ja auch schon bei unseren Finanzdienschtleistungen bewährt. Dort ischt auch genau feschtgelegt, dass alles mit rechten Dingen zu verlaufen hat und damit ischt dann auch die Sicherheit gewährleischtet. Ein Missbrauch kann somit von vornherein ausgeschlossen werden.*

Br: *Und das langt?*

B: *Wia ma s nünnt!*

Br: *Wie man s nimmt?*

B: *Wie man es sich nimmt. Genau! Für unsere Bedürfnisse reicht es auf jeden Fall. Als Piss dö Resonanz haben wir jetzt aber auch noch unseren Sicherungskaschten in Reichweite. Mittels Fernbedienung kann ich ihn jederzeit animieren oder deanimieren. So zum Beispiel!*

Biedermann betätigt das Gerät aus der Hüfte: Licht aus!

Br: (im Dunkel) *Und wozu soll das gut sein?*

Licht an

B: *Angenommen, einem Unbefugten ischt es trotz allen unseren ausgeklügelten Sicherheitsmassnahmen dennoch gelungen, sich Zutritt zur Zentrale zu verschaffen. Die Damen am Empfang wurden zum Beispiel über die wahre nationale Identität des Unbefugten getäuscht - da gibt es natürlich Möglichkeiten -, oder der Hochstand ischt gerade durch eine andere verdächtige Person abgelenkt worden - durch einen blonden Lockvogel zum Beispiel - und auch der Kollege Schädler hat einen Moment nicht aufgepasst.*

S: *Hallo! Hallo!*

B: *Also der Unbefugte ischt da und ich merke das, dann schalte ich sofort die Sicherung aus und der Verdächtige sitzt in der Falle.*

Licht aus

S: *Hallo, Hallo?*

Licht an

Br: *Bravo.*

B: *Also Sie sehen, hier wird mit sehr einfachen Mitteln die Verbrechensbekämpfung äusserscht wirksam praktiziert.*

Br: *Aber etwas ischt mir noch nicht ganz klar.*

B: *Was denn? Kamerad Brändle!*

Br: *Was will denn der Unbefugte überhaupt bei uns?*

B: *Jetzt enttäuschest du mich aber. Das liegt doch auf der Hand.*

Br: *Ja?*

B: *Also der Unbefugte will zu uns, um unreparablen Schaden anzurichten.*

Br: *Und wieso?*

B: *Ja halt weil er das macht: Schaden anrichten. Das ischt sein, ähm, Beruf.*

Br: *Aber wieso denn ausgerechnet bei uns?*

B: *Jo halt o, well well, well mier a sona tüüri Aalag, well mier, waas doch o net! Harrgotzack! Well mier dia Beschta sin! Drum! Und das gitt Niider! Und dia konn und wenn üüs, wenn üüs ... Das ischt halt aso!*

Jugenderinnerung 1
Biedermann **B**

B: *Ich erblickte das Lichte der Welt im Jahre 1947 als zweitältestes von zwei Kindern des Polizei Biedermann und seiner Frau Draga. So mancher Schicksalsschlag prägte mein junges Leben und ich verbrachte mit meinem Bruder und den Eltern eine entbehrungsreiche, aber behütete Jugend. Nach dem Abschlusse der Schule absolvierte ich eine Lehre als Steinmetz. In diesem Berufe wurde ich aber nicht glücklich,* *weil mein Traum war es immer gewesen, Polizischt zu sein. Leider kam es aber nicht dazu und so fand ich mein Glück bei der AUGE. Item.*

Won i jung gse bi, ned woor, do ischt das alls jo noch ganz anderscht gse, ned. Also, wenn i etz denk: i bi ana 47 gebora. 2 Joor noch em Kriag. Do ischt der Uufschwung scho i vollem Gange gse. För dia aana. Bi üüs daham het mas no ned aso gmierkt. Dr Uufschwung. Derför hemmers o soss schöö kha. Ma ischt noch eine Familie gse. Uufghoba ischt ma gse. Ir Familia. Ir Nochberschaft. Im Fründeskreis. Alli hen sich kennt. Alli sin si nett medanand umganga. Im Öschtriich. I bi jo dia erschta Joor z Hörbranz gse. Im Vorarlberg. Wegem Kriag, jo. Bezühigswiis wegem Papa. Wo mer denn endlig is Land ko sin, also zrogg is Land hen dörfa, do isches a betzle anderscht gse. A paar Tschööpa kälter, sozsäga.

I mag mi noch guat erinnera, won i ir Schual gse bi. Fidler het ma mier denn gseet. Well i halt noch a betzle en Akson kha ha. Vo da Fidler. Jugo hens mer o gseet. Weg der Mamma. Oder Hitler. Wegem Papa. Aber soss ischt ganga. Ab und zua Schleeg. Vom Leer. Vo dan andra Leer. Vom Kaploo. Vo da Schüeler. Vom Abwart. Dahaam. Vom Vatter. Vom Eeni. Vo der Aana. Mengmol o vor Mamma. Aber soss han i s rechta kha. Moll. I dera Zitt ischt i mier denn o der Wuusch entschtanda, Polizischt z wöra. I ha denn met a paar Kolleega a sonen klinnan Ordnigstrupp kha. Do hemmer denn all gluaget, dass im Dorf alls i der Ordnig ischt. Do het ma denn baal amol Reschpekt kha vor üüs. Well mer denn halt ganz gnau gluaget hen, dass alls ir Ordnig ischt. Speziell, wo denn do dia erschta Italienner ko sin. Dia hens jo ned a so met der Ordnig kha. Dia Kerle. I mag mi noch guat erinnera: Do bin i en junga Borscht gse. Im Saft sozsäga. Do ischt Jugendball gse. Z Vadoz. Jo und dia Italienner hen denn halt all met öserna Wiiber tanza wella. Do het ma si schötza mösa. Aso wia dia zuaglanget hen! Do hemmer denn an nochem andera a dan Ooran usem Sääli ussagholt. Hei. Hen dia gwissglet! Mamma mia! Hen si gruafa. Porca miseria! Und soss a so Züüg. Du kascht denn morn uf der Bauschtell weder zualanga, han i gseet! Hehe. Kascht denn ar Schuufla ummatööpla!

Jugenderinnerung 2
Brändle **Br**

Br: *Also i bi der Eduard Brändle. Edi för mini Kolleega. Und för der Scheff. I bi Rover bi da Pfadi. "Jeden Tag eine gute Tat!" Es ischt mis Motto. "Und ischt die Tat auch noch so schwer, ich leischt sie ohne Gegenwehr." Vo Bruaf bin i Verkööfer. Han a Leer gmacht im Detailhandel. Do han i denn nooch der Leer noch a Wiile gschaffet, bis denn do d Tochter vom Chef ko ischt und do bini denn z viil gse. "Und machscht die Arbeit noch so gut, besser schafft Verwandtschaftsblut." Do han i mi umorientiert. Ha denn im Waal gschaffet. Do han i mier denn öberleet, was i eigentlig well. Zrogg inen Lada han i numma wella. An aagna Lada han i ned offmacha wella. Bis do noget i da Schwarza bischt. Hei. Und denn findscht kan Aagschtellti, wo eppes sin. Nei du. "Beim Schaffen und beim Jassen, kanscht dich auf niemand verlassen." Do han i mi denn entschlossa, i mach d Zwotwääg Matura. D Mamma hätt eba gern en Jurischt! Jo und um dernebet o a betzle eppes z verdiena, het mer denn en Kolleg vo da Pfadi groota, i sölls doch amol bimana Secherheitsdienscht versuacha. Bim AUGE. Dia teien allpott Lütt suacha. Do han i mi denn voorgschtellt und schinnts en guatan Iidrogg gmacht und sither bin i dött derbei. D Matuur han i för a Moment uf Iis gleet. I ha jo zeerscht do en Huffa lerna mösa. Wenn i denn aber sowitt bi, fang i denn aa. So imana Joor. Vilecht. Muass amol luaga.*

Won i noch bi da Wölfle gse bi, do han i am liabschta dia Schatzschpeeli gschpellt. Do hen d Füerer irgendwo im Waal en Schatz verschteggt – das sin denn meischtens Schokolädle gse – und mier hen der Schatz suacha mösa. Dr Trick ischt gse, dass ma gliichzittig het versuacha mösa, der Schatz o z verteidiga. Verschton Sie? Mier hen jo ned gwösst, wo der Schatz verschteggt gse ischt. Klar? Gliichzittig hemmer aber o ned wella, dass dia andera ... Also es het i noch säga könna: s sin zwo Gruppa gse. Zwo Mannschafta. Und dia, wo gwunna het, het den alli Schokolädle öberko. Aber mier isches ned um d Schokolädle ganga. Mier het afacht gfalla, dass ma eppes suacht und gliichzittig muass mas o verteidiga. Jo.

Bi da Wölfle ischt an derbei gse, der Emanuel. Der ischt ned aso gschiid gse. Do hemmer amol das Schatzschpeeli gschpellt. Der Emanuel ischt ir gegnerischa Mannschaft gse. Do het er der Schatz gfunda, hets aber net gmierkt. „Du! Luag amol!", het er zo mier gseet, well i grad i sinera Nöhi gschtanda bi, „Do litt a Päkle im Waal." „So eppes!", han em gseet. „Gibs mier. I brings da Füerer. Dermet sis denn richtig entsorgen." Dia Schokolädle het denn mini Mannschaft entsorget! Und der Emanuel het ghöörig Prögel öberko vo sina Lütt. Schinkaklög. Selber Tschold. Wennd aso blööd bischt.

Erzbistum

Biedermann **B** und Brändle **Br**

B: (liest in der Zeitung) *Wie Sie sehen, ischt bei uns nicht immer etwas los. Im Moment ischt gerade Funkschtille und so ergreifen wir gerne die Gelegenheit zu ein wenig Weiterbildung aus den Zeitungen.*

Br: *Auch finden wir dort wichtige Informationen, welche unsere Arbeit betreffen. Wer zum Beischpil geschtorben ischt und wer mit wem verwandt ischt.*

B: *Wer Konkurs gemacht hat. Das ischt wichtig, wenn noch Zahlungen ausstehen.*

Br: *Wem die Katz entlaufen ischt. Wenn man eine find, dann gibts vielleicht einen Finderlohn.*

B: *Man sieht, wo es Aktionen gibt. Sachen für unsere Zentrale. Tische. Stühle. Undsoweiter.*

Br: *Es steht auch drin, wer gerade im Ausland weilt. Und wessen Haus dann leer ischt. Und damit besonders gefährdet ischt.*

B: *Und so weiter.*

Beide lesen.

Br: *Etz schriibt der Dottel scho weder weget dem Erzbischtum!*[1]

B: *Der Haas ischt scho recht!*

Br: *Wer red denn noch vom Haas?*

B: *Alli sin si geged der integral Maa!*

Br: *Also i ha nüt geged der Haas …*

B: *Aber dia Bittibettition*[2] *geged dia Erzdialüsa hescht o underschreba!*

1 Am 2. Dezember 1997 wurde Liechtenstein von Papst Johannes Paul II. über Nacht zum Erzbistum ernannt. Der Bischof von Chur, Wolfgang Haas, wurde zum Erzbischof der Erzdiözese Vaduz.

2 Nach Bekanntwerden der Errichtung des Erzbistums wurden 8492 Unterschriften gesammelt, die sich für den Verbleib Liechtensteins im Bistum Chur aussprachen.

Br: *Jo und?*

B: *Wer dia Petrifikation underschreba het, ischt geged der Erzbischof Wolfgang!*

Br: *Blödsinn!*

B: *Grad an wia du, wo sowisoo nia id Kiarcha goot! Aber das sin genau eni. Goond nia id Kiarcha, aber denn geged der Bischof sii wella!*

Br: *Jo manscht du, ma darf no geged s Bischtum sii, wemma all Sunntig id Kiarcha goot?*

B: *Jo was denn soss?*

Br: *Du manscht also, dass ma no geged eppes sii tarf, wemma direkt dervo betroffan ischt?*

B: *Seer richtig!*

Br: *Dass ma also noget usrüafa tarf, wemma so richtig, sozsäga an Leib und Seele betroffan ischt?*

B: *Haargenau aso!*

Br: *Und alli andera sötten iri Schnorra halta!*

B: *Besser könnt is o ned uusdrogga!*

Br: *Denn wärscht du also o der Maanig, dass zom Beischpil s Problem vo dan Abtriibiga alaa Sach vo da Frauan ischt?*

B: *Das ischt ganz eppes anders! Abtriibiga verletzen moralischi Grundsätz vo ösera Gsellschaft!*

Br: *S Erzbischtum netta?*

B: *S Erzbischtum kunnt ösera Gsellschaft z guat! S wörd Zitt, dass d Moral und d Ethnik weder sin Platz öberkunnt im Leba! Wo das alles hiifüert sacht ma doch ir Schwiz! A sonen Sauhuffa! Dia söllen doch iri aagna Plebiszit offmacha. Es hen si jo scho all könna! Huara Kantönligeischt! Jeder macht, was er well! Der Calvin Klein[3] do! Und der Sprüngli[4]! Und eerscht der Drogapapscht[5]. Der Siffert der Joe[6].*

Br: *Aber doo laufen mier doch o Gfoor, dass a neui Leer entschtoot!*

B: *Wisoo?*

Br: *Jo der Bischof und sini Lütt …*

B: *Der Bischof und sini Lütt tuan noget das, was der Papscht ina seet.*

Br: *Chef! Der Papscht!?*

B: *Was ischt met em Papscht?*

Br: *Der Papscht zällt doch net. Der Papscht ischt der Papscht. Das ischt en heiliga Maa. Aber der Bischof ischt eba kann heiliga Maa.*

B: *Noch netta!*

3 Schweizer Reformator Johannes Calvin (1509-1564), Begründer des Calvinismus

4 Zürcher Reformator Ulrich Zwingli (1484-1531)

5 Ernst Sieber, Zürcher Obdachlosenpfarrer

6 Jo Siffert, Schweizer Autorennfahrer (1936-1971)

Br: *I maan, der Papscht ischt doch noget a Simbol, wennd mi verschtooscht. Er gitts gär ned richtig. Der schwebt i ganz anderna Dimensiona. Der het ganz an anderi Funktioo. Aber der Bischof, der sött doch bi da Lütt sii.*

B: *Vorher ischt er o bi da Lütt gse!*

Br: *Nei! Ischt er eba netta!*

B: *Jo und wisoo hender das denn ned scho früener beaaschtandet?*

Br: *Früener ischt noch kan Handligsbedarf gse.*

B: *So. Aber ufs Mol scho?!*

Br: *Jo well er doch doo en Keil zwöschet d Lütt triibt!*

B: *Blödsinn. Wisoo söll im glinga, was em Förscht sit 30 Joor ned glungan ischt?*

Br: *Wells um d Religion goot.*

B: *Eu goots doch ned um d Religion. Höör mer bloss auf! Vo eu het doch jeder sini aaga Religion!*

Br: *Jo guat, denn goots halt um öseri Hämet!*

B: *Bring mi ned zom Lacha! Vo eu het doch o jeder sini aaga Hämet!*

Br: *Denn halt s Geld!*

B: *Geld, Geld, Geld. Gitts denn ned noch wechtigeri Sacha wia Geld?!*

Br: *Do im Land? Nei.*

B: *Mier hen o a moralischtischi Verantwortig!*

Br: *A jo? Verzell das amol dena Staata, wo all Joor en Huffa Stüüra weget üüs dor d Lappa gon! Gelder, wo si förs Sozialwesa bruucha täten. För Krankahüüser, Pen-sionsversecheriga und Diäta! Wo ischt denn do öseri Moral?*

B: *Genau! Es muass hööra! Und met em Erzbischtum höört das oo! Etz bruuchen mier all dia ossländischa Franka numma! Und dia aagna grad o net! Etz hemmer s Himmelriich uf Erda! All das Geld! Schall und Rauch! All dia riicha Lütt! Alles gen si der Kircha!*

Br: *O der Förscht?*

B: *Er sowisoo! Alli dia Burga und Paläscht! Verschwinden! Dia tüüran Auto! Weg! Tüüri Beiza! Tüüri Feeri! Weg! Weg! Weg!*

Br: *Und mier wören arbetslos oder was?*

B: *Im Paradies gitts kann Arbetslosi!*

Br: *Aber o kan Erzbischof!*

Zufallsversicherung

Brändle **Br**, Biedermann **B** und Schädler **S**

Br: *Du säg amol. Wia bischt du eigentlig versecheret?*

B: *I waas etz eigentlig gär net, was di das aagoot.*

Br: *Reini Neugier! Als Wachmaa muass i schliasslig all neugierig sii!*

B: *Sägemer amol meischtens. Es langet. Es gitt o Moment, won a gsundi Portion Desiinteresse nötzlig sii ka.*
Br: *Wenn zom Beischpil?*
B: *Denn zom Beischpil, wenn en Kolleeg aafangt, vo Versecheriga z verzella!*
Br: *A jo?*
Beide lesen wieder eine Weile.
Br: *Hescht du eigentlig gwösst …*
B: *Nei!*
Br: *Etz wart doch. S ischt interessant! Also. Wenn etz der Mirko, grad etz, wian er so dötthogget … Wenn in etz afacht aso der Bletz erschlaha tät …*
B: *En Bletz?*
Br: *Jo. En Bletz!*
B: *Du mannscht, en Bletz kämt dött dor d Deggi und tät gradaweg in Mirko ihifaara. Zom Oog iha und zom Födlan ussi?*
Br: *So uugfoor. Umkeert gäng jo schlecht.*
B: *Ma möst na dreia!*
Beide schauen Schädler eine Weile an.
Br: *Also. Wenn in etz der Bletz usem Läba fälla tät …*
B: *Jo?*
B: *Was mannscht, was kämten denn sini Aaghööriga vor Versecherig öber?*
Beide schauen lange auf Schädler.
S: *Hallo! Hallo?*
B: *Vor Versecherig?*
Br: *Vor Versecherig!*
B: *Bletzschlag?*
Br: *Bletzschlag!*
B: *Ösra Mirko?*
S: *Hallo! Hallo!*
Br: *Ünscha Mirko!*
B: (überlegt) *2 Franka. Wo si vo da Stüüran abschriiba konn.*
Br: *2 Milliona!*
B: *2 Milliona waas? Soppawörfel? Haselnöss?*
Br: *Nei! Chef! 2 Milliona Franka! Bar ufd Hand.*
B: *Huara Seich!*
Br: *Secher!*
B: (schaut zu Schädler) *Er ischt doch nia im Leban a so viil wert!*
Br: *Er ischt sogär noch viil mee wert!*
B: *Spinnscht!?*
Br: *Wenn er zom Beischpil der Bletzschlag öberlebt und er*

wörd abtransportiert und der Faarer vom Rettigsauto erliidet en Hitzeschlag und baut en Uufall, wo ösrem Mirko denn der Reschta gitt, denn gitts sogär 3 Milliona. Kunnt s Rettigs …

B: *Was?*

Br: *Kunnt s Rettigsauto aber weged amanan uusbrochna Stier vor Strooss ab und donneret inen Ahorn, denn gitts 3,25 Milliona. Binera Birka gitts noget 3,17. Biarka sind Uukrutt. 3,4 Milliona gitts, WENN das den Unfall auslösende Tier en Sebaschlööfer ischt. Binera Katz gitts nüt. Ossert an Aazag vom Tierschutzverein. Bimanan Öpfelbomm, in Kombination mit einem Schottischen Hochlandrind, sinds, waart …* (schaut auf einem Dokument nach)

B: *Ischt scho guat! Ischt scho guat! Aber wia ischt denn das möglich?*

Br: *Dank der Allgemeinen Zufallsversicherung: „Hat der Zufall zugeschlagen, gibt es keinen Grund zu klagen". „Trifft dich der Zufall, klatscht alles Beifall". Dörf der grad d Karta gee vom Repräsentant im Land?*

B: (nimmt die Karte entgegen, liest) *Brändle, Albert. Ischt das vilecht en Verwandta vo dier?*

Br: *Wia kunnscht etz do druuf?*

B: *A no so.*

Br: *S ischt zuafälligerwiis min Kusiin. I bi sin Kunda-Akquirierer. Und Werbe-Berooter. „Bist du gegen Zufall versichert, deine Familie fröhlich kichert".*

B: *Jo rentiert a so eppes?*

Br: *A Zuafallsversecherig? Jo klar! S höttig Leba baut doch ufem Zuafall uuf! Der Zuafall ischt DAS staatstragende Element! Luag amol umma! Denn luag öseri Lütt a. Denn öseri Wörtschaft. Denn öseri Politiker. Do isches doch en Zuafall, dass es üüs a so guat goot! Oder s Erzbischtum! Wia ischt das z Stand ko?*

B: *Der heilig Vatter …*

Br: *Tatsach ischt: Mier wössens net! Vilecht ischt der Papscht irgendwenn amol im letschta November medara klinera Gaschtritis verwachet. Vilecht ischt im a betzile übel gse. Vilecht het er z viil Schoggi-Nikoläus verwöscht. Vilecht z viil Erdnössle. Mier wössens net. Aber vilecht sin im denn i sineran Unpässligkeit ufs Mol mier in Sinn ko!*

B: *Was? Mier zwo?*

Br: *Nei! Mier! S Land! Du! Und I! Und der Mirko! Und dia reschtliga 29.997 Lüttle!*

B: *Jo säg!*

Br: *Und do het er sich vilecht denkt, dass sich dia klii Magaverschtimmig vilecht lööst, wenn er us ösrem Land an Erzdiözesa macht.*

B: *Etz machscht di loschtig öber der Heilig Vatter!*

Br: *Das sei fern von mir. "Wer abends über'n Papst tut spotten, morgens tut im Sarg verrotten!" Nei, Chef! So isches vilecht afacht gse. En Zuafall! Der Papscht kunnt vo ösrem Klaus im Vatikan a Nikolaus-Öberraschig öber, won er glei verschpachtlet, woruuf er sich a ghöörigi Magaverschtimmig holt. Do denkt er am nögschta Morga: Choinomola, wär hot mir etz das iibroggt? Und er erinneret sich ufs Mol a das klii Förschtatum am Rii. Sapperlotzki! denkt er, dia waarten doch sit 1.600 Joor uf en Erzbischof! Do scheggt er subito sin beschta Maa, der Nuntius vo Bern, direttamente zom principe, um in vor dia göttliga Tatsacha z stella. Aber, choppala! Der Förscht ischt net daham! Denn der Förscht ischt zuafälligerwiis amol im Ossland. Das hets no nia gee! Und der Monsigniore Nuntius het das natörlig ned schmecka könna. Do goot er halt zo ösera Ossaminischteri. Und dia ischt im Gegasatz zom Förscht zuafälligerwiis amol IM Land. Und so erfaart d Regierig noget per Zuafall vo deran unfeelbara Magaverschtimmig.*

B: *So eppes!*

Br: *Aber waart! S kunnt noch besser! D Regierig het etz also zuafälligerwiis Wind öberko vom, ähm, vo dem Wind, vo dera Windidee vom, ähm, Heiliga Stual, und zuafälligerwiis het d Regierig uusgrechnet i deran Aaglegaheit kan Schimmer, was si tua söll. Wenns etz zom Beischpil um ösra Jimmy ganga wär, do hetten si sofort en Guatachter usem Kompaktus zücha könna. Oder a Problem met em EWR! An Pfeff! Und füüf flotti Stabschtellascheffs hetten iri Christmas-Shopping-Flöög noch Neu York storniert und wären met flüügenda Mäntel aatraabet! „I! I!* (schnippt mit Finger) *Mario*[7]*! Bitte! Bitte! I was es!" Aber zom Thema Erzbischtum: Nüüt! Gähnende Leere in der Volkswirtschaftslehre! Aber s het jo o wörklig niemert met so eppes rechna könna.*

B: *Nei. Niemert.*

Br: *Dass der Heilig Vater z viil Spanischi Nöss und Spekulatius vom Nikolaus und sina Schmutzli öberko het! Het niemert dermet rechna könna! Und dass im das ned guat bekoo ischt. Und er drum an Erzbischtum bruucht. Wer ka denn so eppes scho voruusaana? Sapperlitzipowski!*

B: *Jo und witter!?*

7 Dr. Mario Frick, Regierungschef

Br: *D Regierig ischt also a soo dermet beschäftiget gse, ussazfinda, was si zuafälligerwiis ned gwösst kha het, dass si o niemert anderscht het informiera könna. Und so isches denn o ko, dass der Landtag, und dodermet s Volk, erscht vier Tääg spööter, natörlig zuafälligerwiis, usem Radio und übers Fernsee vo all dem erfaara het.*

B: *Und denn?*

Br: *Nüt und denn!*

B: *Jo ischt das alles?*

Br: *Was wetscht denn noch?*

B: *Zerscht verzellscht a sona spannendi Gschecht und denn kunscht med amanan erniga sautumma Schluss. Der ischt doch völlig a da Hoor herbei ...*

Br: *Das ischt etz eba der Zuafall, Chef! Der Zuafall ischt all a da Hoor herbeizocha! Und wennd Gegner vo dem Erzbischtum geget der Zuafall versecheret gse wären, denn wären si etz en rechta Batza riicher und könnten sich woorschinnlig en aagna Erzbischof koofa. Aber so bliibt das witterhin a Förschtligs Privileg.*

B: *Jo. Das ischt schad. Do mösst i etz eigentlig grad a Versecherig abschlüüssa föra Fall, dass dia ganz Gschecht vilecht amol en andera Schluss öberkunnt! Zuafälligerwiis!*

Br: *Aber nötza tät dia Versecherig noget eppes, wenn du dor der Zuafall zo Schada kunnscht. Also zom Beischpil vom Bletz erschlaha wörscht! Und dra stierbscht!*

B: *Mannscht, en erniga Schluss könnt a so brutal sii, dass ma dra stierbt?*

Br: *Hets o scho gee. Gottes Wege sind unergründlig. Speziell z Rom dunna.*

B: *Du seescht!*

Namma und Stamma

Dia Tütscha kon kan Kaffee macha,
Schwätza tuan si komisch.
D Schwizer sin o ned ganz bacha,
Hens im Hals ganz chchronisch.
Der Portugiis an sich ischt recht,
Speziell als Saisonnier.
Der Spanier ischt o ned so schlecht
Het er der Uuswiis C.
Der Jugoslav, der tschuttet guat,
Do zaagt er viil Inschtinkt.
Vorm Törk züch i o gern der Huat,
Wenn er Kebab bringt.

Jo und mier?
Wer sin denn mier?
Mier sin ...

> *... vilecht ned grad dia Fiinschta,*
> *Vilecht sogär dia Klinnschta,*
> *Uf jeda Fall dia Beschta*
> *Vom Reschta vom Weschta!*
> *Liachtaschtaaner simmer!*
> *Liachtaschtaa för immer!*
> *Liachtaschtaaner samma!*
> *Vo Namma und Stamma!*

Der Öschterriicher schwätzt gern viil,
Schaffa tuat er bellig.
Frau Auschtria het Sex-Appiil,
Ischt zur Ehe wellig.
Was dia vo Tibet tuan? Kan Schimmer!
Ha noch nia kann gsaha.
Halt s Gliich wia z Tibet, was o immer,
Vilecht o andri Sacha.
Der Italiener wär denn noch,
Er kratzt sich gern am Hoda.
Dr Franzmaa ischt mer liab als Koch
Und Joda sind halt Joda.

Jo und mier? ...

Fragestunde

B: *Vereerti Gäscht, Sie muan vilmol entscholdiga. S ischt halt scho a betzle spoot! Gitts öbrigens Frooga? Haben Sie Fragen? Also, wenn Sie etwas beschäftigt, ja, wenn Sie eine Frage auf dem Herzen haben, nur heraus damit! Dafür sind wir ja da. Wir vom AUGE.*

Jemand im Publikum meldet sich, wird aber ignoriert.

Br: *Wie gesagt, fragen Sie nur munter drauf los. Fragen Sie uns, ja.*

B: *Aber bitte nur Fragen, wo mit dem Thema etwas zu tun haben. Nicht so wie beim letzten Mal, als da einer wissen wollte, was das Zeichen da auf unserem Arm bedeutet. Ob das etwas Religiöses sei! Hehe.*

Br: *Genau. Also. Gibt es Fragen zum Thema?*

B: *Bitte!*

Jemand aus dem Publikum stellt eine Frage.

B: *Ja das ischt jetzt eine schwierige Frage. Also, da muss ich etwas ausholen. Wie soll ich Ihnen das am beschten erklären. Was meinst du, Edi?*

Br: *Ich schliesse mich da deiner Meinung an, Chef. Das ischt eine schwierige Sache. Am beschten ischt, wir schauen einmal, ja?*

B: *Ja. Wir werden die Sache prüfen und dann schauen wir mal.*

Br: *Jo. Luagemer amol.*

B: *Jo. Luagemer. Sie. Bitte!*

Weitere Frage.

B: *O do muemer zerscht amol luaga! Oder, Edi?*

Br: *Genau, Chef. Das söttemer scho. I maan, do luagemer und denn ...*

B: *... luagemer witter. Damit möchte ich diese Fragestunde beenden. Sie sehen, bei uns geht alles sehr transpirierend zu und her. Sehr offen. Wir haben ja auch nichts zu verbergen.*

Br: *Im Gegenteil. Ganz im Gegenteil!*

B: *Aber es sin scho meischtens Fraua, gell, wo so sauklappeti Frooga stellen!*

Br: *Wia wenn si derför zallt wären!*

Tuttla Song

Samschtigoobed und dr Spunta tobet.
Fraua Pauer för d Meenerwelt.
Mordskaliber a tolla Wiiber
Zaagen alles förna betzle Geld.

D Meener joolen, wennd Kogla troolen
Us Körb us Spitza und Lack.
Prall wia Boskops, flach wia Labtops
Eppes för jeda Gschmack.

> *TUTTLA! Wemmer saha ooni End!*
> *TUTTLA! Wemmer luaga met da Händ!*
> *TUTTLA! S ischt mer gliich woher!*
> *TUTTLA! I bi scharf wian a Gweer!*

Grossi, dünni, diggi, klinni.
Wia, das ischt da meischta gliich.
X-large, maxi, midi, mini,
Bruu und geel und schwarz und bliich.

Was guat zücht, sind riifi Fröcht.
Jungs Gmüass ischt o en Gnoss.
Wenns Tochter wär, nämt i s Gweer
Und gäbt er grad der Gnadaschoss!

> *TUTTLA! S ischt mer gliich, wo si herkonn!*
> *TUTTLA! Öb us Prag oder Hongkong!*
> *TUTTLA! Gliich us wellra Stadt!*
> *TUTTLA! Paris oder Badgad!*

Weg met der Bluusa.
I well Busa!
Weg mim Top!
Soss wör i grob!
Weg mim Hemp!
Tuttla ooni End!

> *TUTTLA! …*

Zukunftsvision 1
Biedermann **B**

B: *Am Aschermittwoch des Jahres 1971 führte ich meine Hildegard zum Traualtare und schon bald konnten wir unser Heim an der Landstrasse beziehen. Unserer glücklichen Ehe entsprangen zwei Kinder, denen ich ein besorgter Vater war. Der eine ischt Polizischt geworden, der andere Philosoph. Glob i amol. Anfang 80er Jahre erfolgte dann die Scheidung von meiner Hildegard. Vor fünf Jahren habe ich in der Person der Ingeborg Kreuzmichel eine liebende Frau und würdige Stellvertreterin gefunden.*

Wenn i över d Zuakunft nochidenk, denn kunnt mer all min Vater selig in Sinn. Sin Leitschproch ischt albig gse: Alle Morgen neue Sorgen. Der Sproch het sis ganz Leba präägt. För mii het der Sproch bis anhin gluttet: Alle Morgen die alten Sorgen. Aber etz, schinnts, kunnt doch a neui Sorg derzua.

Wenn i a so id Zuakunft luag, denn sach i a betzle seer schwarz. Moralisch wia beruaflig. Mini grööscht Sorg ischt secher der moralisch Zerfall vo ösera Gsellschaft. Und d Bedrohig, wo do druus entschtoot. O för mini Bruafsgruppa. Leider, i muass es säga, leider het do o s neu Erzbischtum dra Tschold. Luagen Sie: Fribourg! Kennen Sie, oder! A katholischi Hochburg! Schöö! Suuber! O ösra Erzbischof het dött Religioo studiert! Aber: 50 Meter vor Kathedraala entfernt, was befindet sich dött? S Huaraviertel! Und Feldkirch?! O dött gitts en schööna Dom! Aber gliich flaniert i sim Schatta s horizontal Gwerb! Und vo Chur well i erscht gär ned aafanga. Der Bischof Wolfgang söll froo sii, dass er heil us DEM Sündapfuul entko ischt. I verschtand netta, werom a sonen heiligan Ort wia na Kathedraala all der Dregg aazücht, aber so secher wia s Amen i der Kiarcha wörd o ir Residenz vom Erzbischof Soda und Gomorra iikeera! Hundertprozentig! Und för üüs vom AUGE haasst das nüüt anders wia vermeerti Problem met Ossländer, Drogasöchtiga, Zuahälter, Huara und Politiker, wo ma i dem Miliöö uufgriift und nochher wörd ma noch bedroot, wemma si aazagt!

A so wörds sii. Leider. Und vo Vadoz uus wörd sich s Laschter uusbreita. I dia umligenda Dörfer und Talregiona. I maan, was mer im Moment hen, dia Striptiis-Beiza, es ischt en Kindergarta verglecha met dem, was uf üüs zuakunnt. Bis etz ischt das alles noch a rein passivs Vergnüaga, wenn Sie verschtond, was i maan, under dena neua Verhältnis goots denn aber scho um a, sägemer amol, um an aktivers Teilnee. Und dia, wo sichs ned leischta konnd, dia muan denn, dia tuan denn, a sich selb … Sauhünd! Und alli dia, wo denn dött hii gond, dia holen sich denn o der Virus. Der AHV Plus. Und dia steggen denn alli anderan aa. Im Bus. Am Joormarkt. Im Biichtschtual. Överall. Sie konn lacha. Aber i mach mer wörklig Gedanka!

Zukunftsvision 2
Brändle **Br**

Br: *Över mini Zuakunft mach i mier natörlig viel Gedanka. Schliasslig well i jo irgendwenn amol mini Matura macha. Aber zerscht amol bliib i etz noch bim AUGE. S Arbetsklima ischt aagneem, mini Kolleega sin fründlig, denn zalen* *si o an und för sich recht und d Feeri sin o ir Ordnig. Was well ma mee als junga Mensch?*

A Fründin han i im Moment kaani. S ischt o ned aafach met dem Job do. I maan, wer well scho an, wo all Wochanend schaffa muass? Ir Nacht! "Ein Mann ohne freies Wochenend, ischt wie eine Treppe ohne Geländ'!" Dia andera hen jo Schwein kha. Dia sin scho khüroota gse, wo si do aagfanga hen. Do seis numman a so schlimm. Sägen si. Met em schaffa. Und em khüroota sii.

Zeerscht han i natörlig scho denkt, dass a sonan Uniform en speziellan Iidrogg macht uf d Fraua. Kascht denka! I ha das eigentlig scho met der Pfadi-Uniform feschtschtella mösa. Uniforma sin zor Zitt net a so gfrööget. Das änderet sich vilecht, wenn i denn amol a Waffa ha. Oder en Hund metfüera tarf. Uf es teien si schinnts stoo, d Fraua. Seet der Mirko. Kan Aanig, woher usgrechnet der das waas. Er hogget amol all noget a sim Kommandopültle und versuacht, dia richtiga Knöpfle z drogga. Uf Patrullia han i der no nia gsaha. Also a so wia der well i denn do scho ned enda. Denn scho eener wia der Heribert, der Chef. Oder glei an Etaascha höher. Aber do derzua sött i denn eba mini Matuur ha. S luaget ganz aso uus, dass alls a dera Matuur hanget. Mini Zuakunft. Und so. Aber wia gseet: Irgendwenn leg i denn los. Der Papa ischt o scho a betzle uugeduldig.

I tua jo gern dichta. Werbeschpröch und so Züüg. Letschthi han i för d Pfadifasnacht a paar Schnitzelbänk gschreba. Wenn er Loscht hen, kan i eu jo a Koschtproob ge. Si sin politisch. Aber im Moment kunnts ned a so aa, wemma uf da Lütt ummahagget. Vor allem uf da Treuhänder, em Bischof und em Förscht. Drum han i amol eppes Neus probiert. An Art a politisch korrekti Schnitzelbank. Humor mit Herz. Das kunnt noch guat a. Bi da Fraua. Also:

Der Bischof

Jetz hemmer en neua Bischof us Erz.
Dia aana sägen: Das ischt en Scherz!
För dia andera aber ischt er en Held.
Dia dretta wenn afacht, dass er koscht ka Geld.

Ma ka säga öber der Maa was ma well,
Wenn er aafangt singa, denn wörd alles stell!
Bi sövel Andacht mach i jedi Wett,
Dass na der Jesus secher id Wüaschti metgno het!

Tusch

Dokumente

Brändle **Br**, Biedermann **B**, Jimmy **Ji** und Schädler **S**

Br: *Ischt das etz eigentlig greglet met em Jimmy sim Ufenthalt?*
B: *Solang niemert reklamiert, scho.*
Br: *Aber Asyl kunnt er kaas öber vom Land?*
B: *Wia söll im s Land eppes gee, wos gär net het?*
Br: *Der Bischof hets amol o öberko!*
B: *Der Bischof ischt! Der Bischof het! Looss mi etz endlig amol i Rua met em* (will „huara" sagen) *Bischof! Heilandzack, bischt du en bornierta Kogg!* (macht Brändle nach) *„Der Bischof hets amol o öberko!" Huara Närvasäg!*
Beide schweigen eine Weile.
Br: *Chef!*
B: *Was ischt! Was ischt met em Bischof!*
Br: *Nüüt! S ischt nüt met em Erzbischof. Aber i het a Froog, wo d Arbet betrefft.*
B: *D Arbet? A jo. Guat. Denn, ähm, frög mi halt. Edi. Was häscht ufem Herza?*
Br: *Wia ischt eigentlig der Status vo da zuakünftiga Metarbeiter vom, hm hm? I maan, wenn mier an vo denan uufgriifen ir Nacht, wia verhaalten mier üüs denn? Well Iiheimischi sins jo secher kaani!*
B: *Brändle!*
Br: *Chef?*
Beide schweigen eine Weile.
Ji: (über Funk) *Chef! Chef!*
S: *Hallo! Hallo?*
Ji: *Chef!*
B: *Mirko!* (macht ein Handzeichen, Schädler soll auf Gegensprech schalten)
Ji: *I ha eppes gfunda!*
Br: *Hescht endlig Asyl?*
B: *Was häscht? Jimmy!*
Ji: *I ha eppes Komisches gfunda!*
B: *Wo bischt denn dra?*

Ji: *Im Bü'o vom Dokto' B'and!*

Biedermann und Brändle schauen sich entsetzt an.

B: *Dr. Brand?*

Br: *Ir Dr. Brand Steftig?*

B: *Jo Heilandzack! Wer het denn gseet, du söttscht dött ihi!? Es ischt doch gär net uf dinera Routa!*

Ji: *I waas! Abe' i ha Liacht gsaha!*

Br: *Goot der öberall ihi, won er Liacht sacht?*

B: *Gooscht du öberall ihi, wod a Liacht sachscht?*

Br: *Denn wört er jo nia fertig met sinera Tour!*

B: *Denn wörscht jo nia fertig met dinera Tour!*

Ji: *I ha do imana 'äumle so ku'iosi Dokument gfunda! Chef!*

Biedermann und Brändle schauen sich an.

Br: *Dokument?*

Ji: *Jo. S stoot „TOP SEC'ET" d'uuf! Und* (liest) *„Nach'-ichtenlose Stiftungen". Söll i si amol met id Zent'ala ne?*

B: *Bischt du wahnsinnig?! Was söllen denn mier mit dem Züüg! Es goot üs öberhopt nüüt a! Mier sin aagschtellt zom bewacha, net zom stela!*

Ji: *Abe' ischt gschtollni Sacha stela o stela?*

B: *Wia bitte?*

Br: *Es hebt sich uuf, Chef!*

B: *Was hebt sich uuf?*

Br: *Gschtollnigs stela.*

Ji: *Plus und Minus.*

Br: *Ying und Yang.*

B: *Aber du kascht doch ned afacht ina Treuhandbüro und Züüg metnee!*

Br: *Wisoo? Dia sin o ned a so zimperlig!*

B: *Jo, aber, aber ...*

Br: (geht ans Mikro) *Jimmy! Do ischt der Brändle! Loos amol! Wetscht du all noch Asyl?*

Ji: *Seche'!*

Br: *Du, Jimmy! Wia wärs met Amerika? Hm? Asylum in the sun? Asylant im Disneyland?*

Ji: *Ame'ika? Cool!*

Br: *Also. Nümm dia Dokument met! Aber bring si net üüs, sondern gang dermet direkt ufs amerikanisch Konsulat z Zöri!*

B: *Goots eu eigentlig noch!?*

Br: *Denn bischt öbermorn scho i da Staata! Und nögscht Wocha bischt dr Nochbuur vom Meili[8]!*

B: *Wachmann Brändle! Edi!*

8 Christoph Meili, ein Schweizer Wachmann, der im Januar 1997 aus einem Shredder-Raum der UBS Dokumente aus der Nazi-Zeit herausschmuggelte, die zur illegalen Vernichtung vorgesehen waren. In der Folge wanderte Meili in die USA aus, wo er als Held gefeiert wurde.

Br: *Haus etz Jimmy! Bevor di der Milosevic sacht! Vil Glöck! Und scheck mer a Karta!*

Ji: *Hasta la vista, B'ändle!*

B: *Sin ier etz komplett öberi?*

Br: *Chef! Eppes Bessers het doch gär net passiera könna! Mier sin dr Jimmy los, der Jimmy ischt üüs los, der Jimmy kunnt sis Asyl öber, der Regierigschef het a Sorg weniger, för üüs isches en guata Werbegäg - mer sötten denn der Jimmy afacht noch ussischüüssa, es ischt guat förs knallhart Imitsch vom* AUGE! *- und för d Treuhänder sin sowisoo d* BAD NEWS *dia beschta News! Denn wören erscht dia wörklig intressanta Kunda uf si ufmerksam! Und wenn i mi beeil, denn könnt i met dem Insiderwössa, won i etz ha, noch a lukrativi Zuafallsversecherig abschlüüssa! Mannscht, ischt der Dr. Brand scho uuf?*

B: *Do kummi numma met.*

Br: *Ischt o ned notwendig, Chef! Do im Land isches all a so gse, dass noget zwo, drü gwösst hen, was lauft. Aber well alli dervo profitieren, störts o niemert! "Lieber reich und ahnungslos, als supergschiid und mittellos!"*

Alarm geht los.

1998 Das LiGa, und wie es zu seinen Themen kam

Vielleicht mit Ausnahme des „Benkli“, das aufgrund bereits bestehender Nummern und Skizzen von Ingo und mir als „Heimatabend“ konzipiert wurde, verlief der Entstehungsprozess eines neuen Programms in etwa so: Ich hatte eine Idee, die ich zu gegebener Zeit meinen beiden Kollegen mitteilte, dann schrieb ich die Szenen – meist über eine Periode von ein bis zwei Monaten – , legte diese meinen Kollegen vor, die die Texte punkto Humor, dramaturgischer Machbarkeit und Musikalität kritisch überprüften und dann ging's ans Proben. Während der Probenarbeit wurde dann noch dieses und jenes ergänzt, geändert oder gestrichen, häufig wurden noch am Premierentag letzte Änderungen vorgenommen oder gar letzte Texte geschrieben.

Wie kam es nun zu den Themen? Der grosse LiGa-Plan sah vor, ein bestimmtes Charakteristikum Liechtensteins in einer Momentaufnahme in den Mittelpunkt des jeweiligen Programms zu stellen. Mir schwebte dabei eine Art theatralisches Nachschlagewerk vor. Beim „Benkli“ war dies das Brauchtum, beim „Ivan“ die Parteienlandschaft, bei der „Fürstenliga“ die Landtagswahlen, bei „Auf Wache!“ das Sicherheitsdenken, beim „Holding“ der Finanzplatz, bei „Hirsch&Wurscht“ die Kultur, bei „Monte LiGa“ der voralpine Mensch, bei „HalleLiGa“ die Landesverwaltung, bei der „Homestory“ wir selber, bei „Identität filzen“ das Image Liechtensteins und zuletzt, bei „Souveräni

tätärätätät", die Geschichte des Landes. Diese Schwerpunkte wurden zum Teil ausführlich behandelt, zum Teil aber auch durch aktuelle Begebenheiten in andere Zusammenhänge gestellt. Die thematische Vorgabe war aber für mein Schreiben unabdingbar. Eine bunte Sketchparade hat mich jedenfalls nie interessiert. Und meine Kollegen sowieso nicht.
Da ich in der Regel ohne Skizzen arbeite, sondern mich einfach irgendwann hinsetze und mich schreibend treiben lasse, bin ich auch stark von dem beeinflusst, was in der Zeit des Schreibens um mich herum geschieht. Dies war während der Arbeit an „Auf Wache!" am auffälligsten, wurde doch Liechtenstein praktisch mit Schreibbeginn zum Erzbistum „befördert". Der Einfluss der verlängerten Hand Gottes auf das Stück liess sich in der Folge nicht vertuschen.

Das Liechtenstein Holding

Texte: Mathias Ospelt
Musik: Marco Schädler
Regie: Ingo Ospelt
Premiere: 14. März 1999, Kellertheater, Vaduz
Derniere: 15. Juni 1999, Rathaussaal, Schaan

Programm

Zum Geleit
Das Holding
Geographie-Stunde
Song: Hay, ik bin der Toni
Besiedlungsgeschichte
Geschichte
Mann und Weib
Die lieben Nachbarn
Song: Huttgrind

Das PGR
Staatsform
Der Finanzdienstleistungssektor
Song: Ka Nescht im Trascht
Die Banken
Song: Liechtenstein Holding (a-dong)
Der Stammhalter
Der Interessent
Der Geschäftsabschluss

Zum Geleit

Herr Ospelt **O** und Herr Schädler **S**

O: *Pst! Herr Schädler!*

S: *Liechtenstein. Mein Liechtenstein.*
Von Herrn Dr. Ospelt:
Liechtenstein. Mein Liechtenstein.
Klein und fein. Am reinen Rhein.
Oh, Liechtenstein. Was könnte schöner sein?
Als du, nur du, als du, nur du allein?

O: *Meine Damen! Meine Herren! Das rinnt die Ohren runter wie Türkischer Honig. Wie Kräuterbutter auf einem heissen Fleischkäs zerläuft das auf der Zunge. Wie ein menschliches Bedürfnis bereichert es die Sinne: Liechtenstein. Das schmeckt nach Freiheit. Und Frieden. Reichtum. Und Geld. Und Vermögen. Und und: Reichtum. Und Häusern. Palästen. Schlössern. Burgen. Und Tschitti tschitti bäng bäng. Aber nicht nur!*
Liechtenstein riecht nach Insel. Aus Fels. Und Granit. Nach altem Holz riecht das. Nach Waffenkammer. Wandteppichen. (Sogenannten Gobelins.) Nach Mottenkugeln. Und Bohnerwachs. Nach dem Knattern der Fahnen im Föhn. Nach dem Schwefeldampf von Feuerwerk und Winzerworscht.

Nach Tresorräumen duftet's hier. Unterirdisch. Nach Panzerschränken. Schliessfächern. Briefkästen. Nach Geheimnissen. (Englisch: secrets.) Nach verborgenen Gängen müffelt's. Nach Konten. Verliesen. Nach eisernen Jungfern. Und Leibesvisitation. Und fiskalischen Robi-Dogs.
Liechtenstein duftet nach frischen Franken. Und täglich frischen Banken. Nach frischgewaschnen Kunden. D-Mark und Pfunden. Überfluss und Scherben. Russ und Serben. Fischelet's und böckelet's. Allhier.

Aber Liechtenstein ist natürlich nicht nur das, verehrte Anwesende. Liechtenstein ist zu allererst einmal ein Fliegenfurz auf der Landkarte. Eine kleine ungeahndete Mogelei im Euro-Monopoly: Kaufe Sevelen[1]*-Vorstadt. Gehe über Gefängnis. Liechtenstein ist der koffeinfreie Kaffeesatz des pan-europäischen Schicksals. Ein Vakuum im Gebläse. Ein Intermezzo in der Geographiestunde. Ein gebührenpflichtiger Parkplatz am Vorderrhein. Eine Schlafsekunde auf der N13*[2]*. Im Schatten der Kehrichtverbrennungsanlage Buchs*[3].

1 Gemeinde auf der Schweizer Rheintalseite
2 Schweizer Autobahn zwischen Chur und St. Gallen, verläuft parallell zum Rhein
3 Gemeinde auf der Schweizer Rheintalseite

Liechtenstein ist die begrünte Zugbrücke übers Riet, das Sankt Gallen und Vorarlberg verbindet. Liechtenstein ist das Häutchen zwischen Spass und Ernst in den schweizerisch-österreichischen Beziehungen. Liechtenstein ist ..?

Nun. Österreich wird Alpenrepublik geheissen. Der Schilling Alpendollar. Die Schweiz heisst Alpenkonföderation. Der Franken Alpenschoggitaler. Italien ist der Alpenstiefel. Die Lira das Fersengeld. Deutschland ist Alpenvorland. Die D-Mark ein Alptraum. Und Liechtenstein? Liechtenstein ist der Alpenbriefkastenonkel. Und seine Währungen sind Kummer und Sorgen. Hummer und Borgen.
Ansonsten ist Liechtenstein ein Dorf. Ein von unbeugsamen Älplern bewohntes Alpendorf. Mit 30.000 Dorfbewohnern. Und einem Häuptling. Durchschnittliches Jahreseinkommen: 47.000 Schoggitaler pro Nase. Alpenschoggitaler nota bene. Geschätztes Gesamtvermögen, inklusive Mehrwertsteuer: 47 Trillionen Schoggitaler. Geschätzter Gesamtwert daher: 47 Trillionen Alpenschoggitaler. Und 30.000 Rappen.

Wollen Sie's kaufen? Sie da vorne? Ja, Sie? 47 Trillionen Franken? Ist doch ein Klacks. Für jemanden wie Sie! Oder Sie. Ach kommkommkommkommkommen Sie! Wenigstens die Einwohner? Hm? 30.000 Rappen. Das sind (rechnet)*: 187 Euro und 50, ähm, ECUs! Also, wie wär's?*

Das Holding

Herr Dr. Ospelt **Dr** und Herr Ospelt **O**

Dr: *Also. Spass beiseite. Es gilt Ernst. Meine Damen und Herren, wir sind zu haben! Natürlich nicht grad so, wie der Herr Ospelt das vorhin … Haha, also bittschön. Nein. Es geht um den Verkauf des Liechtenstein Holdings. An den Meistbietenden! Wir, die Herren Schädler, Ospelt und Dr. Ospelt sind beauftragt, autorisiert sozusagen, von höchster Stelle autorisiert sogar!, diese Angelegenheit zu unseren treuen Händen zu nehmen! Wir operieren als treue Unterhändler dieser äusserst rentablen Firma, die daran ist, ihre letzten Kredite zu verkaufen, um sich letztendlich einen wohlverdienten Ruhestand bei einer wohlverdienenden Ruhebank zu gönnen. Also! Wer will das Holding?*

O: *Das Liechtenstein Holding, dies zu Ihrer Information, ist ein im Handelsregister eingetragenes Sitzunternehmen. Laut Gesetz handelt es sich hierbei um eine nicht-tätige Firma, die von der steuerlichen Vergünstigung lebt. Sie ist also von höchster Stelle zum Nichtstun verdammt und ernährt sich von importierten Früchten wie Erb-Beeren, Paradies-Äpfeln und Schwarzwurzeln aus den nahegelegenen Wüstenregionen. Laut Handelsregisterauszug bietet das Holding an: Zusammenfassung internationaler Kapital-*

und Wirtschaftsinteressen, ...

Dr: *Wie zum Beispiel mit der Volksrepublik-China-Genossenschaft und dem Heiligen Stuhl Trust.*

O: *... Zusammenfassung, je nach dem - wenn's ums Verrecken sein muss auch Kontrolle - von Beteiligungen, Immobilienverwaltung, ...*

Dr: *Wie zum Beispiel das Schloss Vaduz, das Landesmuseum, das Flüchtlingszentrum etc.*

O: *... Lizenzverwertung immaterieller Rechte, Dienstleistungen aller Art, ...*

Dr: *Wie zum Beispiel Soziale Dienste, Dienst nach Vorschrift, Finanzdienstleistung, Dienst am Kunden, Fasnachtsdienstage usw.*

O: *... Private Vermögensanlage und –verwaltung, ...*

Dr: *Wie zum Beispiel Landesbank, Regierungschefbank, Vizeregierungschefbank, Altregierungschefbank, Altvizeregierungschefbank etc. etc.*

O: *... Verteilung von Vermögenserträgnissen zu familienfürsorglichen, wohltätigen und anderen Zwecken.*

Dr: *Wie zum Beispiel Regierungschefbank. Vizeregierungschefbank, Altregierungschefbank, Altvizeregierungschefbank etc. Kurz: Das Liechtenstein Holding ist eine Gesellschaft mit beschränkter Haftung.*

O: *Die Haftung ist deshalb beschränkt, da man nicht genau weiss, wann sie endgültig abhebt. Die Gesellschaft.*

Dr: *Ansonsten weist das Liechtenstein Holding alle Voraussetzungen einer modernen Stiftung auf. Sie setzt sich aus mehreren Gesellschaften zusammen, wie unter anderem offshore Gesellschaften, also Gesellschaften, die von blossem Auge nicht mehr zu verfolgen sind, wie z.B. die bessere Gesellschaft, die Societas Oligarchia, oder die geschlossene, die Fürstenhaus-Gesellschaft, dann gibt es die schlechte Gesellschaft, den Black Sheep Trust, und auch Anstalten gehören selbstverständlich dazu, wie z.B. öffentlich-rechtliche, das können Schulen oder Gefängnisse sein, und zu guter Letzt die geschlossenen Anstalten, wie z.B. das Parlament. Das Liechtenstein Holding hat einen Stiftungsvorstand, eine Kontrollstelle und eine nette, freundliche Geschäftsführung. Der Stiftungsvorstand setzt sich vorwiegend aus Mitgliedern der besseren und der geschlossenen Gesellschaft zusammen, die Kontrollstelle hat mittlerweile ihr Domizil in Strassburg beim Gerichtshof für Menschenrechte und der nette Mario[4] kümmert sich um seine Marionetten. Das Holding beschäftigt über 30.000 Angestellte,*

4 Dr. Mario Frick, Regierungschef von 1993 bis 2001

sogenannte Holdinger, die ihrem Stiftungsrat an einer entsprechenden Holding-Feier ‚holdingen'.

O: *Nichtsdestotrotz hat sich nun der Stiftungsvorstand entschlossen, das Liechtenstein Holding gewinnbringend zu verscherbeln.*

Dr: *Auf der einen Seite machte sich dabei der Hauptstammeinlagenhalter der Fürstenhaus-Gesellschaft, kurz Stammhalter, für die Veräusserung stark, da die von ihm angestrebte Umwandlung des Liechtenstein Holdings in eine reine Familienstiftung noch vor der Zeitenwende nicht mehr verwirklicht werden kann, …*

O: *… zum anderen strebt nun auch die Societas Oligarchia einen Verkauf an, da für sie durch diese Kapitulation ihr innigster Stiftungszweck erreicht worden ist und sie daher nicht mehr stiften gehen muss.*

Dr: *Also! Wollen Sie das Ding, das Holding, haben? Für'n Butterbrot?*

O: *Für'n Geissenpeter-Sandwich? Oder ein Eingeklemmtes ‚Klara'?*

Dr: *Wir wollen das Ding doch nicht gleich liquidieren?*

O: *Nicht, dass Sie's dann aus der Zeitung erfahren müssen!*

Dr: *Übernehmen Sie's! Es ist solide, ausbaufähig und es geniesst in gewissen Kreisen einen ausgezeichneten Ruf!*

O: *Selbstverständlich dürfen Sie ihm auch einen neuen Namen geben!*

Dr: *Ober-Holdingen zum Beispiel!*

O: *Beziehungsweise Unter-Holdingen! Denn ohne Unter-Holdingen kein Vater-Holdingen*[5]*!*

Dr: *Oasien wär fesch!*

O: *Neu-Funds-Land wär schick!*

Dr: *Kohl*[6]*-Umbien wär klasse!*

O: *Oder Hessen*[7]*-Kasse!*

Dr: *New Norfolk*[8]*!*

O: *Kanther*[9]*-Bury!*

Dr: *Elf Aquitanien*[10]*!*

O: *Le Pays des Frics!*

Dr: *Oder eine Verknüpfung von Austria und Helvetia:*

5 Entsprechend dem Motto des Unterlands: „Ohne Unterland kein Vaterland"

6 Helmut Kohl: deutscher Bundeskanzler, der gute geschäftliche Verbindungen zu Liechtenstein pflegte. Diese spielten u.a. im Zusammenhang mit der CDU-Spendenaffäre, die ab 1999 bekannt wurde, eine Rolle.

7 Im Zuge der ab 1999 bekannt gewordenen Spendenaffäre der Bundes-CDU, kam auch eine Spendenaffäre der hessischen CDU ans Tageslicht.

8 Norfolk: Name einer in der CDU-Spendenaffäre benutzten Schattenstiftung.

9 Manfred Kanther: deutscher Innenminister, der im Zentrum der Spenden-Affäre der hessischen CDU stand.

10 Elf Aquitaine: französischer Mineralölkonzern, der der CDU Schmiergelder für die Leuna-Raffinerie zahlte.

O: *Aus-Tretia!*

Dr: *Greifen Sie zu! Greifen Sie zu! Überraschen Sie Ihre Gemahlin!*

O: *Überraschen Sie Ihre Gemahlin!*

Dr: *So billig kommen Sie nie mehr zu Ihrem vergoldeten Briefkasten!*

O: *So billig kommen Sie nie mehr zu Ihrem vergoldeten Briefkasten!*

Dr: *Und die Angestellten, müssen Sie wissen, die Holdinger, das* *sind äusserst verträgliche Leutchen. Veräussern Sie ab und zu ein paar Partizipationsscheine oder andere Aufmerksamkeiten finanzieller Natur, erlassen Sie die Einkommenssteuer, senken Sie die Krankenkasse, und Sie haben Idylle total. Das Phänomen der Meuterei ist ja noch nicht bis hierher durchgedrungen.*

O: *Es gibt zwar ab und zu Demonstrationen, aber die gleichen eher religiösen Happenings mit Gitarre und Gebet.*

Dr: *Meine Damen und Herren! Hierzulande steht Darwin noch auf dem Index und Marx ist der Plural von D-Mark.*

Geographie-Stunde

O: *Liechtenstein schmiegt sich an den 10. Längengrad wie weiland Karthago. Gerne sieht es sich als Bauchnabel Europas. Noch weiter südlich, Richtung Po, dann wär's sein Intimschmuck. Unter Mitteleuropa-Kennern wird Liechtenstein auch das „Auge der Wildsau" genannt. Dies durch seine physische und psychische Nähe zur Eidgenossenschaft. Seit der Errichtung des Erzbistums Vaduz im Winter 97 wird Liechtenstein von den Schweizern auch liebevoll als ihr „Vati-Kanton" bezeichnet. Die Liechtensteiner pflegen dann gerne mit „Die Schweiz. Der Migros-Kosmos" zu kontern.*

Dr: *Liechtenstein ist Teil der Alpen, der Gürtelrose Europas. In Liechtenstein stossen die West- und die Ostalpen aufeinander. Sowie das Ober- und das Unterland. Dadurch ist Liechtenstein sehr fossilreich. Besonders schöne Versteinerungen findet man an den hiesigen Stammtischen und in den Stimmtaschen. Den Wahlurnen.*

O: *Auf die Frage des Ausländers: „Where do you come from?" antwortet der Liechtensteiner mit einem stolzen und überzeugten: „Liachtaschtaa, natörleg!" Aber aller Stolz und alle Überzeugung nützen nichts, wenn niemand weiss, wo dieses stolze und überzeugte Liechtenstein liegt. So kommt es normalerweise im zweiten Teil der Unterhaltung zur Frage: „Where the hell is it then?", worauf die Antwort nur lauten kann: „Liechtenschtein is a smool gantri bitwiin Switzerländ und Auschtria!" Was den armen Ausländer nun vollends verwirrt: „A small country between Sweden and Australia? Piss off!"*

Dr: *Aber eigentlich, im metaphysischen Sinne, liegt Liechtenstein direkt neben Amerika. So nah fühlen sich die Liech-*

tensteiner dem grossen Bruder. So wie die Amerikaner sind, so wollen die Liechtensteiner auch sein. So crazy! So cool! So sön & fön!

O: *Und so wie Amerika ist, so WIRD Liechtenstein auch irgendwann einmal sein. Nur ohne Neger!*

Dr: *Also Herr Ospelt, ich muss schon bitten! Ohne Schwarze!*

O: *Okay. Ohne schwarze. Butzi*[11].

Dr: *Der Liechtensteiner glaubt grundsätzlich alles, was er in amerikanischen Filmen sieht. Er hält amerikanische Filme für Dokumentarfilme. Raumschiff Enterprise, Bonanza, Baywach: Für ihn alles ein Abbild der Wirklichkeit. Er hält die Simpsons für real! Und die Mondlandung! Und den Bill Clinton!*

O: *Die Einheimischen sehen Liechtenstein als das europäische Pendant zu den Vereinigten Staaten. Denn auch hier kämpfen Schwarze, Rote und Weisse unter den allgegenwärtigen Augen des grossen Money-Tu um einen Platz in den Ewigen Jagdgründen.*

Dr: *Die Liechtensteiner Prärien sind aber nicht mehr das, was sie einmal waren. Wo früher Horden von Murmeltieren den Boden erzittern liessen, stehen heute saisonal aktivierte Zombiedörfer. Wo früher die Eingeborenen in Rudeln zur Jagd gingen und Füx und Rehlein in den Tod trieben, erledigt dies heut ein einzelner Gleitschirmpilot.*

O: *Kein Wunder, dass es schon früh Liechtensteiner gab, die die Zeichen der Zeit erkannten, ihr Ränzlein packten und uf Amerika gingen. Kunnscht met?, hiess es dann nach der Frühmess, i gang noch schnell gi Amerika. Oder: Hött faar i met der Fämili is Amerika ussi.*

Dr: *Vielen dieser Amerikafahrern blieb eine Rückkehr erspart. Sie wurden in der neuen Heimat sesshaft, gründeten Funkenzünfte und neue Gesellschaftsformen, heirateten, meist Deutschstämmige …*

O: *Ma waas jo nia!*

Dr: *… und züchteten hinterm Haus Türken*[12] *und Wein. Und kamen sie dann doch irgendwann wieder ins Land, dann ging das so:*

11 Schwarze bzw. rote Butzi werden die Parteianhänger der FBP („die Schwarzen") bzw. der VU („die Roten") genannt.

12 Mais

Hay, ik bin der Toni

Hay, ik bin der Toni und ik kumm uus Likteschtei.
Underm Joor bin ik i da United States dihei.
Evr'y Summer kumm i aber back is Förschtatum,
Luags Füürwerk a und trink a Pepsi Cola uf Silum.

My Wife und d Goofa sind im Dolder z Zöri iigloschiert,
Well si der Liachtaschtaaner Way of Life net intressiert.
Si finden s Ländle boring und der Shopping net der Hit,
Si hen för mini Roots im Grund gno weder Loscht noch Zitt.

Ik bin der Toni
Us Californi,
Han a Woonig
Und eppa 50.000 Kloofter Land,
Won i
Als eura Toni
Z Californi
Hogg am Strand.

Hay, ik bin der Toni, alli Lütt dia kennen mi.
Drum lad ik si o always zomna Wienerschnitzel ii.
Denn hoggen mier ir Schattaburg[13] und jeder treet mer vor,
Wia s im ergangan ischt und was sich tua het öbers Joor.

Wer gschtorban ischt vo dena Sissies, wo so alt wian i,
Perhaps en aalta Schualschatz, wo het mösa öbra Rhii.
Denn gib i jedem 100 Dollar för sin klinna Brecht,
Säg „Danke, Buddy!" und entloosna weder us der Pflecht.

Ik bin der Toni
Us Oklahomi,
Han a Poni
Und eppa 12.000 schöni Küa,
Won i
Als eura Toni
Z Oklahomi
Ha viil Müa.

13 *Restaurant in den Gemäuern der Schattenburg in Feldkirch (Vorarlberg), berühmt für seine grossen Wiener Schnitzel.*

Hay, ik bin der Toni und ik bin en Monarkischt.
Ik mag der Förscht, well er a so en freia Kerle ischt.
Sini Lady ischt a super Frau, si macht alls met,
Si ischt so strong und goddamn fromm, do mach i jedi Wett.

Woona tuan i bimna Sohn vom Vetter vom Papa.
Er ischt der anzig, wo noch öbrig ischt vor Familia.
Dia andra sin scho gschtorba oder fort vo Likteschtei,
Hen Hüüsle ir Toskana, z Irland oder ir Törkei.

> *Ik bin der Toni,*
> *Us Wyoming,*
> *Han a Vroni*
> *Und eppa zwo Dutzend tolli Kids,*
> *Won i*
> *Met minnra Vroni*
> *ZWyoming*
> *Ir Kochi sitz.*

Es ischt en kaalta Wintermorga gse vor sixty Joor,
Won i verschwunda bi, well i bedroot vo groosser Gfoor.
Nei, net dia bösa Nazi hen mis Life zom Nightmare gmacht,
Viil schlimmer noch, i han a Proteschtanti kösst ir Nacht!

Hay, ik bin der Toni und ik kumm us Likteschtei.
Underem Joor bin ik i da United States dihei.
Ev'ry Summer kumm i aber back is Förschtatum,
I hoff, ir sin fescht truurig, wenn i someday numma kumm.

> *Ik bin der Toni*
> *Vom Gamperdoni,*
> *Bi all aloni*
> *Und wär so gern weder do im Land,*
> *Won i*
> *Als eura Toni,*
> *Vom Gamperdoni*
> *Wär bekannt.*

Geschichte
Herr Ospelt **O**

O: *Lassen Sie mich ganz kurz die wichtigsten Stationen in der Geschichte Liechtensteins aufzählen.*
Um das Jahr 1400 wird Liechtenstein vom damaligen König Wenzel in Prag als unmittelbares Gebiet des Deutschen Reiches erklärt. Diese Neuigkeit geht aber an den Liechtensteinern vorbei, da sie noch nie etwas von einem König Wenzel gehört haben und sie sich ganz generell von einem Tschech nicht sagen lassen wollen, wer und was sie sind. Diese spätmittelalterliche Respektlosigkeit trübt im übrigen noch heute die Beziehungen zwischen Liechtensteinern und dem heutigen Wenzel von Prag, dem König Vaclav[14], ganz unmittelbar. Für den Tschech gehört Liechtenstein noch immer zum Deutschen Reich . Für den Liechtensteiner bleibt der Tschech ein Tschechoslovak.
Ich überspringe ein paar Jahre.
1525: Nach einem Besuch des Öberrhiiners Ulrich Zwingli entschliessen sich die Liechtensteiner grad z laad katholisch zu werden. Vorher glaubten sie, dass Liechtenstein eine Kugel sei.
1699: In einer Wiese ob Bendern stossen Unterländer Bauern auf Monarchie. Dank dieses Bodenschatzes entsteht der Liechtensteiner Geldadel.
1859: Niederlage der Eidgenossen gegen, hm, ist nicht so wichtig. Hauptsache, in Liechtenstein gab es deswegen ein grosses Fest, woraus sich dann der Staatsfeiertag entwickelte.
Eine alte Chronik berichtet:
„Ward vom Oschpelt zu Vaduze berichtet, es habe im Hornung ein gross Blutvergiessen und Jammern und Zähneklappern gegeben unter den Eidgenossen, ehedem genannt die Swizzer. Ze Solferino habe die Mannschaft der Azzuri den Tellensöhnen gar garstig gezeigt, wo der Bartholomeo seinen acceto balsamico hole. Im ganzen Fyrstenthume brach darob gross Jubel und Klaxonnieren der Vierspänner aus. Fynfzig Fass Bier, aus dem Werdenbergischen gestohlen, 60 Pack Magenbrot mit zwei Ballöön gratis und 800 Kilo Malbunerwyrst aus des Metzger Oschpelts Metzgery wurden verzehret. Durch Funkenflug beim anschliessenden Feuerwerke von der hohen Burg wurde das Dorf Vaduz, auch die Residenz genannt, bis auf die Grundmauern eingeäschert. Worauf gross Gejohle und

14 Vaclav Havel, 1993 bis 2003 Präsident der Tschechischen Republik

Glockengeläut von Trybbach und Sevelen bis in die Morgenstund zu hören war."
1945: Mit dem Kriegsende wird Liechtenstein in ein Holding umgewandelt. Alle Gewalt geht nun mehr vom Stiftungsvorstand aus. Den Liechtensteinern ist es Recht.
Dezember 1997: Liechtenstein wird Erzbistum. Seither gilt wieder das ptolemäische Weltbild.

Mann und Weib

Herr Dr. Ospelt **Dr**, Herr Schädler **S** und Herr Ospelt **O**

Dr: *Der Homo liechtensteinensis communis. Der PrÖzi. Der gemeine Liechtensteiner.*
Schädler zeigt die Fäuste.
Dr: *Er ist angriffslustig und für jeden Streit zu haben. Das ist der keltische Einfluss.*
Schädler kratzt sich am Sack.
Dr: *Er ist verspielt ...*
Schädler pfeift einer Zuschauerin nach.
Dr: *... und musikalisch. Das ist das romanische Element.*
Schädler bohrt in der Nase.
Dr: *Er ist reinlich ...*
Schädler frisst den Popel.
Dr: *... und äusserst sparsam. Das ist das Alemannische in seiner Brust. Geben wir dem ganzen noch einen Sprutz Walserblut hinzu, dann haben wir den Ethno-Salat.*
O: *Ich fasse zusammen: Keltisch-heissblütig, romanisch-romantisch, schwäbisch-ökonomisch, mit einem Walser Stierengrind.*
Dr: *Eine Spezies, die man nur gern haben kann.*
O: *Dies ist auch eine verbereitete Meinung dem Fürsten gegenüber.*
Dr: *Der Fürst ist der Ober-Liechtensteiner. Obwohl er ja eigentlich, im strengen Sinne, also, jaaa, also Liechtensteiner ist er schon, er heisst ja auch so, aber er ist eben kein, wie soll ich sagen ... Herr Ospelt!*
O: *Dem Fürst fehlen die vielen Seelen in der Brust.*
Dr: *Richtig. Ihm fehlen die vielen Seelen in der Brust.* (klopft Herrn Schädler auf die Brust) *Nicht so wie bei Ihnen, Herr Schädler. Nicht so wie bei Ihnen. Aber zum Fürst kommen wir ja noch. Nicht wahr, Herr Schädler. Zum Herrn Fürst kommen wir ja noch!*
O: *Im Moment wollen wir aber noch ein wenig beim Gemei-*

nen Liechtensteiner verweilen. Oder? Herr Schädler?

Dr: *Der Liechtensteiner tritt selten alleine auf.* (blickt auf Herrn Ospelt, der den Blick ignoriert) *Wie ich gerade sagte, tritt der Liechtensteiner selten alleine auf. Herr Ospelt!*

O: *Der Liechtensteiner tritt selten …* (elend) *Muss das sein, Herr Dr. Ospelt?*

Dr: *Es muss!*

Schädler grinst.

Dr: *Herr Schädler! Was gibt es da zu grinsen?*

Schädler grinst nicht mehr.

Dr: *Wie ich also bereits gesagt habe ...*

O: *Ist ja gut. Ist ja gut.* (holt sich einen Damenhut, setzt ihn auf) *Aber ich möchte Sie bitten, dass dies das letzte Mal ist. Ich wäre dafür gerne bereit, den, hm hm, zu spielen. Als Gegenleistung.*

Dr: *Der Liechtensteiner besteht aus Männlein und Weiblein, je zu gleichen Teilen verteilt. Er kommt als Säugling zur Welt und stirbt im hohen Alter vor dem Fernseher. Meist während Aktenzeichen XY. Am liebsten tritt der Liechtensteiner paarweise auf. Herr Ospelt, Entschuldigung, FRAU Ospelt! Fangen Sie an!*

O: *Ischt etz daas en schöna Sunnanuntergang ...*[15]

Dr: *Nicht das, Frau Ospelt!*

O: *Ah ja. Gut.* (räuspert sich, dann mit hoher Stimme) *Sinder eba nächtig noch verhogget?*

S: *Siiwär no verhockät, ja!*

O: *Heien der eba noch z viil Bier verwöscht?*

S: *Häwär noch z vil Bier vrwüscht, ja!*

O: *Seien der denn eba noch uusgschlepft und uf d Schnorra keit?*

S: *Siiwär de no voll uf d Schnoran angikeid, jawol!*

Dr: *Dieses Gespräch liesse sich nun stundenlang so fortführen. Man halte sich dabei vor Augen, dass es sich hier um ein Gespräch zwischen zwei sich noch nicht näher bekannten Personen handelt. Kennen sich die zwei Personen einmal besser, so läuft das Gespräch wie folgt ab:*

O: (mit hoher Stimme) *Seischt eba nächtig noch ussitroolet?*

S: *Halt d Schnora! Huara Ripp*[16]*!*

Dr: *Herr und Frau Liechtenstein geben sich im Gespräch gerne kurz, bündig und direkt. So auch bei eher intimen Gelegenheiten. Frau Ospelt?*

O: (mit hoher Stimme) *Oh oh oh!*

S: *Hesch ds Buuchwee?*

O: *Oh oh oh!*

S: *Siiwär zum Schaffa daa oder zum Vergnüaga?*

O: *Oh oh oh!*

S: *Oh oh oh!*

O: *Oh oh oh! I han a Verhältnis met em Noochbuur.*

S: *Oh oh oh! Änä, wa bir Bank schaffät?*

O: *Genau. Oh oh oh!*

S: *Änä, wa isch alli dia guata Tips gid wägit dr Börsa? Oh oh oh!*

O: *Genau. Oh oh oh!*

15 siehe „s Benkli voräm Huus" (1994)
16 das Ripp: altes, zänkisches Weib

S: *Weischt noch, änä Tip wan er isch gä hed, wägät dena Kleenex-Aktia. Mit äm Gäld hammär grad än neua Ford chaufa chunna!*

O: *Und i mier en Tourmix!*

S: *Äns ischt än freia Kärli, äns! Oh oh oh!*

O: *Denn hescht nüt dergeget?*

S: *Oh oh oh!*

O: *Oh oh oh!*

Die lieben Nachbarn

Herr Dr. Ospelt **Dr** und Herr Ospelt **O**

Dr: *Liechtensteins Nachbarn sind beschränkt. Auf Schweizer und Österreicher. Schwierig zu sagen, wen von beiden die Liechtensteiner nun aber weniger leiden können. Das hängt jeweils von der, em, politischen Wetterlage ab. So sah man während der Napoleonischen Kriege Fürst Johann I. von Liechtenstein mit Herrn Bonaparte beim Würfelspiel, in dessen Verlauf Seine Durchlaucht dank einem Yazee in der letzten Runde die Souveränität für Liechtenstein gewann. Nach der Völkerschlacht bei Leipzig standen dann aufs Mal Liechtensteiner Soldaten in Reih und Glied mit preussischem und österreichischem Militär und halfen auf diese Weise mit, den Franzmann nach Elba zu vertreiben. Nach dem Wiener Kongress wiederum sah man Liechtenstein als lachenden Vagabund im Verbund mit dem Deutschen Bund. Und nachdem sich Preussens Gloria und Österreichs Maria Theresia in der Nationalversammlung nicht mehr grün waren, da erklärten die Liechtensteiner kurzentschlossen den Preussen den Krieg und traten in Zollunion mit Österreich. Und fortan beschützten k.u.k Finanzgendarmen das Land gegen Schweizer Schmuggler und Supermarktketten. So kam es, dass bis zum Zusammenbruch der Donaumonarchie mit kaiserlichen Silbergulden und Kreuzern die fürstliche Zeche geprellt wurde. Von da an schauten die Liechtensteiner aber nur noch mittleidig gen Arlberg und gingen im Schweizerischen Buchs einkaufen. Mit Schweizer Goldvreneli und Rappen. Ja und seit 1995 bezahlt man hier mit EC- und Cumulus-Karte.*

O: *Der ungebildete Beobachter würde uns dies nun als opportunistisches Verhalten vorhalten.*

Dr: *Womit er durchaus Recht hat. Nur! Es gibt hier einen kleinen, aber feinen Unterschied.*

O: *Richtig. Einen kleinen feinen Unterschied!*
Dr: *Herr Schädler! Einen Unterschied bittschön!*
Schädler spielt einen Unterschied.
Dr: *Danke! Herr Schädler! Also. Der kleine, aber feine Unterschied ist der: Seit Menschengedenken werden hierzulande opportunistische Entscheidungen vom Fürstenhaus getroffen. Ob Rheinbund[17], Frauenstimmrecht[18] oder Feuerwerk[19], immer ist es der Fürst gewesen, der zum Wohle des Volkes entschieden hat. Das Volk hat mit diesen Entscheidungen nichts zu tun. Nichts!*
O: *Null! Nothing!*
Dr: *Absolutamente niente.*
O: *Rien de rien.*
Dr: *Es wäre also äusserst unfair und verletzend, dem Liechtensteiner Volk Opportunismus vorzuwerfen.*
O: *Und nicht angebracht wär's obendrein.*
Dr: *Herr Ospelt, ich denke, damit wäre für uns diese Angelegenheit vom Tisch.*
O: *Vom Tisch. Richtig. Zumal wir ja mittlerweile wissen, aus welcher Ecke solche Anfeindungen immer wieder kommen!*
Dr: *Exakt!*
O: *Wussten Sie eigentlich, dass unter den 10.730 Ausländern, die 1997 in Liechtenstein lebten, 3.894 Schweizer Herkunft waren? Das sind 12,4% der Gesamtbevölkerung!*
Dr: *DAS sind Zahlen, Herr Blocher[20]!*
O: *Und 2.026 Österreicher? Das sind immer noch satte 6,5%!*
Dr: *Hai, da[21]! Ist das ein Potential!*

17 Durch die Mitgliedschaft im Rheinbund erhielt Liechtenstein anno 1806 seine Souveränität. Dem Beitritt lag eine freundschaftliche Beziehung zwischen Napoleon Bonaparte und Johann I. von Liechtenstein zugrunde.
18 Liechtensteins Frauen erhielten 1984 mittels Volksabstimmung das Wahlrecht. Im Vorfeld der Abstimmung hatte sich das Fürstenhaus klar für das Frauenstimmrecht ausgesprochen.
19 Den Höhepunkt des Staatsfeiertags (15. August) bildet jeweils das vom Schlossfelsen aus abgebrannte grosse Feuerwerk. In früheren Jahren übernahm jeweils das Fürstenhaus die Kosten.
20 Christoph Blocher, Schweizer Rechtspopulist
21 Lustiges Wortspiel in Bezug auf den Kärnter Rechtspopulisten Jörg Haider

Huttgrind

D Jaggan us da Staata,
S Tii-Schört us Hong Kong,
S Hirni vom Primata,
S Gnegg vom King Kong.

Grüassa wian en Römer, kössa wian en Russ,
Herzig tönt dis Gjöömer, herzlig ischt din Stuss.

Aber eppes ischt mer ned ganz klar,
Ischt grad guat, dass i di treff:
Säg mer noch, sit wenn ischt „Skinhead"
eigentlig en Dialekt Begreff?

> *„Huttgrind" wär doch nationaaler.*
> *„Hautkopf" wär doch dütsch.*
> *Besser noch: Neandertaaler.*
> *Oder Seppi Trütsch*[22]*.*

> *„Huttgrind" wär doch liachtaschtaanisch.*
> *„Huttgrind" tönt noch Bluat.*
> *„Huttgrind" wär doch super-arisch.*
> *„Huttgrind" tönt so guat.*

Suufscht gärn Bier und Cola,
Männscht, es sei vo do,
Schwaflischt vo Pischtoola
Meid im Kosovo.

S Hokakrüüz hescht ufem Födla tätowiert.
Das Symbol ischt usem Sanskrit importiert.

> *„Huttrind" wär doch nationaaler …*

Schtinkscht fascht wian en Alpkäs,
Laufscht wian en Camembert,
Sachscht en Törk im Kampfhääs
rüafscht glei s Militär.

Zällscht di zo da Scheffa, luagscht uus wian en Knecht,
Tuascht SA nochäffa: Kennscht o ieri Gschecht?

22 *Sepp Trütsch, Sänger und Moderator von volkstümlichen Schlagersendungen (u.a. Grand Prix der Volksmusik) bei Fernsehen DRS.*

Und eppes ischt o dier ned klar,
Es sach i doch vom Scheff:
Säg mer noch, sit wenn ischt „Skinhead“
Eigentlig en Dialekt Begreff?

„Huttgrind“ wär doch nationaaler …

Das PGR[23]
Herr Dr. Ospelt **Dr**

Dr: *Sehr verehrtes Publikum, bevor wir Sie vorhin zu einem kurzen Moment des In-Sich-Gehens entliessen, haben wir über das nach Liechtenstein hineinimportierte Problem der Ausländerproblematik gesprochen. Ein weiteres importiertes Problem, mit welchem wir hierzulande zu kämpfen haben, ist der EWR, der Europäische Wirtschaftsraum. Es dürfte ja jedem einleuchten, dass sich Liechtenstein und Resteuropa nicht unbedingt ergänzen. Also zumindest einmal nicht so, wie sich Brüssel das vorstellt. Wie soll denn das auch gehn? Faktisch, das darf man nicht wegdiskutieren, sind wir die Reichsten von Europa. Allein das sorgt schon für ein negatives Bild in Europa draussen. Dabei wäre das alles ja keine Kunst! Das ist doch jedem freigestellt, wie er das macht! Wir haben uns einfach mal hingesetzt und gedacht, wäre doch schön, wenn es vielleicht jemanden gäbe, der uns einen kleinen Teil von seinem Vermögen bringt, damit wir es für ihn hier aufbewahren können. Jemand, der sein Geld gern mal zu uns in den Urlaub schickt! Nichts weiter. Wir haben doch nicht wissen können, dass diese Idee so einschlägt wie eine Briefkastenbombe! Wir haben doch nicht ahnen können, dass es so viele Menschen gibt, die jetzt halt ihr Geld lieber hier deponieren wollen als sagenwireinmal in Frankfurt. Oder Oggersheim*[24]*. Oder Salzburg. Und dann noch in einem Tresor! Nicht einmal öffentlich!*
Im Gegenteil! Die wollen ja gerade, dass das alles ganz geheim bleibt. Ich frag mich, wie sich das dann überhaupt hat rumsprechen können. Wenn das so geheim ist. Nun gut. Der Kunde ist König. Zaunkönig[25]*! Und so haben wir uns dann auch zur Verschwiegenheit entschlossen, widerwillig!, und nur auf ausdrücklichen Wunsch! Das war nicht unsere Idee! Neinnein! Wir hätten das gerne weitererzählt!*

Staatsform
Herr Schädler **S**, Herr Dr. Ospelt **Dr** und Herr Ospelt **O**

S: *Ich zitiere aus der Verfassung des Fürstentums Liechtenstein vom 5. Oktober 1921. Art. 1: „Das Fürstentum Liechtenstein bildet in der Vereinigung seiner beiden*

23 *Personen- und Gesellschaftsrecht*

24 *Stadtteil von Ludwigshafen, Wohnort des ehemaligen deutschen Bundeskanzlers (1982-1998) Helmut Kohl*

25 *Name eines geheimen Liechtensteiner Kontos, SPIEGEL, Nr. 51, 15.12.1997*

Landschaften Vaduz und Schellenberg ein unteilbares und unveräusserliches Ganzes ...“

Dr: *Wurde dieser Teil nicht gestrichen?*

S: *Welcher Teil?*

Dr: *Der mit dem „unveräusserlichen Ganzen“.*

S: *Wurde der nicht gestrichen?*

Dr: *Wieso steht der noch da drinnen? Der macht unsern ganzen Abend zur Sau!*

S: *Ja wer hat denn den wieder da reingetan? Herr Ospelt?*

O: *Herr Schädler?*

S: *Haben Sie den Teil wieder da reingetan?*

O: *Welchen Teil?*

S: *Den unveräusserlichen ...*

Dr: *Lassen Sie das, Herr Schädler. Ändern Sie ihn einfach!*

S: *Ich soll den Verfassungsartikel ändern, Herr Dr. Ospelt? Den allerersten Artikel der Verfassung?*

Dr: *Richtig, Herr Schädler. Ich autorisiere Sie dazu. Hiermit:* (gibt ihm einen Orden) *Herr Verfassungsrat!*

S: *Danke schön ...*

Dr: *Nicht der Rede wert. Fahren Sie weiter!*

S: *Gut. „Das Fürstentum Liechtenstein bildet in der Vereinigung seiner beiden Landschaften Vaduz und Schellenberg zur Zeit noch ein unteilbares und unveräusserliches Ganzes; die Landschaft Vaduz (Oberland) besteht aus den Gemeinden Vaduz, Balzers, Planken, Schaan, Triesen und Triesenberg, die Landschaft Schellenberg (Unterland) aus den Gemeinden Eschen, Gamprin, Mauren, Ruggell und Schellenberg.*
Vaduz ist der Hauptort und der Sitz der Landesbehörden.“

Dr: *Vaduz ist der Hauptort und der Sitz der Landesbehörden.* (zum Publikum) *Sie können natürlich auch nur Vaduz kaufen, wenn Sie wollen! Herr Schädler! Weiter!*

S: *Artikel 2: „Das Fürstentum ist eine konstitutionelle Erbmonarchie ...*

Dr: (spricht mit) *... auf demokratischer und parlamentarischer Grundlage; die Staatsgewalt ist im Fürsten ...*

O: (spricht mit) *... und im Volke verankert und wird von beiden nach Massgabe der Bestimmungen dieser Verfassung ausgeübt.“*

Dr: *Ja! Weiter! Artikel 7:*

S: *Artikel 7! „Die Person des Landesfürsten ist geheiligt und unverletzlich.“*

Dr: *Das reicht, meine Herren. Wir wollen nicht zu sentimental werden. Den Kulturartikel! Herr Ospelt, bitte! Den*

Kulturartikel!

O/S: *Artikel 14: „Die oberste Aufgabe des Staates ist die Förderung der gesamten Volkswohlfahrt. In diesem Sinne sorgt der Staat für die Schaffung und Wahrung des Rechtes und für den Schutz der religiösen, sittlichen und wirtschaftlichen Interessen des Volkes.“*

Dr: *Womit wir beim Fiskalsystem angelangt wären!*

S: (zieht PGR raus, wie ein amerikanischer Fernsehprediger:) *Predigt aus dem neuen Evangelium nach Wilhelm Beck. PGR, Artikel 552:*

Dr: (klatscht in die Hände) *Halleluja!*

S: *„Zur Errichtung einer Stiftung durch Einzelpersonen oder Verbandspersonen oder Firmen …*

Dr: (begleitet von Herrn Ospelt an der Orgel) *Halleluja!*

S: *… bedarf es der Widmung eines Vermögens (Stiftungsgut) für einen bestimmt bezeichneten Zweck. …*

Dr: *Halleluja!*

S: *… Als Zwecke …*

Dr: *Halleluja!*

S: *… fallen insbesondere in Betracht: …*

Dr: *Halleluja!*

S: *… kirchliche, …*

Dr: *Kirchliche!*

S: *… Familien- …*

Dr: *Familien!*

S: *… und gemeinnützige …*

Dr: *Gemeinnützige!*

S: *… Zwecke.“*

Dr: *Zwecke!*

S: *So spricht der Herr!*

Dr: *So spricht der Herr!*

S: *Halleluja!*

Dr: *Halleluja!*

S: *Gelobt sei unser Fiskus!*

Dr: *In Ewigkeit. Amen!*

Dr Ospelt und Schädler singen:

Oh when the Cents go marchin' in
Oh when the Cents go marchin' in
Oh I want to be in that number
Oh when the Cents come marchin' in

S: *Oh when the bank*

Dr: (mit tiefer Gospelstimme:) *Oh when the bank*

S: *begins to pay*

Dr: *begins to pay*

Dr/S: *Oh when the bank begins to pay*
Oh I want to be in that number
Oh when the Cents come marchin' in

Ka Nescht im Trascht[26]

Vatter! Werom hescht net Treuhänder gleert?
Hescht mer ka Nescht grecht im Trascht?
Nei, du hescht glernt wia ma Landschtroossa teert
Und drum fallscht mer etz o zor Lascht!

Mamma, züch bitte dia Schoos ab, dia fad.
Di Aagschtellta lachen mi uus.
Mengmol do denk i, ier machen das z laad.
I wörf eu noch uus eurem Huus!

Do han is wells Gott endlig gschafft!
Bi riich und wör riicher all Taag.
Pfleg noget dia nöbelscht Gsellschaft.
Mach Bisness vo Neu York bis Prag.

Und gliich hoggt do eppert im Käär,
Wo all mini Trömm sabotiert.
Di Eltra, sie legen sich quer,
Si hen vo mim Fruscht nüt kapiert.

Vatter, s ischt piinlich, was du so verzellscht!
Niemert finds loschtig, im Fall.
Dr Aalt vo mier, seet ma, ischt ned grad der Hellscht,
Drum het o sin Jungan en Knall!

Mamma, i koof der a Hüüsle, wo d wett:
Höch i da Berg, tüüf am Strand.
Alls inschtaliert, vom Balkoo bis zom Bett,
Solang d numma zrogg kuuscht is Land.

Do han is wells Gott …

Vatter, begriif doch, mis Immitsch ischt Gold!
S Uuftretta ghöört zom Programm.
Titel und Kleidig bestimmen Erfolg,
Drum säg mer ned „Bubi" am Stamm.

26 *Trust*

Mamma, weg eu wör i ned akzeptiert.
All Tag erfaar is ufs Neu.
Mamma, i wüüsch mer, i wär adoptiert,
Denn het i an Uusred för eu.

Do han is wells Gott ...

(gesprochen) *Vatter, bitte! Tua dia Segess awegg!*
Wia laufscht o ummanand? Mamma! Säg doch o amol eppes!
I han em doch vo Düsseldorf a Hugo Boss Hemp metbroocht!
(Vater:) *I leg nüt a, wo amana Boss ghöört het!*

Treuhänder sötten kan Eltera ha!
Treuhändereltra sin out!
Tscheggen nüt, lachen blöd, legen sich aa
So wia sich niemert soss traut.

Do han is wells Gott ...

Die Banken

Herr Schädler **S** und Herr Dr. Ospelt **Dr**

S: *Die Bank ist in! Speziell die Privatbank! Das hat schon Hollywood erkannt: Saving Private Banking!*

Dr: *Deshalb gründet ja jeder in Liechtenstein, der noch einen Fetzen Boden vor seinem Haus hat, darauf sein Privatbänkle!*

S: *Und so wie der Liechtensteiner noch vor 50 Jahren allmorgentlich nach dem Stand seiner Pflanzungen schaute und in den Stall ging, um die Sauen zu futtern, ...*

Dr: *... so geht er heute in seine Zweitwohnung und schaut nach, was das Private Banking so macht, ob die Performance auch stimmt oder er testet neue Produkte im Fondsbereich.*

S: *Gefahren lauern ja für den modernen Anlagebauern überall! Waren es früher Kartoffelkäfer und Reblaus, die seine Erträge gefährdeten, ...*

Dr: *... so sind es heute Hedge Funds und Kleinsparer.*

S: *Und hat der neue Herr Bankdirektor sein Tagewerk beendet, so trifft er sich mit seinem Nachbarn, einem weiteren Privatbankier, zum Schwatz. Vor der Bank vorem Huus.*

Dr: (mit Zipfelmütze und Pfeife) *Hoi Xaver!*
S: (mit Zipfelmütze und Pfeife) *Hoi Alfred!*
Dr: *So. Gitts uus?*
S: *Moll moll. Und bi dier?*
Dr: *En klinna Terrainverloscht ar Börsa. Aber nüüt Spektakulärs! Es holemer scho weder iha! Medara breitara Risikoschtreuig! Und amanan optimaala Produktemix!*
S: *Möstischt halt dini Synergiipotenzial a betzle besser notza! Und d Bonität vo dan Aalaga könntscht o mee beachta! Wenn i dii wär, tät i halt noget Scholdner met hoha Bonitäta beroggsichtiga.*
Dr: *Säg nüüt!*
S: *Denn stigt o d Ertragslaag! Und d Portefeuilles wären weniger betroffa!*
Dr: *Jo, es seet d Margrit o all!*
S: *I bi jo jetz met da Blue Chips am ummaprööbla!*
Dr: *Und?*
S: *A woori Frööd! I säg ders! Nächtig han i öbrigens noch d Kundabasis verbreiteret und a kontrollierts Wachstum aagressa!*
S: *Hescht!*
Dr: *Han i. Moll.*
S: *Und. Hets tua?*
Dr: *Nei!*
Beide lachen.
S: *Das wär a Wetterle zom der Markt korrigiera!*
Dr: *Säg nüt.*
S: *D Prognosa seien guat, sägen si.*
Dr: *Wenn noget dia huaran Usecherheitan i dan Emerging Markets im Oschta net wären!*
S: *I ha jo zom Glöck ka Kreditengagements i dena Regiona!*
Dr: *Moderns Klump.*
Beide lachen.
S: So. (schaut auf die Uhr) *Dr Nikei-Index hed aagfanga! I sött noch gi melcha!*
Dr: *Jo. Und i sött noch zom Dau Tschouns gi Mescht füara!*
S: *Alfred! Tschau!*
Dr: *Tschau Xaver!*

Liechtenstein Holding (a-dong)

Lederschüale, Sunnabrella,
Aktakoffer, Schnuz,
Wia der Hirsch noch fröscher Quella
Schtröömens gi Vaduz!

Münchner Taxi, schwarzi Tschipple,
Rolls Royce us GB.
Bim Empfang bereits a Cüple.
Effri Ding's OK!

Liechtenstein Holldria
Liechtenstein Holldrio
Liechtenstein Holding-a-dong

Holldria - Holldrio
Holldrio - Holldria
Hol dis holly hohl Ding do!

Undranader ischt ma fründleg,
S gitt ka Gründ zom Stritt.
Ma verkeert metnand nia mündleg.
Das ischt FL-Kitt.

Met da Kunda gon dia Fründa
Schtefta, do derzua
Muass ma zerscht a Steftig günda.
S Land droggt Ooga zua.

Liechtenstein Holldria ...

A Hand wöscht vor andra d Gelder,
Künschtlerisch goots zua.
Ghandlet wörd met Uuftrett, Belder,
Uuslandtrips bis gnua.

Moonies, Ärsch und Scientologa,
All das Gschwür find Platz.
Bluatkonserva, Pornos, Droga:
Jeder hebt der Latz.

Liechtenstein Holldria ...

Gschötz, Kanoona, Panzer, Miina,
Alls bruucht Kapital.
Bombigs Spelzüüg för dia Klinna.
Geld het ka Moral.

Öber allem d Ländle Bebla:
S heilig PGR.
Wia im Gliichnis vo der Zwebla
Isches inna leer.

1999 Das LiGa und die Auszeichnungen

Das „Holding" war vielleicht das ausserordentlichste Stück des LiGa. Ohne herkömmliches Bühnenbild und ohne Kostümwechsel, ohne erkennbare Nummernabfolge und im Spiel sehr statisch angelegt, zog es – sich mehr oder weniger auf Wortwitz und Sprachspielereien verlassend – gleichwohl die Massen an und wurde zum meistgespielten Programm des LiGa. Ein Glücksfall auch, dass just in jenem Jahr der Förderpreis der Internationalen Bodenseekonferenz IBK in der Sparte „Kleinkunst" ausgeschrieben war und wir – neben Ingos „Geschichte einer Tigerin" (Dario Fo) – durch den Kulturbeirat als die beiden Liechtensteiner Beiträge nominiert wurden. So reisten wir am 20. August 1999 nach Schaffhausen, um im „Theater im Fass" eine 45minütige Kostprobe unseres Programmes zu geben. Schon am nächsten Tag durfte ich – diesmal alleine, da Ingo und Marco anderwärtig engagiert waren – nochmals nach Schaffhausen, um im Kulturzentrum Kammgarn den Förderpreis der IBK in Höhe von CHF 10.000.- entgegenzunehmen. Die offizielle Begründung lautete: „In klassischer Kabarettform boten die drei Darsteller witzige, geistreiche und stark selbstironisch gefärbte Unterhaltung. Der selbstverfasste Text besticht durch Volksnähe und Brisanz."

Einen guten Monat später, am 17. September 1999, beschloss das Preisgericht des „Josef Gabriel von Rheinberger-Preises" einstimmig, dem Liechtensteiner Gabarett Das LiGa den mit eben-

falls CHF 10.000.- dotierten Kulturpreis zu verleihen. Die Preisverleihung fand am 25. November in der Liechtensteinischen Musikschule in Vaduz statt. Auf unseren speziellen Wunsch spielten „Balders Ross“ u.a. Lieder von Brecht, Schädler und Rotter. Die Künstlerin Regina Marxer hielt die Laudatio. Unter anderem meinte sie: „Das LiGa verschafft uns die dringend benötigte Distanz, um das Widersprüchliche, Unmögliche, Abgründige, Tragische und Komische unserer Bemühungen zu sehen – darüber zu lachen, - oder eben nicht.“
Bei diesen beiden Auszeichnungen ist es geblieben. Das „Holding“ aber lebt weiter. Auch Jahre später gehören Versatzstücke aus diesem Programm – in meist unveränderter Form – zum Standartprogramm von Spezial- und Best-of-Auftritten des LiGa.

Weitere Aufführungen:

In der Alten Weberei Triesen, im Restaurant Weisser Wind Zürich (CH), im Restaurant Eschnerberg Eschen, in der Aula der Primarschule Schellenberg, in der Aula der Primarschule Mauren, im Theater Winterthur (CH), im Kellertheater Fribourg (CH), im Rathaussaal Schaan sowie im fabriggli Buchs (CH), im Oxtail Uster (CH) und im Kulturhaus Rosengarten Grüsch (CH).

Ebenso wurde „Das Holding“ im März 2000 aus gegebenem Anlass (Verfassungsmonologe auf Schloss Vaduz) in einer Trash-Variante unter dem Titel „Die Tobeltoggi Horror Holding Schau“ im Over In im Steg an fünf Abenden aufgeführt.

Hirsch & Wurscht

ein Kulturprogramm

Texte: Mathias Ospelt
Musik: Marco Schädler
Regie: Ingo Ospelt
Premiere: 11. November 2000, Schlössle, Vaduz
Derniere: 10. März 2001, fabriggli, Buchs

Programm

Song: Intro (The Windmills of Your Mind)

Entrée

Song: Kritiker (Big Big Girl)

Studium

Song: Aquarium (Aquarius)

Der Sponsor

Pausenclowns

„Bitte, komm doch…“

Song: Duliduli (aus dem Film „Ludmilla“)

Männerphantasien

Arbeitsamt

Hochzeit

a. Song: Brautwalzer (Some Girls)

b. Schnitzelbank

c. Brautvater-Rede

d. Song: Produktion (Madl hab i gsagt)

Am Skilift (Rotstift-Cover)

Extremgenial

Song: Säggu-Bluus

Der Fan

Little Big Brother

Song: Der Freie Walser

Der Beirat

Song: Kampflied

„Prinzen suchen ein Zuhause“

Kritiker 2

Song: Outro (The Windmills of Your Mind)

Intro
Mathias **Ma** und Ingo **Io**

Wie ein Hirsch sich dreht im Kreise,
Wie ein Rädlein von 'ner Wurscht,
Nie beginnend oder endend
Gibt's dem Burscht unendlich Durscht.
Wie ein Schneeball, abwärts rollend,
Ein Ballon am Maskenball,
Wie ein Karrussel, das kreiset
Um den Mond im Weltenall.

So wie ein Tunnel, dem du folgest
Zu 'nem neuen Tunnel hin,
Durch 'nen Abstieg in 'ne Höhle,
Wo die Sonne niemals schien.
Wie 'ne Tür, die knallt und klappert
In 'nem halbvergessnen Traum
Und die Kreise eines Kiesels,
Den wer warf in Flusses Schaum.

Wie der Zeiger einer Wanduhr
Übers Zifferblatt sich schiebt
Und die Welt ist wie ein Apfel,
Der leis' schwebt wie'n Satellit.
Wie die Kreise dieser Wind-
Mühlen, die im Kopf ich find'.

Schlüssel klimpern in der Tasche,
Wörter plappern in dei'm Kopf:
Sommer, wo bist du geblieben?
Hast ihn fortgejagt, du Tropf?
Pärchen geh'n entlang dem Ufer,
Lassen Fussabdrück' im Sand.
Ist der Laut von fernen Trommeln
Nicht das Trommeln deiner Hand?

Ma: *Ist der Laut von fernen Trommeln nicht das Trommeln deiner Hand? Ist der Knall von fernem Feuerwerk nicht das Feuerwerk in dir selbst? Ist das ferne Klappern des Briefschlitzes nicht der Briefschlitz zu dir selbst? Kultur, meine sehr verehrten Damen und Herren, Kultur, das Thema des heutigen Abends, hat immer auch etwas mit Ferne zu tun. Und mit Rezipization. Mit Aufnahme. Und*

Empfang. Rezeption eben. Von Ferne. Die beste Kultur nützt nichts, wenn sie nicht aus der Ferne tönt. Ist der Laut von fernen Trommeln nicht das Trommeln deiner Hand? Schöner, glaub ich, meine Damen und Herren, wurde dies nie gesagt als wie in dieser meiner kleinen feinen Übersetzung. So möchte man gleich hingehen und den einheimischen Maler fragen: Einheimischer Maler! Ist der Pinselstrich ferner Maler nicht der Pinselstrich deiner Hand? Lokaler Dichter! Ist der Paarreim ferner Dichter nicht der Paarreim in deinem Gedicht? Hi Dude! Ist der Bluesakkord ferner Blueser nicht der Bluesakkord, den du gerade deiner Fender abwürgst? Vereinspräsident! Das, was ihr da macht, das gibts woanders auch!
Meine sehr verehrten Damen und Herren, herzlich willkommen zur Erlebnisgastronomie im "Hirsch & Wurscht"!

Studium
Mathias **Ma**, Ingo **Io** und Marco **Mr**

Ma: *Bevor wir hier im „Hirsch & Wurscht" untergekommen sind, haben wir ja alle drei mal andere Berufe gelernt. In den 80er Jahren des letzten Jahrhunderts.*
Io: *Leider nicht die richtigen.*
Ma: *Leider nicht Wirtschaft. Jus. Oder Theologie.*
Io: *Dann würden wir jetzt nämlich nicht hier rumseckeln und Sie bedienen.*
Ma: *Im Gegenteil. Dann würden wir uns bedienen lassen. Noch einen Wunsch, Herr Landtagsabgeordneter?* (je nach dem, wer im Publikum sitzt)
Io: *Noch ein Gläschen, Frau Regierungsrat?*
Ma: *Noch eine Zigarre, Herr Seelsorger?*
Io: *Letztlich muss man uns aber zugute halten, dass wir in den zügellosen Jahren unserer Jugend den Verlockungen des sich aller Orten wie ein bonbonfarbenes Bordell anbietenden Wirtschaftsbooms widerstanden haben und ethisch und moralisch einwandfreie Studien gewählt haben, die dann auch in eine nachhaltige und politisch korrekte Sackgasse geführt haben.*
Ma: *Dafür können wir uns noch im Spiegel anschauen.*
Io: *Das können die andern auch.*
Ma: *Ja! Montags! Wenn der neue SPIEGEL kommt! Wir aber können es täglich.*
Io: *Der Marco zum Beispiel. Der hat seinerzeit den Kontra-*

punkt studiert. In Feldkirch. Basel. UND St. Gallen! Fast verhungert ist er dabei! Hat's aber durchgezogen. Einen Willen hat der Junge wie einen Violinschlüssel. Einfach nicht geradezubiegen! Gell, Marco! Feldkirch! Kontrapunkt!

Ma: *Und der Ingo war auf der Schauspielakademie. In Zürich. Danach gings steil bergauf: Baden-Baden. Memmingen. Pforzheim. Frohsinn. Samina*[1]*. Over In*[2]*.*

Io: *Ja und der Mathias, der hat sich in Fribourg mit Minnesang und Rechtschreibreform beschäftigt. Auch äusserst interessante Angelegenheiten.*

Ma: *Absolut fruchtlos.*

Io: *Aber sauber.*

Ma: *Richtig! Sauber und Sau-Blöd!*

Io: *Da tut es natürlich weh, mitansehen zu müssen, wie es bei unseren ehemaligen Primarschul-Gschpänli im Dienstleistungsbereich geradezu evolutionär floriert.*

Ma: *Da hätte der Darwin statt Galapagosschildkröten genauso gut unsere Finanzschildkröten untersuchen können! Er wäre zum gleichen Schluss gekommen! Die, die am Schluss übrigbleiben, haben die härteste Schale!*

Io: *Und das Monopol auf unsre Gene!*

Ma: *Der Liechtensteiner des Jahres 2100 wird das Gras wachsen hören ...*

Io: *... und Licht am Ende des Tunnels sehen ...*

Ma: *... und sich sagen: ...*

Mr: (zu einem Gast) *Noch einen Wunsch, Herr Direktor?*

Ma: *Das sagt er natürlich nicht. Er sagt sich viel eher: Eigentlich schade, dass dieses lustige Gschpänli, das so lustig neben mir im Sand gespielt hat und das doch eigentlich die gleichen Voraussetzungen wie ich fürs Leben mitgebracht hat und das auch über das nötige Potenzial verfügt hätte, dass aus diesem Gschpänli, das immer so witzig war, dass aus dem keine reiche Finanzschildkröte, sondern ein armes Kulturfuzzi geworden ist, das es nun auf den Rücken gelegt hat, wo es in der Sonne so vor sich hinbruzelt!*

Io: *Früher pflegten wir ja zu scherzen: Wer nichts wird, wird Volkswirt!*

Ma: *Heute heissts: Wer nichts wird, arbeitet für den Volkswirt!*

Io: *Als Gärtner*

Ma: *Als Chauffeur*

Io: *Als Hauswart*

Ma: *Als Wingertspritzer*

Io: *Die Kunstschaffenden wurden bislang von solchem noch*

1 *Gasthaus Samina, Triesenberg: Aufführungsort von „Ivan goes Landtag"*

2 *Over In, Steg: Aufführungsort der „Tobeltoggi Horror Holding Schau"*

verschont!

Ma: *Zumindest sind uns keine Fälle bekannt, bei denen im Vaduzer oder Schaaner Villenviertel Kunstschaffende gehalten werden!*

Io: *Und wenn, dann sicher keine einheimischen! „Liechtensteiner Künstler? Igitt, wie degoutant!“*

Ma: *Vielleicht hängt das auch damit zusammen, dass sie sich selber ebenfalls als Dienstleister verstehen!*

Io: *Kultur ist ja in Liechtenstein eine Dienstleistung! Zwar eine ohne Auftrag, aber dennoch.*

Ma: *Mit Begabung hat die Kunst hierzulande nichts zu tun! Oder mit Talent!*

Io: *Oder gar mit Können! Hier kommt die Kunst nach wie vor von Gunst! Und von Gönnen!*

Ma: *Und natürlich von Gönnern!*

Io: *In Ermangelung einer eigentlichen Kundschaft ist ja der Günstler auf die Günstlinge angewiesen.*

Ma: *Auf Leute, Finanzdienstleister meist, die sich etwas Kunst gönnen. So wird die Kunst, wenn sie zur Gunst wird, von Dienstleistern gemacht. Neu ist das ja wie gesagt nicht. Zumindest die passive Seite davon.*

Io: *Problematisch wird hier aber je länger je mehr der aktive Prozess. Vom Leben und vom Reichtum gelangweilte Dienstleister, die das Sich-Etwas-Kunst-Gönnen zu wörtlich nehmen. Und den eh schon finanziell auf dem Rücken strampelnden Künstlern auch noch das eh schon seichte Wasser sukzessive abgraben!*

Ma: *Wann, so fragt man sich, hält das erste Mitglied unserer Regierung seine – ihre? - erste Dichterlesung?*

Io: *Wann, so fragt man sich, werden Treuhänder dazu eingeladen, Briefmarken zu gestalten?*

Mr: *Muul- oder fuassgmalt?*

Io: *Wie kommst du jetzt da drauf?*

Mr: *Weget da Handschella!*

Ma: *Umgekehrt kommt das ja nicht vor. Dass ein Kunstschaffender die Finanzwelt aufmischt.*

Io: *Eine Bank gründet.*

Ma: *Einen Briefkasten vermietet.*

Io: *Ein Musical sponsert.*

Der Sponsor
Marco **Mr**, der Herr Nitzelegger **Ni** und Mathias **Ma**

Mathias sitzt am Tisch und wartet. Nach einer Weile kommt Marco mit einer Tasse Kaffee und stellt sie ihm hin.

Mr: *Der Herr Nitzelegger kommt sofort.*

Ma: *Danke*

Sobald Marco ab, Enter Nitzelegger, mit einer Mappe in der Hand.

Ni: *Grüss Gott, Herr Oschpelt …*

Ma: *Grüezi, Herr …?*

Ni: *Nitzelegger. Wia Schnitzel, haha. Nur ohne Sch. Nur ohne Sch. Wie ich sehe, hon Sie sich's scho bequem gmacht. Prima. Dann steigen mir gleich in medias res. Gleich in medias res.* (öffnet die Mappe, zieht einen Bund Papier raus, legt ihn vor sich hin, faltet die Hände) *Also?*

Ma: *Öhh*

Ni: *Legen Sie los.*

Ma: *Ähh, jo, also …*

Ni: *Sie wollen ja was von UNS.*

Ma: *Richtig. Der Projektbeschriib hen Sie jo …*

Ni: *Joo?*

Ma: *Wian i Ihna scho i mim Schriiba metteilt ha, goots um a …*

Ni: *„Die Hexe vom Triesener Berg"*[3]*. Genau. „Die Hexe vom Triesener Berg".*

Ma: *Eba. S goot um a Projekt, wo …*

Ni: *Aber des woass ich doch bereits, Herr Oschpelt. Des wiss-ma doch schon. Stoot jo alles do dinna. Alles do dinna.*

Ma: *Ähh, i ha denkt, Sie …*

Ni: (schweigt vergnügt, klopft dann kurz und prägnant auf die Tischplatte) *Sie benötigen Geld.*

Ma: *Jo, scho, aber …*

Ni: (winkt ab) *Wer Geld benötigt, wendet sich an eine Bank. Des ischt normal. Dafür sin mier jo do.* (schweigt) *Wir bekommen viele Anfragen, Herr Oschpelt. Von Künstlern wie Ihnen.* (steht auf) *Und ab und zu ist da tatsächlich ein Projekt darunter, bei dem wir augenblicklich das Gefühl haben: „Ja!" Und Ihr Projekt, Herr Oschpelt, „Der Ritter vom Triesener Berg", ist so ein Projekt.* (nimmt seine Brille ab)

Ma: *Oh, danke.*

Ni: (putzt seine Brille, hält sie gegen das Licht) *Wissens, ich habe auch schon Theater gespielt. In meiner Zeit in Innschbrugg. Horvath. Schnitzler. Qualtinger. Jaaaa, sogar*

3 Die Hexe vom Triesnerberg, Roman von Marianne Maidorf (Zürich, 1908)

Qualtinger. Aber nur die gscheiden Sachen. Der Herr Karl zum Beispiel: Ein überestimierter Schmarrn. Findens ned?

Ma: *Öhh …*

Ni: *Wenn ich da an den Muliar*[4] *denke. Oder den Farkas*[5]*…* (denkt an den Muliar und den Farkas) *Kurz: Die Vaduz Bank sagt Ja zu Ihrem Projekt. Die gscheide Kultur muss unterstützt werden. Die gscheide Kultur muss unterstützt werden. Nicht wahr. Sie machen doch gscheide Kultur, oder?*

Ma: *Also, i denk, …*

Ni: (Blick auf die Unterlagen) *Sie nennen eine Zahl: 30.000 Stutz. Ja.* (setzt sich wieder) *Wie stellen Sie sich das denn vor?*

Ma: *Wian i mir …?*

Ni: *Sie werden ja nicht so naiv sein, und denken, dia gen mier zeha Mille und Tschüssle. So naiv sin Sie jo net, Herr Oschpelt. Oder?*

Ma: *Jo. Eigentlig …*

Ni: *Wir werden „Die Hexe vom Eschnerberg" mit 10.000 Schweizer Franken unterstützen. Des is kloa. Selbstverständlich is des.*

Ma: *Jo, danke, Herr Nitzel …*

Ni: *Dann fehlen Ihnen noch 20.000. Wie wollen Sie die zusammenbringen?*

Ma: *Jo. Do wören mer halt witter ummiluaga mösa, ned? Anderi Sponsora …*

Ni: *Ich muss Sie in diesem Zusammenhang darauf hinweisen, dass wir die Unterstützung der Vaduz Bank selbstverständlich als Exklusivsponsoring betrachten. Sie wissen, was das bedeutet?*

Ma: *Exklusivschponsor …*

Ni: *Das bedeutet, dass Sie für die restlichen 20.000 Franken Sponsoren finden müssen, wo nicht aus dem Finanzdienstleistungsbereich stammen. Verstehen Sie!? Sonst gibt es da einen Konflikt. Oder?*

Ma: *Ah ja? Äh, ghöören Steftiga o zo …*

Ni: *Bei Stiftungen fragen Sie mich bitte vorher, ob die uns genehm sind. Gell? Und witter?*

Ma: *Was und witter?*

Ni: *Wittere Vorschläg? Was können Sie sich noch vorstellen?*

Ma: *Vorschtella?*

Ni: *Entgegenkommen? Konditionen? Abmachungen? Werbemöglichkeiten zum Beispiel? Product Placement? Mier machen das jo ned gratis! Ich entnehme Ihren Unterlagen, dass Sie den „Tiger von Eschnerpur" …*

4 Fritz Muliar, österreichischer Schauspieler (1919)

5 Karl Farkas, österreichischer Schauspieler und Kabarettist (1893-1971)

Mr: *Diese Pointe wurde gesponsort von: Modellbau Poldi Schädler, Triesenberg!*

Ni: *... dass Sie Ihr Projekt an den Originalschauplätzen aufführen wollen?*

Ma: *Es ischt amol a sonan Idee gse, aber met noget 10.000 ...*

Ni: *Unter anderem sehen Sie das Schloss Vaduz für die grosse Schlussszene vor. Also den Schlosshof schmücken wir mit Vaduz-Bank-Fähnchen aus. Da haben wir noch a kleale eppas vom letzten Kinderfest. An der Holzbrücke bringen wir die grosse Plane an. Was noch?*

Ma: *Äh, vilecht a Beschreftig ufem Auto vom Förscht?*

Ni: *Sehr gute Idee, Herr Oschpelt, sehr gut. Sehr kreativ! Wie von einem kreativen Menschen nicht anders zu erwarten. Nur leider nicht möglich. Nicht möglich. Falsche Bank. Sie verstehen? Falsche Bankverbindung. Leider. Kein Anschluss unter dieser Kontonummer. Haha!*

M: *?*

Ni: *Ein Scherz.*

Ma: *D Hex könnt natörleg ir Szena ir Folterkammera a Vadoz-Bank-Käpple träga. Und der Folterknecht a Vadoz-Bank-Snöber-Täschle!*

Ni: *Die Hexe? Der Folterknecht? Nein. Kleinsparer interessieren uns nicht. Aber wie wärs, wenn der Hohenemser auf einem Vaduz-Bank-Kickboard angeflitzt kommen tät. Hm?* (überlegt es sich) *Hend Sie eigentlich scho jemand für die*

Hauptrolle? Die Hexe? Ich habe da eine Studienkollegin. Sehr talentiert. Sehr talentiert. Hat schon in verschiedenen Musicals mitgemacht. Und, Herr Oschpelt: gut gebaut. Sehr gut gebaut! Dem darf man sich nicht verschliessen. Das Auge hört schliesslich mit. Müssen wir mal drüber reden. (springt auf) *Ja, Herr Oschpelt. Wenn's dann weiter nichts gibt, dann sind wir uns da ja einig. Jetzt müssen wir das alles und den Rest natürlich noch vertraglich regeln. Nicht wahr.*

Ma: *Rescht? Was denn för en ...*

Ni: *Sie richten natürlich an der Premiere einen stilvollen Apéro aus. Selbstverständlich auf Ihre Kosten. Wir erwarten da nichts Grosses. Einfach stilvoll muss es sein. Grössenordnung 5.000 Franken. Servietten und Papiertischtücher stellen wir Ihnen zur Verfügung. Eine Liste der geladenen Gäste lasse ich Ihnen ebenfalls zukommen. Ach ja, eh ich's vergesse. Selbstverständlich erhalten wir pro Aufführung 20 Freikarten für unsere Kunden. Dann bedanke ich mich. Herr Oschpelt. Viel Erfolg und: Auf Wiederschaun.* (ab)

Ma: *20 Freikarta? Bi 15 Uffüeriga? Das macht jo ...*

Ni: (zurück) *Und lassen's sich vom Herrn Marco die Adresse von der Hauptdarstellerin geben!*

Ma: *För 6 Mill Freikarta?*

Ni: (zurück) *Und den Apéro nicht vergessen!*

Ma: *För 5 Mill en Apéro? Und för 6 Mill Freikarta? I glob, i spinn! Das macht jo 11.000 Stutz! Und zeha weller gee? Jo, aber ...*

Männerphantasien

Ingo **Io** und Mathias **Ma**

Io: *Ich glaube, der Herr dahinten hat noch einen Wunsch!*

Ingo und Mathias gehen hin, stellen sich neben ihn, sagen kein Wort.

Io: *Der sagt ja gar nichts! Vielleicht sollten wir ...?*

Ma: *Bloss nicht! Bloss nicht! Der soll sagen, wenn er was will! Wär ja noch schöner, dass wir uns hier aufdrängen! Der Gast ist König, heisst's! Und das Personal hält die Klappe!* (lächelt dem Gast zu)

Io: *Ja aber ist das noch zeitgemäss? In Zeiten des Event-Foods?* (lächelt dem Gast zu)

Ma: *Hier sind die Uhren schon immer anders gelaufen!* (lächelt dem Gast zu) *Auf gewisse Dinge warten wir ja noch* *immer: Revolution. Reformation. Burger King.*

Io: *Ja also komm jetzt. Wir sind eines der führenden Industrieländer der Welt!*

Ma: *Mit einer Erlebnis-Staatsform wie zu Zeiten der Brüder Grimm!*

Io: *Eben! Märchenhaft!*

Ma: *Ich sage nur: Männerphantasien!*

Io: *Wie bitte?*

Ma: *Hänsel und Gretel zum Beispiel, hm?*

Io: *Was haben jetzt die beiden mit unserer Staatsform zu tun?*

Ma: *Hänsel und Gretel wollten mal was ohne die Alten unternehmen, ja? Prompt geraten sie auf den falschen Pfad und landen bei jemandem, der ihnen das Blaue vom Himmel verspricht! Und eh sie sich's versehn, werden sie – zack! – in einen Käfig gesperrt und der Hänsel muss ständig einer reifen Frau seinen Finger zeigen, damit sie sieht, wie dick er schon geworden ist! Und am Schluss stösst er sie ins Feuer!*

Io: *Ja und jetzt?*

Ma: *So was kann sich doch nur ein krankes Männerhirn ausdenken!*

Io: *Hehe, das ist altes, überliefertes Kulturgut!*

Ma: *Männerphantasien! Schweinkram! Und genau darum geht's jetzt auch bei der Verfassungsdiskussion! Zwei Vertreter eines patriarchisch gepolten Fürstenhauses und eine aus 5 Mitgliedern zusammengesetzte patriarchalische Kommission setzen sich zusammen und diskutieren die gemeinsame Zukunft. Was ist der gemeinsame Nenner?*

Io: *Die Sorge um unsere Heimat?*

Ma: *Blödsinn! Der gemeinsame Nenner ist: Männer! 7 Männer sitzen auf engstem Raum beisammen, tauschen sich über den Machtapparat Verfassung aus und dabei hat jeder dieser 7 seine ganz persönlichen und geheimsten Wünsche und nie verarbeiteten Bedürfnisse im Hinterstübchen! Du willst doch nicht behaupten, dass es bei diesem Verfassungs-Cocktail gänzlich ohne sexuell motivierte männliche Wahnvorstellungen abgeht?*

Io: *Bis jetzt ist mal noch niemandem was abgegangen!*

Ma: *Was sind die Haupt-Themen der Verfassungsänderung? Hm? Was fällt dir dazu ein?*

Io: *Zur Verfassungsänderung?*

Ma: *Ja! Was sind die hauptsächlichen Streitpunkte?*

Io: *Jaaa ... ööh ... die Notverordnung?*

Ma: *„Notverordnung". Richtig. Rückübersetzt in den Sexualjargon: „Vergewaltigung"!*

Io: *Richterernennung?*
Ma: *„Verführung Minderjähriger"!*
Io: *Selbstbestimmungsrecht?*
Ma: *„Sex ohne Gummi"! Laut BUNTE sind das DIE DREI Männerphantasien schlechthin. Wobei die wichtigste, die vierte, noch fehlt!*
Io: *Die da wäre?*
Ma: *Als Mann ein Kind zur Welt bringen!*
Io: *Ist das dein Ernst? Ja und wie soll denn ... Und vor allem woher ...?*
Ma: *Siehst du! Genau drum ist die ganze Diskussion für den Arsch!* (zum Gast) *Noch einen Wunsch, der Herr?*
Io: (lächelt ebenfalls den Gast an) *Ja, aber was wäre denn die Alternative?*
Ma: *Die Alternative wäre der Miteinbezug des weiblichen Elementes! Frauenphantasien!*
Io: *Aber die wollen doch nur zu Kuschelrock kuscheln! In Bettsocken Gruselfilme schauen! Und Schwule bekehren!*
Ma: *Quatsch! Stell dir doch mal vor, Fürst und Erbprinz hätten es statt mit 5 Apparatschiks mit fünf Prachts-Chicks zu tun gehabt! So richtige Triesner Lack und Leder Hasen. Mit allen Wassern gewaschene Schönwetter-Emanzen! Die hätten den beiden Schla-Wienern was erzählt von wegen Hausgesetz und Visionen! Da hätt's aber anders zur Waffenkammer rausgedampft bei diesen wilden, währschaften, wollüstigen Weiber-Visionen!*
Io: *Ho! Ho!*
Mr: *Ho! Ho!*
Ma: *Wer wollte noch ein Wienerli?!*

Arbeitsamt

Ingo **Io** und Herr Mündle **Mü** vom Arbeitsamt

Io: (etwas verlegen, mit einem Blatt in der Hand) *Grüass Gott!*
Mü: (macht, was er gerade tut, fertig, lehnt sich zurück, betrachtet den Eingetretenen) *Grüass Gott, Herr Oschpelt. Nönd Sie Platz!*
Io: (setzt sich) *Danke, Herr Mündle!*
Mü: *Sooo? Was hon Sie müer denn Schöös metbroocht?* (streckt die Hand aus)
Io: *Mini "Persönlega Arbetsbemüiga". A paar Bewerbiga. Aber net viel.*
Mü: *Drüü Stock? Föra ganz Monet? Sie wössen (*wedelt mit

dem Arbeitslosen-Wegweiser), *dass Sie d Pflicht hond, aktiv und ziilschtrebig a neui Stell z suacha! „Wär sich nugat ungenügend selber um Arbet bemüht, ischt vorübergehend in der Anschpruchsberechtigung einzuschtellen.“*

Io: *Im Moment isches afacht huara schwierig.*

Mü: *Wem sägen Sie das, Herr Oschpelt, wem sägen Sie das! Denn wemmer amol luaga, wia aktiv und ziilschtrebig Sie gsii sind* (studiert das Blatt): *Box-Trainer büer Formatio, Schilehrer bi Snowell, Verwaltigsroot büer Präsidialaastalt … Sägen Sie amol, bringen Sie füer dia Jobs öberhopt dia nötiga Qualifikationa met?*

Io: *Nei. Aber i ha khöört, der Scheff vo dena Firmana sei en groossa Kulturfründ. Er hei scho anderna mettellosa Schauschpeler gholfa …*

Mü: *Und?*

Io: *Nüt!*

Mü: *Ko Aagebot?*

Io: *Scho. Aber immer s Gliich.*

Mü: *Jo?*

Io: *I söll zo sim Radio!*

Mü: *Werbeschpots?*

Io: *Geld bögla.*
Mü: *Geld bögla ..?*
Io: *Und glätta.*
Mü: *Wia lang sin Sie etz scho bi üüs?*
Io: *Sechs Mönet, Herr Mündle!*
Mü: *Sechs Mönet. Richtig. Sechs Mönet. Das mim Fernsee het net tua?*[6]
Io: *Dia wenn ka Lütt, wo sich bewegen. Denn tränen ina d Ooga.*
Mü: *Landesverwaltig?*
Io: *Dia wenn o ka Lütt, wo sich bewegen. Es macht si nervös.*
Mü: *Polizei?*
Io: *Dia wenn öberhopt niemert mee! Dia sin soss scho nervös gnua!*
Mü: *Im Servis?*
Io: *Es machen scho der Schädler und der Brueder!*
Mü: *Net guat. Als professionella, diplomierta Kulturschaffenda khöören Sie do im Land leider zo da schwerschtvermettelbara Fäll. Zom Glöck füer Sie sin müer vor Arbetsvermettlig bemüat, o füer ernigi Fäll an Arbet z finda. Laut Arbetslosen-Wegweiser* (wedelt wieder mit dem Heftchen) *haben*

6 Ambitioniertes Projekt, das den Liechtensteiner Fernsehzuschauern in den Jahren 1999/2000 die Abende mit viel unfreiwilliger Komik versüsste. Am Ende sendete XML aber nur noch Teletext-Nachrichten.

Sie "diesbezüglichen Vorschlägen der Vermittlungsschtelle nachzugehen und den Arbetszuweisungen Folge zu leischten." Herr Oschpelt, müer muan Ihna leider a zuamuatbaari Arbet zuamuata.

Io: *Haasst es, dass alles, won i etz säg, geget mi verwendet wöra ka?*

Mü: *Seer loschtig, Herr Oschpelt. Müer lachen denn spööter, wenn Sie an Arbet hon. Zum Beischpil: Kiarzazüha am Eschner Adventsmarkt, hehehe, oder Bloosengel am Bärger Wianachtsmarkt, hehehe, oder Krampus ar Wianachtsfiir vo da Pfadi ...*

Io: *Halt! Halt! Halt! I ha der Wegwiiser o glesa! Und dött stoot, dass an Arbet, wo uf mini Fähigkeita oder bisherigi Tätigkeita net aagmessa Roggsecht nünnt, vor Aanaamepflecht uusgno wörd!*

Mü: *Aber noget i dan erschta vier Mönet vor Arbetslosigkeit, Herr Oschpelt! Und Sie sin halt leider leider scho seks Mönet i ösrem Verein!*

Io: *Und wenns d Wederbeschäftigung i mim Bruaf wesentlig erschweert?*

Mü: *Wia das?*

Io: *Jo globen Sie, irgend a Theater nünnt mi noch, wenn publik wörd, dass i als Schmutzli klinni Goofa zom Brööla bring?*

Mü: *Wia wärs denn met Witterbeldig?*

Io: (windet sich) *Jooo, an und för sich ...*

Mü: *An und füer sich?*

Io: *I ha halt im Moment ka Zitt förna Witterbeldig.*

Mü: *Richtig. Ihre Produktion lauft jo guat, schinnts. Han i zomindescht glesa. I bi jo selber no net gi luaga. Aber i beedna Zittiga stoot, s sei guat. Alles uusverkooft.*

Io: (lächelt verzweifelt) *Es darf ma ned öberbewerta, was i da Zittiga stoot ...*

Mü: *Alls uusverkooft! Han i gleesa!*

Io: *Scho! Aber s gon jo noget eppa 100 ihi!*

Mü: *Aber eba: Alls UUS-VERKOOFT, Herr Oschpelt!*

Io: *Jojo. Aber mier muan jo en Huffa Freikartan abgee. Exklusivschponsoring, wenn Sie wössen, was dermet ...*

Mü: *Sie sin sich scho bewusst, dass d Arbetslosaversecherig imanan erniga Fall noget verpflichtet ischt, 80 Prozent vor Differenz zwöschet dem Loo vorem Iitrett vor Arbetslosigkeit und em Zwöschaverdienscht – es ischt s „Einkommen aus unselbschtändiger oder selbschtändiger Erwerbstätigkeit innerhalb einer Kontrollperioda" - z zala!*

Io: *Hm?*

Mü: *Sie züchen bi üüs Arbetslosageld, gliichzittig spelen Sie all Oobed vor uusverkooftem Huus. Do konn Froogan uuf!*

Io: *Jo eba. Wia gseet. S bliibt jo net viil öbrig. Rechniga zala. Werbig. Inserat. Miati förs Huus. D Metschpeler uuszala. D Lütt ar Kassa. D Bar. Miati vom Liacht. Vo da Stüal. Aawooner beschtecha, dass si net bir Gmaand reklamieren. Undundund.*

Mü: (schweigt einen Moment) *I het do an Idee, Herr Oschpelt. I vergess dia ganz Gschecht und Sie konn müer derfüer a betzle entgeget. Üer machen doch o loschtigi Sacha, oder? O a betzile fägig, hm? Net no bolitisch, oder?*

Io: *Scho ...*

Mü: *Nögschta Samschtig hürootet mis Göttikind. Und etzt ischt iran im letschta Moment d Mosig abgschprunga. Etz könnten doch eigentlig üer... Oder?* (blinzel, blinzel)

Der freie Walser

Das ischt mein Boden
Das ischt mein Land
Da tut mich binden
Heimat ihr Band

Das ischt mein Heimat
Das ischt mein Berg
Da find ich Arbeit
Da geht's ans Werk

Das ischt mein Boden
Das ischt mein Dorf
Da gibt es Einheit
Und Solidarität

Das ischt mein Heimat
Das ischt mein Haus
Da bleib ich dinnen
Zieh niemals raus

> *Mein Leben ischt drum nur schon schön*
> *Weil ich von mir sagen kann:*
> *Ich bin, was immer geschieht,*
> *Ein freier Walser Mann!*

Das ischt mein Boden
Das ischt mein Land
Da tun mich binden
Schulden bir Bank

Das ischt mein Heimat
Das ischt mein Berg
Will ich wo schaffen
Muss ich ins Tal

Das ischt mein Boden
Das ischt mein Dorf
Ich muss viel saufen
S Wiib ischt mer furt

Das ischt mein Heimat
Das ischt mein Haus
Z'viel Hypotheken
Bald muss ich raus

Mein Leben ischt drum nur …

Der Beirat

Der Vorsitz **Vs**, ein Mitglied **Mg** und das Protokoll **Pr**

Vs: *Und do dermet kämtemer zum Traktandapunkt 47: Gesuch um Unterstützung des Musicals „Die Hexe vom Triesenberg" durch die Projektgruppe „Die Hexe vom Triesenberg".*
Mg: *Ischt dött der Hans derbei?*
Vs: *Luag amol, öb dött der Hans derbei ischt?*
Pr: *Söll is amol vorlesa?*
Vs: *Isches lang?*
Pr: *23 Sitta*
Vs: *Dass dia all a so kogaviil schriiba muan.*
Pr: *Söll i?*
Vs: *Les amol dia erschta paar Sätz vor. Denn sacht ma jo glei amol, öbs eppes ischt.*
Pr: *„Die Hexe vom Triesenberg". Ein Musical, …*
Mg: *Ischt dött der Hans derbei?*
Vs: *Etz waart doch!*
Pr: *… basierend auf der Erzählung von Marianne Maidorf 'Die Hexe vom Triesnerberg' …*
Vs: *Dia konn jo ned amol Tresaberg schriiba.*
Pr: *„… Eine Erzählung aus Liechtensteins dunklen Tagen."*
Vs: *Denn ischt der Hans ned derbei.*
Pr: *Aus dem Jahre 1908. …*
Mg: *Ischt dött der Hans derbei?*
Pr: *… Neu überarbeitet von Mathias Ospelt …*
Vs: *Denn ischt der Hans seher net derbei.*
Pr: *… und musikalisch bearbeitet von Marco Schädler. …*
Mg: *Ischt dött der Schädler derbei?*
Pr: *… Unter der künstlerischen Leitung von Ingo Ospelt.*
Vs: *Denn ischt der Schädler seher derbei.*
Pr: *Erstens: „Intention: Wie Jean Améry einmal sagte, …"*
Vs: *Danke! Es langet scho. S Wechtigscht wössemer jo jetz: Der Schädler und dia zwei Öschpelt!*
Mg: *Ischt dött der Büchel derbei?*

Vs: *Weller Böchel?*

Das Mitglied ignoriert sie und baut an seinem Bierdeckelhaus.

Vs: *Öbs wol amol a Joor gitt, wo ka Projektle vo dena drei uf ösrem Tesch landet? Hm? Ka Wunder konn mier nia zom Schaffa! Wövel wenn si?*

Pr: *Punkt Siebzehn. Koschten: „Natürlich kostet ein solches Projekt Geld ...“*

Vs: *Witter, witter! Wövel!*

Pr: *Fofzgtausig Stutz!*

Mg: *Ischt dött der Michael au derbei?*

Vs: *Hahahahaha! Aber soss sin si gsund?*

Pr: *„50.000 für das Konzept. 150.000 für die Umsetzung“.*

Mg: *Ischt dött der Hans derbei?*

Vs: *Hahahahahahahaha! 200.000!* (haut auf den Tisch, Bierdeckelhaus fällt um) *Es ischt guat! Haha! 200.000!* (beruhigt sich langsam) *Wia sin dia 50.000 förs Konzept ufgschlösslet?*

Pr: *20.000 Konzept Text, 10.000 Konzept Musik, 10.000 Konzept Regie, 7.000 Vorbereitung allgemein, 2.000 Recherchen Text, 750 Reisespesen, 150 Telefon und 100 Franken Kopien.*

Mg: *Ischt dött der Hans au derbei?*

Vs: *Guat! Denn tät i säga, wells a sona kulturell wertvolls Projekt ischt, unterschtützen mier dia Sach met, wart, denn öbernöön mier ... Konzept, Vorbereitig, Speesa ... Do! D Telefonköschta: 150 Franka. Der nögscht Traktandapunkt. 48!*

Pr: *Entschuldigung! I möcht nochamol zrogg ufa Traktandapunkt 47!*

Vs: *Und wisoo?*

Pr: *Vilecht söttemer üüs das ganz scho noch amol gnäuer aaluaga!*

Mg: *Ischt der Allgäuer au derbei?*

Vs: *Halt amol d Schnorra!*

Pr: *Do steggt Potenzial dinna!*

Vs: *Sit wenn ischt das massgebend?*

Pr: *Globemers! Do tät sich an Uusnaam loona! Mier schaffen do a nötzligi Sinergii. Soorsen dia ganz Gschecht a betzle uus. Bregenz. Einsidla. Machens a betzile multikulti.*

Vs: (kapiert nicht) *Hehe*

Pr: *Luag. Sit anno Allensbach*[7] *und noch Adam Spitzer*[8] *ischt d Regierig amana verbessereta Liachtaschtaa-Beld im Ossland össerscht interessiert. No scho weget da Freikarta zo da Ski- und Fuassballweltmeischterschafta. Grad im Bereich vor Kultur globen si, gäbts a betzle Goodwill zom hola. Also. Und do hettemer etz a Vorlag, won an internationaals Problem, d Hexaverbrenniga, innera Liachtaschtaaner Varianta bringt, gell, und sit em Dörramatt*[9] *wössemer jo, ...*

Vs: (weiss es eben nicht) *Hehe*

Pr: *... was Liachtaschtaa förna Vorbeldfunktioo ha könnt. Die Welt im Kleinen!*

Mg: *Ischt dött der Hans au derbei?*

Pr: *Mier muan das Projekt etz afacht a betzile i dia richtiga Weeg leita, das ganz a betzile öffna, met ossländischa Kräft, met iiheimischa Kräft ...*

Mg: *Ischt dött der Hans au derbei?*

Pr: *Korz: D Regierig und d Induschtrii öbernön s Patronat, dr Gattahof macht s Mänätschment, dr HP macht d Gschtaltig, dr Hagen macht dr Partyservis, öbers TAK knüpfemer internationaali Kontäkt, Burgtheater, Metropolitan,*

7 Das Institut für Demoskopie Allensbach führte 1996 eine Studie zur Wahrnehmung Liechtensteins im Ausland durch.

8 Sonderstaatsanwalt Dr. Kurt Spitzer, der Ende 1999 nach Liechtenstein geholt wurde, um zu prüfen, ob die schweren Vorwürfe, die der BND (deutscher Bundesnachrichtendienst) gegen Liechtenstein erhoben hatte, stimmten. Ende April 2000 legte er seinen Bericht vor.

9 Der Schweizer Schriftsteller Friedrich Dürrenmatt in: Theater - Schriften und Reden. Zürich 1966. Seite 162 f.

Schwarzwaldklinik, dr PEN-Club suacht üüs irgend en Öschtriicher, wo üüs das Ganz neu schriibt und denn gitt das en super Event, wo mer der Welt amol zagen, was mier drauf hen.

Vs: *Klasse!*

Pr: *Natörleg mössten mier üüs denn halt finanziell a betzle stärker beteiliga.*

Vs: *Au we. Denn sach i aber a Problem.*

Pr: *Jo?*

Vs: *Wer däält denn d Harmoniimosig uus, wo metschpelt?*

Mg: *Wenn nu der Hans derbei ischt!*

Kampflied

Irgendwenn im letschta Summer,
Do het s grapplet undrem Dach,
Uusem allerschöönschta Schlummer
Rüaft ma d Sebaschlööfer wach.

I da Zittiga ischt gschtanda,
Ösers Land, es ischt i Gfoor.
Schwer bedroot vo Räuberbanda
Und der Satan stoot am Tor.
Do hen mier …

> *… kämpft wia tausig Leua,*
> *Hen üüs gweert met Füüscht und Trett.*
> *Niemert tuat der Kampf bereua,*
> *Ösri Sach macht alles Wett.*
>
> *Mier hen kämpft wia weldi Tiger,*
> *Hen net logg lo wianen Zeck.*
> *Und o wenns net gitt kan Siiger,*
> *Litt kann Gschlagna net im Dreck:*
> *Hurrah Hurrah! Hurrah!*

Treu und wachsam hen mier gwachet.
Jeda het ma observiert.
Wer am Aafang noch het glachet,
Het ma schnellhaft uussortiert.

Schliassleg ischs um alles ganga,
Ösri Häämet, Frau und Kind,

Ösers Herz voll bangem Banga
Und Gerechtigkeit im Grind.
Und mier ...

... hen kämpft wia tausig Leua ...

Ischt hött nüt mee so wia geschtert,
Gändret hets kan Hennaschess.
Wianen Marc us suurem Treschter
Simmer griift i dem Prozess.

Was passiert ischt, ischt verganga,
Em bröölt niemert eppes noch.
Mier hen vor üüs selb beschtanda
Und drum gelt a dreifachs Hoch:
Hoch! Hoch! Hoch!

Mier hen kämpft...

Prinzen suchen ein Zuhause

Moderator **Md**, Prinz Mark August **PM** und Prinz Ingolf **PI**

Md: *Guten Abend, mein sehr verehrtes Publikum, und schön, dass Sie wieder zugeschaltet sind, wenn es wieder heisst: „Prinzen suchen ein Zuhause". Auch heute Abend haben wir wieder zwei untertanenlose Blaublüter bei uns zu Gast, die von ihren Familien verstossen oder aus einer Notsituation heraus bei uns im Adligen-Heim „Adlerhorst" abgegeben wurden und nur darauf hoffen, dass ihnen ein neues Zuhause bei freundlichen Landeskindern zugeschanzt wird. Begrüssen Sie daher mit mir unsere beiden Gäste im Studio: Prinz Ingolf von Habsburg* (steif und arrogant) *und Prinz Mark August von Hannover!* (zieht sich im Hereinkommen gerade noch den Reisverschluss am Hosenladen hoch). *Guten Abend, meine Herren Durchleuchter, schön, Sie heute bei uns zu haben.* (Prinz Ingolf gibt Handibussi) *Prinz Mark August, erzählen Sie uns doch ganz kurz, weshalb ...*

PM: *Solang äna da hockät, säg i nüüd!*

Md: *Haha! Immer zu einem Scherz aufgelegt, unser Prinz Mark August. Fällt immer aus der Prinzenrolle! Zu komisch! Aber mal im ErnstAugust, Prinz Mark August: Wie geht es denn Ihrer Frau Gemahlin?*

PI: *Dös wüadä mich aoch intressieren.*

PM: *Habsburrgerr, i ha di gwaarnät!*

PI: *Hohohohoho!* (haut sich auf die Schenkel) *Köstlich, diesa Welfe!*

PM: (kneift Ingolf in die Backe, dass es weh tut) *Nümm das! Aalta Luschtmolch!*

Md: *Aber aber, Prinz Mark August! Also wirklich!*

PI: *Ou weh! Halten's mir dös gewollttätige Individuum vom Leiberl! Sie, Hea Moderaatoa, ich habe Sie um Peasonenschutz gebeten. Do ham Sie glocht! Na, jetz sehn's ja sölber, was da gschicht, wemma a so en wölfischen Haderlump aufd Leut loslosst! Kruzitüaken!*

PM: *Heschт äddäs gseid, du verlumpätä Aargauer!*

Md: *Tsch tsch! Also Kinder! Schön artig bleiben!* (klatscht in die Hände) *Schön artig bleiben! Wie Sie sehen, verehrtes Publikum, handelt es sich bei unseren heutigen Kandidaten um zwei ganz wilde Burschen, die wohl am besten in einem sehr lebenslustigen, vitalen und aufgeweckten Land aufgehoben wären. Schön wäre es, wenn es in ihrem neuen Zuhause auch aufgeschlossene Landeskinder gäbe, die sich um einen der beiden Prinzen kümmern und mit ihm Gassi gehen würden. Weil beide, haha, das sehen Sie ja selber, können ja nicht am selben Örtchen tätig sein.*

PI: *Genao. Dös ging nämlich schon bei Königgrätz in die Hosen! Und zwoa wegen Euch Hannoveranern! Nicht* *woa! Do hobts noch eiam Glügg bei Langensalza die Hosen zümftig vollgschissen ghobt. Meina Sööl!*

PM: *Papperlapapp! Wennd Ihr Äü ana 1866 im Ddüütscha Bundestag nid a so sauklappät und begriffsschtutzig agschtelld hättät, de weers au gar nia zu ändära Niderlag cho! De hättwär hüt noch än Ddüütscha Bund! U zwar vor Etsch bis a d Oder, oder! Und brüüchtänd kä huaran EU!*

PI: *Jo und Ia warts Königtum geblieben! No na. Und hättet früha oda späta eh mit die Preussen paktiert, heast! Dös hot sich jo öh scho glei gezeigt. Üübla Übaläufa!*

PM: *Jo, und wär machät schi etz im Europarat breit? Hä? Kriagsgwinnler!*

PI: *Aadabei!*

PM: *Heimlifeischtä!*

Md: *Also bitte, meine Herren, ich muss doch schon bitten! Was soll denn da das niedere Volk für einen Eindruck von Ihnen bekommen? Hm? Was sollen denn da Ihre zukünftigen Halter von Ihnen denken!*

PI: *Beidl!*

PM: *Wianer Bazi!*

Md: *Bitte! Sonst muss ich Sie an die Leine nehmen!*

Trügerische Ruhe

Md: *Prinz Mark August, Sie gehören zum ältesten Fürstenhaus Europas. Der Stammbaum Ihrer Familie lässt sich ja bis ins 8. Jahrhundert zurückdatieren …*

PM: *Nid äso wia änä vo dena Chuaschwizer!*

PI: *Dafüa is unsa Stammbaum reinrassig! Vaschtööns! Mia ham koa Falottenbluat in unsan Odan!*

PM: *Aber vo da Sauschwaaba hedr bis gnua!*

PI: *Besser dös als welches von die Katzelmocher!*

PM: *Ans nümmscht zruck, du Schaafseckel!* (will aufspringen, der Moderator hält ihn zurück)

Md: *Ruhig, Prinz Mark August, ganz ruhig! Nicht, dass Ihrer Rasse das gleiche Schicksal widerfährt wie den Bullterriern! Sie müssen sich in der Öffentlichkeit etwas beherrschen, Durchlaucht!*

PI: *Strizzi!*

Md: *Und Sie natürlich auch, Prinz Ingolf! Sonst wird das nie etwas mit Ihrem neuen Vaduzer Heim! Und da haben Sie sich doch so darauf gefreut!*

PI: *Jo und was meinens, wie sich da Liechtenschteina freut, wenna höat, dass ein Habsbuaga seine Gschäft üübanimmt! Haha! Famos!*

PM: *Hihi!*

PI: *Do kimmta plötzlich wieda aagrennt, da Liechtenschteina! Wenn do an Habsbuaga in seim Schlosserl residiat!*

PM: *Und i chuma dr Bärg ubr!*

PI: *Jo vo mia aus. Solangs den ondern eagat! Hehehehe!*

PM: *Hihihihi!*

PI: *Ich muss mal austreten.* (steht auf, geht)

Md: *Ja, meine sehr verehrten Damen und Herren, das war wieder: „Prinzen suchen ein Zuhause“* (Prinz Mark August steht auf, schaut unruhig umher, nestelt an seinem Hosenschlitz herum)

PM: *Ischt da nianan än Kebab-Budi?*[10] (ab)

Md: *Schalten Sie sich auch nächste Woche wieder ein, wenn wir Ihnen wieder Blaublüter präsentieren, wie sie wirklich sind! Guten Abend!*

10 Während der Weltausstellung in Hannover (2000) erlangte der Welfe Ernst August Prinz von Hannover zweifelhafte Berühmtheit, als er fotografiert wurde, wie er gegen den türkischen Pavillon urinierte.

2000 Das LiGa und die Nebengeräusche

Es versteht sich von selbst, dass ein Kabarett wie das LiGa gerade in einem kleinen Land wie Liechtenstein nicht nur Freunde hat. Es war ja auch nie unsere Absicht, es allen recht zu machen. Am meisten polarisierten über die Jahre wohl unsere Betrachtungen zum Finanzplatz (u.a. „Das Liechtenstein Holding"), zur Regierung Hasler (sämtliche Programme ab 2001) sowie der Verfassungsmonolog des Fürsten (u.a. die „Buuralackelpolka"). Interessant ist hierbei u.a. das Verhalten der derzeitigen Regierungspartei. Liess es sich noch unter der „roten" Regierung Mario Frick (VU) kein „schwarzer" Abgeordneter oder Regierungsrat entgehen, über die depperten „Roten" (und auch mal über den Fürst!) zu lachen, so lassen sich seit dem Regierungswechsel im Jahr 2001 kaum mehr „Schwarze" beim LiGa blicken, um vielleicht mal über sich selbst zu schmunzeln. Es wird wohl einen weiteren Regierungswechsel brauchen, damit das Bewusstsein reift, dass politisches Kabarett selbst in Liechtenstein nicht auf Seiten der Machthabenden steht. Das hat nichts mit Wendehalsigkeit zu tun, sondern entspricht einer internationalen Gepflogenheit. Souveräner zeigte sich da schon die Regierung Frick, die mir zwar eine Anstellung bei der Landesverwaltung verwehrte („Es wäre doch furchtbar für einen Kabarettisten, wenn er aus lauter Loyalität gegenüber seinem Arbeitgeber kein politisches Kabarett mehr veranstalten könnte."), andererseits aber auch mal verschnupft war, wenn der eine oder andere Regierungsrat gerade eben nicht genannt wurde. Das Allerdämlichste in Sachen Nebengeräusche geschah allerdings während unseres Kulturprogramms „Hirsch&Wurscht". Aufgrund einer Variante eines Witzes, der schon lange vorher an Liechtensteins Stammtischen zum Besten gegeben worden war (siehe die Nummer „Studium") und unnötigerweise Eingang in die Premierenbesprechung des „Volksblatt" gefunden hatte, wurden unserem Druck-Sponsor von einem Betupften, der den Witz als persönlichen Angriff auffasste – if the cap fits, wear it! –, die jährlichen Druckaufträge in beträchtlicher Höhe entzogen.

7 - Best of

Texte: Mathias Ospelt
Musik: Marco Schädler
Regie: Ingo Ospelt
Premiere: 2. November 2001, Schlössle, Vaduz
Derniere: 19. Januar 2002, Keller 62, Zürich

Programm

Jimmy 1 (neu)
7 Jahre (neu)
Auf dem Schloss 1 (neu)
Jugenderinnerung 1 (Auf Wache!)
Song: Der freie Walser (Hirsch & Wurscht)
Sicherheitssystem (Auf Wache!)
Tibet (Benkli)
Song: Duliduli (Hirsch & Wurscht)
Der Finanzdienstleistungssektor (Holding)
Nestbeschmutzer (neu)
Song: Tuttla Song (Auf Wache!)
Auf dem Schloss 2 (neu)
Der Wahlkandidat (Benkli)
Jimmy 2 (neu)

Song: Kürzlich weilt ich ... (Fürstenliga)
Heimatbrett (Benkli)
Song: Wildbach (Benkli)
Auf dem Schloss 3 (neu)
Die Bilanz (Ivan)
Kommunikation (Fürstenliga)
Song: Toni (Holding)
Mann und Weib (Holding)
Prinzen suchen ... (Hirsch & Wurscht)
Song: Schlager (neu)
Flughafen Bangkok (Fürstenliga)
Hochzeit (Hirsch & Wurscht)
Song: LiGa-Medley (neu)
Wien (neu)

7 Jahre

Ingo **I**, Mathias **Ma** und Marco **Mr**

I: *Guten Abend, mein sehr verehrtes Publikum!*
Ma: *Guten Abend, MEIN sehr verehrtes Publikum!*
I: *Und natürlich dasjenige vom Herrn Schädler!*
Mr: *Liechtenstein. Nur du allein.*
Liachtaschtaa. Nur du allaa.
Liachtaschtoo. ´alo, ´alo.
Ma: (prostet zu) *Herr Schädler!*
Mr: (zu Mathias) *Herr Doktor!* (zu Ingo) *Herr Ospelt!*
I: *Meine Herrn! 7 Jahre LiGa! Wer hätte das gedacht!*
Ma: *7 Jahre. Wie die Zeit vergeht!*
I: *7 Jahre ... Hei!*
Ma: *7 Jahre im Dienste der ..., ähm!*
I: *7 Jahre im Auftrag Ihrer ..., öhh!*
Ma: *7 Jahre zum Wohle vom ...!*
Mr: *Zum Wohle!*
I: *Richtig! 7 Jahre zum Wohle des Herrn Schädler!*
Ma: *Ja und aus diesem Anlass haben wir uns gedacht, ...*
I: *Also das hast schon DU dir so gedacht!*
Ma: *Aus diesem Anlass hab ich mir also gedacht ... Wieso? Das war doch eine von uns allen getragene Entscheidung!*

I: *Was?*
Ma: *Dass ich denke, was wir machen.*
I: *Richtig! Aber nicht, dass wir dann auch machen, was du denkst.*
Ma: *Ja aber das war doch immer so.*
I: *Was? Dass du denkst, dass wir machen, was du denkst?*
Ma: *Ne! Dass wir machen, was ich sage. Urdemokratisch halt. Derjenige, der schreiben kann, sagt, wohin die Reise geht.*
I: *So wie bei der Verfassungsdisk ...*

Ma: *Genau. So wie bei der Verfassungsdiskussion. Hör dich doch mal um, was die Leute sagen! „Hört doch endlich damit auf!“ Sagen die! „Viel zu lang hat man da schon rumgemacht: jetzt muss eine Lösung her! Damit es endlich weitergeht!“ Und genau das machen jetzt wir!*
I: *Wie bitte?*
Ma: *Damit es endlich weitergeht, hören wir endlich damit auf! Viel zu lang haben wir schon rumgemacht: jetzt kommt die Lösung!*
I: *Die da wäre?*
Ma: *Ein ‚Best of‘!*
I: *Das ‚Best of‘ eine Lösung? Ja für was denn?*

Ma: *Für uns. Was sind denn die Verfassungsvorschläge des Fürsten anderes als ein ‚Best of' seines gesamten Programmes? Hm?*

Auf dem Schloss 1

Seine Durchlaucht **SD** und sein Diener Gisbert **Gi**

SD: (liest in einem PM-Heftchen) *Also, Gisbert, was schlächen Sie denn daoernd da rum? Sie machen mich ganz nervös.*

Gi: *Hen Sie noch en Wuusch, Durchlaucht? Dörf i Ihna noch eppes bringa?* (wirft einen schnellen Blick auf seine Uhr)

SD: *Was schaoen Sie denn ständig auf Ihre Ua? Also Gisbert, jetzt sagen Sie mia aba sofoat, was los ist mit Ihnen. Ich bemeake schon den ganzen Nochmittag eine gewisse Unruu.*

Gi: *Es ischt no ... Es ischt ... I gang noch ... I* (schaut auf die Uhr) *sött noch ...*

SD: *Ja, wo wollen Sie denn hin? Gisbert? Ist doch eh nix los hia. Ich habe den Florian aoch schon gefragt. Dea sagt aoch, hia heascht die tote Hose. Oda wollen Sie viellächt an einen Fussballmätsch? Hm? Ist es das, was Sie wollen? Und Sie traon Sich das Ihrem Füasten nicht zu sagen? A ge, Gisbert. Gehn Sie doch schaon! Wer spielt denn, Gisbert?*

Gi: *Ähhh ... S LiGa ...*

SD: *Ja, das ist mia schon kla, dass ein Liga-Spiel spielt. Halten Sie mich füa blöd? Also: Was füa eine Liga?*

Gi: *Ähhh ... Dia vo dan Öschpelt. Und dem Schädler ...*

SD: *Öspelt? Schättla? Das tönt aba gefealich nach Abenteualiga, Sie! Haha. Öspelt. Schättla. So Namen findet man doch heutzutage nuamea in der Veteranenliga. Ospelt. Schättla ...*

Stille

SD: *Ospelt.... Schättla. Irgendwie kommt mia das bekannt voa. Ospelt. Schättla. Gab es da nicht änmal eine ganz kuriose Liga?*

Gi: *Genau. Haha. Eine Fürschtenliga! Haha. Der Oschpelt der Mathias und der Schädler der Marco, die haben zusammen in der Fürschtenliga ... Haha. Das ischt eine Gaudi gewesen! Da, wo der Oschpelt gsagt hat: „Der Hasler, es ischt sowisoo a Wiib!" Hahahaha!*

SD: *Gisbert! Sie määnen jetzt aber nicht, was ich määne? Sie määnen jetzt aber hoffentlich nicht, was ich määne, was Sie määnen? Gisbert!*

Gi: (kleinlaut) *Durchlaucht?*

SD: *Sie wollen doch nicht allen Eanstes behaopten, dass Sie füa einen solchen Schwachsinn Geld aosgeben?*

Gi: *S ischt net so tüür. Do gitts minders. A Bier am Little Big One. A Pizza im Burg. A Speel vor Fuassballnazi ...*

SD: *A geh! Gisbert! Höans ma doch aof.*

Gi: *Durchlaucht. Bitte. Dia sin wörkleg loschteg. Eerlig!*

SD: *Sie määnen lustiga wie da WBW am Sonntag Voamittag?*

Gi: *Vil löschtiger, Durchlaucht. Zehamol löschtiger! Was säg i: hundertmol löschtiger wia d Witz vo sim Scheff.*

SD: *Also, das ist ja nicht schweea.*

Gi: *Jo Sie konn das scho säga. Aber eppert, wo weniger Stütz het wian er, ka sichs net leischta, net dröber z lacha.*

Der Finanzdienstleistungssektor

Dr. Ospelt **Dr** und Herr Ospelt **O**

Dr: *Ja, wie läuft denn das nun? Brüder? Und Schwestern? Wie läuft denn das nun mit den Treuhändern? Und den Stiftungen? Und den Steuern? Und dem Bankgeheimnis? Und dem Anwaltsgeheimnis? Und dem Treuhändergeheimnis? Hm? Und dem Steuergeheimnis? DAS sind doch die Dinge, die Sie wirklich interessieren! Drum sind Sie hier! Liechtenstein? Jaja. Schon gut. Forum Liechtenstein? Kann Ihnen doch gestohlen bleiben! Mobilfunk? Scheiss drauf! Otto Biedermann? Wer? LBA? Was? Verfassung? Warum? Wirklich interessieren möchte Sie doch eigentlich nur unser geiles Steuersystem. Mit seinem mega-geilen Gesellschaftsrecht! Und seinen ober-affen-mega-viagra-geilen Schlupflöchern! DAS sind doch die frohen Botschaften, die Sie mit nach Hause nehmen wollen! Die christlichen Gedanken, die sich wie Spulwürmer in Ihrem Hirn festsetzen und Sie fortan nicht mehr ruhen lassen! Wie sagten schon die alten Römer: Geld allein stinkt nicht! Sie sind doch kein bisschen besser als die, die schon das letzte Mal hier waren! Sie da! Was verdienen Sie so im Monat? Hm? Wollen Sie mir nicht sagen! Versteh ich schon! Ist Ihnen peinlich, was? Und Sie! Zuviel zum Sterben, zuwenig zum Leben! Ich würd's mit Luftanhalten versuchen! Und Sie? Wann haben Sie das letzte Mal im Moët gebadet? Immer nur Freixenet aus dem Dennersatellit mit Migros-Produkten ist auf die Dauer auch nicht der Hit! Und Sie da hinten! Ich hab doch gehört, wie Sie sich heut Abend an der Kasse beklagt* *haben, wie teuer das hier sei! Meine Güte! In Ihrem Alter noch über solche Dinge jammern müssen! Und dabei ist es doch ganz einfach! Sie nehmen 30.000 Franken. Also soviel müssen Sie schon bringen. Sonst kauf ICH Sie! Also. 30.000 Franken. Damit gehen Sie zu einem Treuhänder nach Vaduz und sagen: Ohh, Herr Treuhänder, letzte Woche ist meine liebe liebe Tante Anna gestorben und weil ich jetzt so fest leiden tu, möcht ich gern zu ihrem Andenken eine gemeinnützige Stiftung gründen, damit ... Ja und weiter kommen Sie dann gar nicht mehr, den Rest erledigt der Herr Treuhänder. Er gibt ihrer Stiftung einen Namen, - z.B. Tante-Anna-Stiftung - bestimmt den Stiftungszweck - Sie möchten alleine über die Früchte Ihres Vermögens verfügen - und dann legt er die ganzen Unterlagen in seinen Tresor, wo sie bis zum Sankt Nimmerleinstag auch bleiben. So. Und wenn die Glocken hell erklingen und der Frühling zieht ins Land, können Sie mit einer Schubkarre nach Vaduz zur Bank Ihres Vertrauens gehen und dort die reiche Ernte in die Karrette schaufeln. So geht das! Oder so stand es zumindest im SPIEGEL[1]! Vor 4 Jahren. Mit 30.000 Franken.* (schaut zu Herrn Ospelt)

O: (lacht) *30.000 Franken. Haha!*

Dr: (lacht mit) *30.000 Franken. Hihi!*

O: *Das haben Sie jetzt aber nicht etwa geglaubt, oder? Das mit den* (lacht) *30.000 Fränkli!*

Dr: *Für 30.000 Franken dürfen Sie grad mal den Parkplatz vom Herrn Treuhänder benutzen! Zum Wenden!*

O: *Irgendwo muss man ja ein Latte ansetzen. Irgendwie muss man sich ja vor den Kleinkriminellen schützen!*

Dr: *Eben. Also ich hoffe, die Jungunternehmer sind jetzt nicht enttäuscht, aber 30.000, haha, da warten Sie besser auf ein Email aus Nigeria!*

O: *100.000 sind okay. Oder? 100.000 Stutz. Das sollte reichen. Was meinen Sie, Herr Ospelt?*

Dr: *Mit 100.000? Ja, da lässt sich was anfangen. Da lässt sich eine tolle Stiftung gründen! Da können Sie nach einem Jahr kommen und gleich mal 25.000 aus der Stiftung rausschöpfen. 5.000 gehn für Verwaltungskosten drauf, Honorare, Steuern etc., aber im nächsten Jahr gibt's dann bereits 30.000.*

O: *Haha. 30.000!*

Dr: *5.000 gehn dann wieder drauf für die Verwaltung undsoweiter, ja und im dritten Jahr können Sie dann die restlichen 35.000 abholen und dann ist der Topf leer und die*

1 SPIEGEL, Nr. 51, 15.12.1997

Motorfahrzeug-
Verzeichnis
FL 1996
144 118 117
SECURA

Stiftung bankrott! Haha!

O: *Und wir haben 10.000 verdient! Hihi!*

Dr: *Also ernsthaft: Unter 1 Million müssen Sie hier gar nicht erst antanzen. Unter 1 Million können Sie sich den Autoatlas kaufen und mal kucken, wo ihr Geld geblieben wäre!*

O: *Ab 1 Million lohnt sich die Stiftung. Eine Million auf die Kralle und Sie sind dabei.*

Dr: *Ab 1 Million rentiert es sich. Doch. Für beide Seiten. Also auch für Sie! Haha!*

O: *Im SPIEGEL stand damals auch, die Liechtensteiner Treuhänder würden etwa 75.000 solcher Stiftungen verwalten. Die Liechtensteiner Treuhänder haben daraufhin den SPIEGEL wegen Ehrverletzung verklagt! 75.000! Die gibt der Treuhänder seiner Tochter zur bestandenen Matura mit auf den Lebensweg! Lächerlich! Und das in den Trusts verwaltete Vermögen, behauptete der SPIEGEL, beruhe auf 200 Milliarden Franken! Schweinerei! Haben die Treuhänder gerufen! Der SPIEGEL macht unsern schlechten Ruf kaputt! 200 Milliarden! Das füllt bei uns grad mal die Portokasse!*

Dr: *Wie gesagt: das war damals. Also bevor sich nach soviel Gratiswerbung im SPIEGEL der Anteil der Kunden gerade aus deutschen Landen nahezu maul- und klauenseuchenmässig verdoppelte.*

O: *Das eben Gesagte gilt übrigens auch für Einheimische. Das wissen nicht viele, aber es ist so! Das Liechtensteiner Gesellschaftsrecht ist schliesslich für alle da! Nach wie vor! Auch für die Eingeborenen! Das Liechtensteiner Gesellschaftsrecht kennt keine Diskriminierung! WENN Sie wie gesagt das nötige Kleingeld haben, ja! Das ist die Voraussetzung. Stimmt die Kasse, passt die Rasse! Sie können also wie jeder andere Dahergelaufene eine Stiftung gründen. Nun mögen Sie sich fragen, wozu? Mir geht's doch gut. Ich bin doch reich! Das Geld ist gut angelegt! Die Steuern sind niedrig! Und ein paar Böden habe ich auch. Richtig! Aber! Was tut einer, dem es richtig gut geht? Der alles hat? Der glücklich ist und zufrieden? Was tut so einer in diesem Land? Logo! Wenn's am schönsten ist, heisst es, soll man gehen: fremd-gehen. Ja und da sitzen Sie nun also auf der Matratze Ihrer Mätresse und sie möchte, dass Sie sie heiraten, aber Sie sind doch eigentlich total happy und den Sulzbraten von der Frau möchten Sie auch nicht missen, aber Ihre Geliebte drängt Sie, droht, Sie zu verlassen, sagt:*

„Und wenn Du mal nischt mehr bist, cherie, was wird dann aus mir?“ Ja und in einem solchen moment lohnt es sich, ein kleines Doküment aus Ihrer Ünter'ös zu ziehen, auf dem geschrieben steht: STIFTUNG! Familienstiftung! Damit stiften Sie diskret an jedem Erbberechtigten vorbei! Und so hängt der Haussegen sowohl im privaten Bereich als auch zuhause nie schief. Drum Familienstiftung! Das ist die Stiftung, die bei den allerglücklichsten Liechtensteinern am besten läuft! Der Renner! Schon seit Jahren! Was meinen Sie, wie viele CORA-Stiftungen es hier gibt! Oder AMICA-Stiftungen! Oder ANGELIKA-Stiftungen! Sie können auch mehrere gründen. Wenn es mehrere Stiftungszwecke gibt?! Eine MAUSI-Stiftung! Plus eine SPÄTZLE-Stiftung! Eine MUNGGILE-Stiftung!
UND eine KÄFERLE-Stiftung!

Dr. Ospelt räuspert sich.

O: *Gut. Bei alledem gilt es jetzt zu bedenken - das war vorhin etwas undeutlich formuliert, Herr Dr. Ospelt - dass die Liechtensteiner Treuhänder trotz anderslautender sda-Meldungen NUR saubere Geschäfte abwickeln, und sich NUR mit sauberen Kunden unterhalten. Etwas anderes ist ja vom Gesetz auch gar nicht vorgesehen. Und wer etwas anderes behauptet, wird hierzulande Gott sei Dank noch von der Steuerfahndung verfolgt.*

Dr: *Natürlich kann es nun ab und zu geschehen, dass sich ein schwarzes Schaf unter die weissen Haie mischt. Das lässt sich kaum vermeiden. Wo viel Sonne, da auch Schatten. Und wo viel Bäume, da noch mehr Schatten. Und da wir nun mal eine Oase sind, haben wir auch entsprechend viele, ääh, Bäume.*

O: *Wie es jetzt aber zu solch einem bedauerlichen Einzelfall kommen kann, möchten wir Ihnen mit einem kleinen Rollenspiel zeigen. Ähm, Sie, Herr Dr. Ospelt, Sie übernehmen den Part des neuen Kunden und ich bin Ihr Kundenbetreuer. Wenn Sie sich vielleicht noch einen Turban aufsetzen wollen? Von wegen der Sonne? Wo viel Sonne ... Sie wissen schon.*

Dr. Ospelt setzt sich einen Turban auf.

O: *Gut. Fangen wir an. Die Sekretärin hat Sie in mein Büro gelotst. Hier warten Sie erst einmal eine halbe Stunde, das macht einen besseren Eindruck. Da spürt man gleich, wer hier der Chef ist. Wir wollen das jetzt aber ein wenig verkürzen. Gut. Sie sind also da, Herr, ähm, ich gebe Ihnen mal einen Phantasienamen: Guten Tag, Herr Talibanemsi,* *hehe, nehmen Sie Platz, ah, Sie stehen lieber, gut, also, hello, Mischter, Sie sind ja meiner Sprache nicht mächtig, also, hello, Mischter, where does your shoe hurt, wo drückt der Pantoffel?*

Dr: *Ai hävä manni.*

O: *Good Man. Very good man. Having money is always good. Better than not having any, anyway. Haha. What kind of money?*

Dr: *Dörrti manni!*

O: *Thirty. Very good. Thirty very good money!*

Dr: *Not ssörrti! Dörrti. Dörrti manni forr woschink maschina.*

O: *Oh you are in the washing-machine trade. Very interesting. But, Mr. Kara Ben Nimmsi, no details, please. Thank you. By the way. Is your money clean? Sauber? Blitzeblanzki? Hm? Yes? Or no?*

Dr: *Off Kors no. Ssats wai ai keim hiirr!*

O: *When?*

Dr: *Yästrrdäi!*

O: *Was that a ‚Yes'? Very good.*

Dr: *Ai not säi ‚Yes'. ‚Yastrrdäi' I säi!*

O: *Very nice song. Very nice song. So where does your money come from?*

Dr: *Wii in Kabul hävä gutt bisniss. Drags väri gutt. Drags. Wäppäns. Änd Drags. Kittnäppink. Änd Drags ...* (während er redet, singt Herr Ospelt aus ganzem Herzen und voller Kehle ‚Yesterday')

O: *Ich sehe, Herr Hatschi Halef Osama, Sie sind ein äusserst seriöser Geschäftsmann, alles andere würde mich dann doch sehr überraschen. Also, alles klar, wir sehen uns nächstes Jahr zum Lammkotelett im Landgasthof! Salem!*

Dr: *Silum!*

Nestbeschmutzer

Ingo **I** und Mathias **Ma**

I: *Hach, was haben wir doch damals für herrlich schamlos harmlose Spässchen getrieben.*

Ma: *Und keiner war sauer und fühlte sich auf die Professorenschärpe getreten.*

I: *„Haha!", hat man gesagt, „Die LiGa-Buben!" hat man gesagt. „Frech, aber keine Ahnung!"*

Ma: *Ja und ein halbes Jahr später kam's zum grossen Crash! Black Friday in der Äule Street. Und wer war plötzlich an* *allem Schuld?*

I: *Die LiGa-Buben!*

Ma: *Dabei hätte man uns für unsere Weitsicht den Wirtschafts-Nobelpreis verleihen sollen.*

I: *Oder zumindest den Salzburger Stier!*

Ma: *Pustekuchen! Stattdessen boykottierten zwei Jahre später Salzburger Wirtschaftsprofessoren unseren Hauptsponsor.*

I: *Und zum Dank für unser visionäres Engagement werden wir auch noch als Nestbeschmutzer betitelt! Ha Ha!*

Ma: *Wir und Nestbeschmutzer! Ja, wer kommt denn ständig in den Nachrichten und füllt fast wöchentlich ‚Spiegel' und ‚Focus'!? Wir etwa? Sicher nicht!*

I: *Und wer hat schon zweimal vor dem Internationalen Gerichtshof für Menschenrechte verloren? Etwa Das LiGa? Nestbeschmutzer! Dass wir nicht lachen!*

Schlager[2]

A:	*Grüezi wohl, Frau Stirnimaa!*
B:	*Grüezi wohl, Herr Stirnimaa!*
	Verzeihen Sie, sind Sie ...
A:	*... der Graf von Luxemburg?*
	Verzeihen Sie, sind Sie ...
B:	*... der Schatz im Silbersee?*

B:	*Für Sie soll's rote, rote Rosen regnen!*
A:	*Rote Rosen, rote Rosen*
A+B:	*Wadde hadde dudde da?*

A:	*Oh, happy day!*
B:	*Oh, happy day!*
A:	*Ham wir Euch heute schon ...*
B:	*... gesagt, dass wir Euch lieben?*
	Ham wir Euch heute schon ...
A:	*... gesagt, wie schön Ihr seid?*

B:	*Für Euch soll's rote, rote Rosen regnen!*
A:	*Rote Rosen, rote Rosen*
	Verdammt, wir lieben Euch!
A+B:	*Piip piip, wir ham Euch lieb!*

A:	*Shake Hands! Shake Hands!*
B:	*Goodbye und auf Wiedersehn!*
A:	*Wer hat an der Uhr gedreht?*
B:	*Ist es wirklich schon so spät?*
	Wer hat an der Uhr gedreht?
A:	*Ist für heute Schluss, Ihr Leut?*

B:	*Für Euch soll's rote, rote Rosen regnen!*
A:	*Rote Rosen, rote Rosen*
	Buona sera, Signorina!
A+B:	*Buona sera, Signorina!*
	Sierra Madre. Madre tu!

2 *Dieses Lied wurde ursprünglich für die Revue „A Day in the Life of: Liechtenstein" am Liechtenstein-Tag an der Weltausstellung in Hannover im Jahr 2000 geschrieben. Gesungen wurde es von Monika Wenzel (als Fürstin) und von Georg Matt (als Fürst). Zwei Jahre später wurde es nochmals in der Revue „Die Liechtensteiner Botschaft" am Liechtenstein-Tag an der EXPO 2002 in Biel (CH) verwendet. Diesmal mit den beiden „Wetterfeen" Bettina Walch und Fabienne Lemaire.*

2001 Das LiGa im Ausland

1999 wagten wir uns erstmals über den Rhein. Im Rahmen des „Liechtenstein Holdings“ mieteten wir uns für den 30. und den 31. März im renommierten „Weissen Wind“ im Zürcher Niederdorf ein, in der Hoffnung, dass sich jemand aus der Zürcher Kleinkunstszene die Mühe machte, unser Programm zu besuchen. Pustekuchen! Immerhin kamen zu beiden Vorstellungen jeweils rund 50 Leute (vorwiegend Exil-Liechtensteiner und Liechtensteiner Studenten).
Rund einen Monat später versuchten wir es dann im Niemandsland: im Theater Winterthur. Fernab von Gut und Böse galt es sich erstmals vor einem gänzlich mit Liechtensteiner Verhältnissen unvertrauten Publikum zu bewähren. Der „Landbote“ urteilte damals grundsätzlich freundlich, monierte aber den fehlenden Bezug zur Schweiz. Über den LiGa-Autor hiess es allerdings: „Sein Sprachwitz erschöpft sich in langweiligen Reimen.“ Im Juni ging es nach Fribourg ins „Kellertheater“, im August nach Schafhausen ins „Theater im Fass“ (IBK), im September nach Oberägeri und am 27. Oktober ins Buchser „fabriggli“. In unmittelbarer Nähe zur Heimat, aber fürs Publikum gerade weit genug entfernt, um frank und frei herauszulachen, wurde dieser Abend im ausverkauften „fabriggli“ zu einem der Höhepunkte in der Geschichte des LiGa. Kein Wunder, dass wir in der Folge immer wieder gerne nach Buchs kamen (2000 – 2005).

Im Januar 2002 stieg schliesslich das Unternehmen „keller 62“. Mit dem „Best of“-Programm (2001) im Gepäck, welches an die speziellen Bedürfnisse eines Schweizer Publikums angepasst wurde, spielten wir an acht kalten Januarabenden in Zürichs kleinstem Kleintheater. Die Idee war, uns über schiere Sturheit den Zürcher Kabarettfreunden interessant zu machen. Und in der Tat. Das Publikum nahm stetig Notiz und am letzten Abend spielten wir endlich vor ausverkauften Rängen. Die „NZZ“ schrieb damals über das LiGa: „Glückliches Land am Rhein, das Bürger wie die Ospelts besitzt!“

Monte LiGa

Texte: Mathias Ospelt
Musik: Marco Schädler
Regie: Ingo Ospelt
Premiere: 13. November 2002, Schlösslekeller, Vaduz
Derniere: 16. Februar 2003, Keller 62, Zürich

Programm

Song: s Walserglöggli (Marco Schädler)

Alp-Auftrieb

Grüss Euch Gott!

Jahr der Berge

Unter Sennen I (Marend)

Song: Buuralackelpolka

Solidarität

Überbauung „Feuersalamander“

Unter Sennen II (Zmittag)

Vox Popeli

Konsens

Wilhelm Tell (frei nach Schiller)

Der Wandertag

Song: Gute Freunde (Franz Beckenbauer)

Der Tourist

Harmonie

Unter Sennen III (Zvieri)

Wildeler unter sich

Song: Der Wilddieb (trad.)

Sagen

Alb-Abtrieb (Unter Sennen IV)

Grüss Euch Gott!
Ingo **I** und Mathias **M**

I: *Grüass Eu Gott*
I/M: *alli meta*
M: *nander*

I: *Herz*
I/M: *LiGa*
M: *dank*
I/M: *Eu allna*
I: *und dan andra*

M: *wo ned ko sin*
I/M: *well si denken*
I: *s hei kann Platz mee*
I/M: *und ma sött üüs*
M: *scho lang ufa Latz gee.*

M: *Drum:*
I: *Grüass Eu Gott*
I/M: *alli meta*
M: *nandra*

I: *Herz*
I/M: *LiGa*
M: *Dank*
I/M: *o Ihna*
I: *und dan andra*

M: *wo net met ko sin*
I: *wo no net ko sin*
M: *wo no met ko sin*
I: *wo net nett ko sin*

I/M: *well si denken*
I: *s sei öberressa*
I/M: *för das, was mer bütten*
M: *sei ma bschessa.*

I/M: *Well mer ee no blödi Grinder machen*
M: *ee no öber andri lachen*
I/M: *ee no grobi Wörter sägen*
I: *ee nüt Wesentligs beiträgen*

M: *ee üüs bi allnan iischmeichlen*
I: *ee no ösri Gäscht iischpeichlen.*
I/M: (Juchzer)
M: *Drum:*
I: *Grüass Eu Gott*
I/M: *alli meta*
M: *nand*

I: *Ladies*
M: *First*
I/M: *und Vaterland*
I: (Juchzer)
M/I: *Vaterland unser*
I: (Juchzer)
M/I: *Gereinigt werde dein Name*
Deine Zeit komme
Wiedergutmachung geschehe
Wie im Spiegel
So in Nöi York.
M: (Juchzer)
M/I: *Unsere täglichen Kunden gib uns heute*
Und vergib uns unsere Schuld
Wie auch wir vergeben unsern Schuldigern
I: *Wie auch wir vergeben unseren Anschuldigern*
M: *Wie auch wir vergeben unseren Beschuldigern*
I: *Wie auch wir*
M: *Wie wir auch*
I/M: *Auch wie wir*
Schulden wir
Der Welt
I: *Nix.*
M: *Heiliger Bim Bam*
Bitte für uns Sünder
Jetzt und in der Stunde
I: *X.*
Husten
I/M: *Und führe uns nicht in Versuchung,*
Sondern erlöse uns von Mittelstand und Fertigpizza
M: *Nicht wahr*
I: *Economy Class und Auto Leasing*
M: *Nicht wahr*
I: *Mietwohnung und Bus Abo*
M: *Nicht wahr*
I: *und einer Fehleinschätzung unserer Lebenssituation*

M: *Nicht wahr*
I/M: *Denn dein allein ist Liechtenstein*
M: *und Kraft und Reich- und Glücklichsein.*
I/M: *ratatatatam*
Juchzer
I: *Oben am jungen Rhein*
Lehnt sich ein Liechtenstein
M: *Zu weit aus dem Erker*
M/I: (singen) *Schon der Gedanke, dass ich dich einmal verlieren könnt,*
Dass dich ein andres Volk, einmal sein eigen nennt,
Der macht uns traurig, weil …
M: (singt) *Du-hu-hu*
Du-al
I: (singt) *Tausendmal du, tausendmal du-uuuu*
M/I: *… für uns die Füllung bist.*
Was wär das Land für uns
Ohne …
Wau wau wow wow!

Jahr der Berge

M: *Was lässt das Echo widerhallen?*
Lässt Sportler jäh in Spalten knallen?
Lässt Edelweiss und Enzian spriessen,
In luftger Höh' auf saft'gen Wiesen?
Lässt Pflanzenfrevler tief sich bücken,
Um ihre Köpf' mit Kraut zu schmücken,
Worauf mit sichtlichem Behagen
Die Pflanzenwächter sie verklagen?
Was lässt beim heimlich Schwarzgebrannten
Den Wildeler mit Artverwandten,
Die unter Tag zu Ärzt mutieren,
Die Ansch- und Abschlüss' diskutieren?
Was macht den höchsten Fels zum Zwerg?
Der Berg
Der Berg

I: *Was lässt die Bäch' in Flüsse fliessen,*
Die sich in Ströme dann ergiessen,
Die allesamt in Meeren enden,
Wo sie als weisser Dunst verenden,
Der in den Himmel steigt, den blauen,
Wo er als Wolk' sich tut aufstauen,

Die dann nach schwüler Tage Wärme
Mit Donnern öffnet ihr Gedärme
Und sich entleert mit steten Tropfen,
Die auf den ew'gen Schnee raufklopfen
Und schliesslich in der Erd verschwinden,
Aus der als Bach sie sich dann winden?

M: *Das ist der Kreislauf des Lebens!*

I: *Danke. Wer schluckt den Müll vom A-Kraftwerk?*
Der Berg
Der Berg

M: *Was trennt die bösen Königinnen*
Von sieben Zwerg und Töchterinnen?
Wo zieht man hin, wenn tau'n die Frühen
Und Mörgen unterschiedlich rot erglühen?
Was gibt den Stoff zum Bierzelt-Schlager?
Was fördert die Matrazenlager?
Was lässt uns vor dem Ox verstecken?
Wo bleibt der Niederländer stecken?
Wo schneit's, wenn's in der Tiefe regnet?
Wer macht, dass Gams der Gems' begegnet?
Wer liess Karthagos Elefanten
Verschwinden zwischen Gletscherkanten?
Wo ruht Klaus Schädlers[1] Augenmerk?
Am Berg
Am Berg

I: *Was dient der Sonn als span'sche Wand?*
Was trennt's Tessin vom Mittelland?
Was lässt den Mönch zur Jungfrau liegen?
Was lässt den Segler aufwärts fliegen?
Was lässt beim Giro einen Radler
Aus Kurven stechen wie ein Adler?
Was stellt den Hügel in den Schatten?
Was lässt den Mensch mit langen Latten
An seinen Füssen talwärts sausen
Und lässt den Flachlandmensch mit Grausen
Sein Zmittag in den Abgrund brechen?
Wo ist der Abtrieb kein Verbrechen?
Was ist des Schweizers stolzes Werk?
Der Berg
Der Berg

1 Triesenberger Leserbriefschreiber, Retter des Saas Seeli

Unter Sennen I (Marend)
Senn **S**, Mister **Mi** und Batzger[2] **Ba**

Morgens bei den Sennen auf der Alp. Senn, Mister und Batzger sitzen am Holztisch und nehmen ihr Frühstück zu sich. Das heisst, sie löffeln Flüssigkeit aus ihren Schüsseln. Ausser der Mister. Der isst Joghurt.

Mi: *Nächtig bin i noch im Vadozersaal gse.*
Schlürfen
Mi: *D Londoner Symphoniker hen „Das Huhn und der Karpfen" gee. Vom Schädler.*
Ba: *Sicher nid!*
Mi: *Vom Rudolf Schädler*[3]*. Er wär jo das Joor nüünanünzgi wora. Do hets TaK noch a paar Franka im Liachtaschtaa-Kessili gfunda.*
Schlürfen
Mi: *Schöö hen si gschpellt. Met vil Guschto. A betzle gär viil Fortissimo i da Klangkörper. A betzle z viil Grandezza im interpretativa Bereich. Mee Zacharias wia Menuhin.*
Schweigen
Mi: *Findender net oo, dass der Vadozersaal ned a so geeignet ischt för ernigi Grosskonzert?*
Schweigen
Mi: *Akustisch.*
Schlürfen
Mi: *Aber si globens afacht net. Si globens afacht net.*
Ba: *Di Schwarza?*
Mi: *Do sin net no dia Schwarza ...*
S: *Das hen dia andran o so gmacht! Das hen dia andran o so gmacht!*
Mi: *I waas. Aber s nötzt etz o nüt, wemma albi noch ...*
S: *Das hen dia andran o so gmacht. Das hen dia andran o so gmacht.*
Ba: *Di Schwarza?*
Mi: *Nei. Dr Senn mannt dia Roota. Dia, wo dia letschta Waala verloora hend.*
S: *Das hen dia andran o scho gmacht! Das hen dia andran o so gmacht!*
Mi: *Es ischt allerdings woor.*
Schweigen
Mi: *Im Moment les i a tolls Buach. I kas eu nochher gern amol uusliiha. „Im Schatten der Globalisierung". Vom Joseph Stiglitz. Do kritisiert der ehemolig Vizepräsident vor*

2 *Hilfsbursche auf der Alp*
3 *Rudolf Schädler (1903-1990): Früherer Gafleiwirt, Musikant und Holzbildhauer*

Weltbank d Globalisierig und seet, dass der International Wäärigsfonds IWF a weltfremdi Inschtitution sei.

S: *Das hen dia andran o! Das hen dia andran o!*

Mi: *Was?*

Senn grummelt etwas in seinen Bart.

Mi: *Mannscht du dermet, ma könni d Problem vor Globalisierig o uf dia höttiga Verhältnis bi üüs bezüha? Das ischt gär kan schlechtan Aasatz. O wenn er a betzle gwoogt ischt. Aber werom net? Ma möösst afacht vomanan andran Aschpekt uusgoo.*

S: *Das hen dia andran oo! Das hen dia andran oo!*

Mi: *Was?*

S: *Speck!*

Mi: *Aschpekt!*

Ba: *Vor da Schwarza?*

S: *Das hen dia andran oo!*

Schweigen

Mi: *Intressant. Ma möössts useran andra Perschpektivan aaluaga.*

S: *Speck!*

Mi: *Im Prinzip hemmer jo alles do: A Verflechtig vo Handels-, Kapital- und Technologiischtrööm und multinationaala Grossunterneema, wo praktisch alli met da gliichan Uussaaga operieren: Wennder net tuan wia mier wenn, denn wörender verlumpa und elend verregga. O wören finanz- und wäärigspolitischi Turbulenza i da Schwellaländern vo nationaal agierenda Maanigsschpekulanta benutzt. Tüüfgriifendi sozioökonomischi Veränderiga finden statt. Regionaali Untersched löösen sich uuf: Unterschidligi parteipolitischi Raamabedingiga, unterschidligs Iikomma, an unterschidligs Konsumentaverhaalta: Alles Pfupf! Oberland - Unterland: dia historisch Trennig ischt no noch en Mythos. Langsam aber seher waksen mier zomana homogena Ländle zemma. Wo sich all zwo Joor ar Lihga[4] fiiret. Faszinierend. Statt Globalisierig Lihgalisierig.*
Lihga-lize it!

4 Liechtensteinische Industrie-, Handels- und Gewerbeausstellung

Buuralackelpolka

Letschti am Neujoorsempfang
Nünnt en Maa der Notuusgang,
Goot bim Förscht uf sini Kneu,
Seet, dass er ned wüerdig sei,

Einzugehen in sein Schloss.
Sini Häämet sei verdoss.
Und met Pathos i sim Ton
Bittet er um Absolution.

„Durchlaucht“, seet er, „mier sin halt Buura,
Öb vo Balzers oder Muura,
Öb vo Escha oder Tresa,
Ländlich-dumm ischt ösers Wesa.

Öb mer Oberländer oder
Unterländer sin, wo der
Mescht noch a da Finger klebt,
Wenn üüs d FATF[5] weckt.

Öb mer schaffen uf der Bank
Oder bütten treui Hand.
Öb mers Geld dermet verdienen,
Dass mer d Welt met Geld bedienen.

Öb mer Zahnärzt sin, Verwalter,
Radiolütt usem Mettelalter.
Öb mer Grossinduschtrielli:
Schiissagliich! Uf alli Fälli:

ALLS, was 'Made in Liechtenstein',
Intressiert ned Mensch, ned Schwein.
Fix, MALBUNER, Ivoclar,
VPBank und HILCONA,
Hoval, Hilti, ITW,
Kamma alls da Hasa gee.“

> *Denn mier sin nüt ooni Förscht.*
> *Ooni Förscht simmer Wörscht.*
> *Simmer dummi Buurabörscht.*
> *Ooni Förscht, ooni Förscht.*

5 FATF (Financial Action Task Force on Money Laundring): Im Juni 2000 wurde Liechtenstein auf die schwarze Liste der FATF gesetzt, von der es 2001 wieder gestrichen wurde.

Ooni Förscht simmer nüüt.
Simmer nümma bi da Lüüt.
Simmer dummi Buuralackel,
Hend a psychisches Debakel.

Bim Konzert vom Rota Krüz
Spendet än uuhäämlig Stütz.
Well trotz Titel, Ehra, Orda
All nervöser er ischt worda.

S Alter naaget a sim Gwössa,
Zviil het er im Leba bschessa.
Er well Freda met der Welt,
Nochem Tod nötzt im ka Geld.

Und well der Förscht sim Gott so nöch,
Macht er bim Förscht sis Biichtgeschpröch:
„Ned woa“, seet er, „Durchlaucht, ned woa,
Wie stellt das Volk sich das denn voa?

Wie solls, ned woa, denn ooni Sie,
und ooni, ned woa, Monarchie?
Und Sie, ned woa, Sie sölln uf Wien,
Ned woa, Durchlaucht, sölln Sie ziehn!

Wenns wenigschtens gi Salzburg wär!
Da kämt i mit, doat bin i wer!
Jo, unsa Volk ischt a Bagasch,
Was dia do wenn, ischt a Blamasch

För mi, ned woa, vor mina Fründ,
Öbs Jäger, Kanzler, Päpscht noch sind!
Sie alle sägen: Ned woa, hei!
So goots doch ned, Durchlaucht, nei nei!“

Denn mier sin nüt ooni Förscht.
Ooni Förscht simmer Wörscht.
Simmer dummi Buurabörscht.
Ooni Förscht, ooni Förscht. …

Solidarität
Mathias **M**

M: *Guatan Oobed,*
i bi der Mathias und i füül mi solidarisch.
Met allem
und allna.
O met dena, wo sich net solidarisch met mier füülen.
Met dena sogär no mee.

Min Therapeut seet, grundsätzlig sei Solidarität eppes Schöös.
Do dermet füül i mi natörlig solidarisch.
Solidarität gitt mer Freda ir Darmflora.

Was etz aber lutt mim Therapeut för mini seelisch Laag net grad zuaträglig ischt, sin dia viila Börgerbewegiga und Initiativgruppana, wo sich ir letschta Zitt beldet hen. D „Gruppe Käuzlein", d Börgerbewegig „Anonymes Liechtenstein", d Aktion „Friedenspfiifana", s „Forum Muura", d Initiativa „Für Sex und Fürst und Rock'n Roll" und der Arbetskreis „Monarchie und Totgeburt". Mit dena

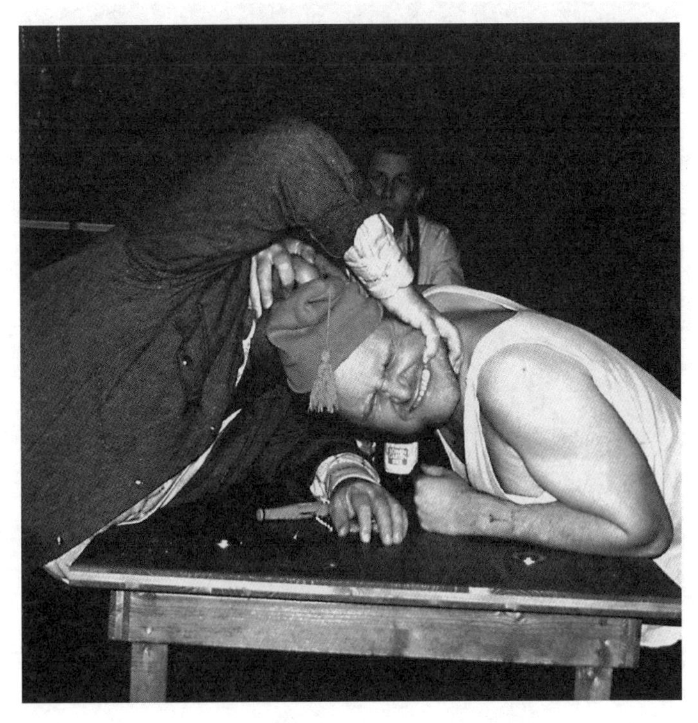

Gruppieriga ka sich jo im Prinzip jeda solidarisch füüla, well si jo alli im Prinzip s gliich wend: Solidarität. Und dass dia andran endlig d Schnorra halten. För eppert wia mi ischt das etz aber kritisch. Well i mi jo i dem Solidaritäts-Dschungel verirra könnt. Und numman ussi finda könnt.

Drum bin i etz anera Selbschthilfegruppa beitretta. För Meener, wian i an bi, und wo sich vor lutter Solidarität numma z recht finden.
Aber irgendwia isches komisch i dera Gruppa: Dia aana schreien noget umma und maanen, dia andra wellendi d Selbschthilfegruppan uuflösa und dese sägen, dan aana seien d Problem vom Gruppaleiter wechtiger wia dia aagna. Jo und dia dretta fröögen all, wemmer endlig met der Mosigprob aafangen. Denn könnt ma schneller gi suufa.
I frög mi no, för was mier eigentlig en Gruppaleiter hend.

Konsens
Marco **Mr**

Mr: *Hoi mitänand,*
i bi dr Marco und i bi konsenssüchtig.
Schweigen
Äba
Schweigen
Konsens
Schweigen
Söchtig
Mengmal is schwierig. Mengmal au nid.
Schweigen
Mengmal nützts au ättäs.
Schweigen
Der Konsens. Nid d Sucht.
Schweigen
Äns han i eu nu wella säga.
Schweigen
Ir heid mr seer gholfa.
Vergellts Gott!

Wilhelm Tell
Regisseur **R** und Mathias **M**

Hohle Gasse

R: *Auf geht's. Gemma gemma! Reisst's euch zamm. Ier wisst's, um wos es geht. Moagen kummt da österreichische Justizminista und da müssma ihm a fesches Kultur-Programmerl bieten. A klasse Theater! Alles eine Frage dea Kommunikation. Alles eine Frage dea Öffentlichkeitsoabeit. Alles klar? Dann legma los:*

[...]

M: (als Tell) *„Durch diese hohle Gasse muss er kommen,*
es führt kein andrer Weg nach Küssnacht – Hier
Vollend ich's – Die Gelegenheit ist günstig.
Dort der Holunderstrauch verbirgt mich ihm,
von dort herab kann ihn mein Strahl erlangen,
Des Weges Enge wehret den Verfolgern.
Mach deine Rechnung ..."

R: *Stop Stop. „Durch diese hohle Gasse muss er kommen" is ned wiakli guat. Do müsstet wos Positiveres her: „Durch dieses leuchtende Pfaderl", geh wia heisst denn das Pfaderl doat in die Berge, genau! „Auf dem Fürstin-Gina-Weg muss er kommen"! Des ist guat. Guuuuaaat!*

M: *„Auf dem Fürstin-Gina-Weg muss er kommen,*
es führt kein andrer Weg nach Küssnacht – Hier
Vollend ich's - ...."

R: *Stop Stop! „Es führt kein Weg nach Küssnacht" geht natürlig nimma. Des wea jo ein kompletta Schaas. „Nach Küssnacht". Na naa. Des liegt doch in da Schwiiz. Wos gibt's denn doat droben in die Berge?*

M: *S Bettlerjoch!*

R: *Sea lustig. Gibt's da nix Positives? Etwas, wo sich's lohnt, dass ma da naufsteigt?*

M: *Dr Nenzinger Himmel ischt dött domma. Aber er litt dunna.*

R: *Nenzinger Himmel?*

M: *Nenzinger Himmel.*

R: *Dea liegt im Österräich!*

M: *Öschtriich. Korrekt.*

R: *Sagens doch gleich Wien, Sie Monarchieabschaffer! Ich hab ja gleich geahnt, dass von so einem wie Ihnen kein Verständnis füa den Ernst der Lage zu erwarten ist. Ich hab's geahnt. „Es führt kein andrer Weg nach Wien". Nur raus damit! Dann ham's aber zum letzten Mal scharschiert.*

Zum letzten Mal! Auftritte vorm österräichischen Justizminister gibt's dann für SIE nimma, Herr Ospelt. Na naa. Des mochma anders:
„Auf dem Fürstin-Gina-Weg muss er kommen,
es führt kein andrer Weg ..."

M: *... auf den Augschtenberg.*

R: *Ich warne Sie!*

M: *Pfälzerhütte?*

R: *„Auf dem Fürstin-Gina-Weg muss er kommen,*
es führt kein andrer Weg zum Pfälzerhütterl – Hier vollend ich's ...

M: *... Die Gelegenheit ist günstig.*
Dort der Holunderstrauch verbirgt mich ihm."

R: *Geh, woxen doat drom üverhaupt Hollerbüsch?*

M: *Eener netta.*

R: *Jo geh bitte was woxt denn dann auf dea Höh'?*

M: *Aarala!*

R: *Sie müssen jetz ned auch noch verletzend weadn!*

M: *I mään Arala. Legföhren. Krummholz. Latschen.*

R: *Wos gibt's noch?*

M: *Lawinaverbauiga!*

R: *Klasse:*
„Dort diese Lawinenverbauung verbirgt mich ihm ...

M: *... Von dort herab kann ihn mein Strahl erlangen."*

R: *Schneeball!*

M: *„Von dort herab kann ihn mein Schneeball erlangen*
Des Weges Enge wehret den Verfolgern."

R: *Kamma so stehn lossen!*

M: *„Mach deine Rechnung mit dem Himmel, Vogt,*
Fort musst du, deine Uhr ist abgelaufen."

R: *Schön* (ballt die Faust:) *„Mach deine Rechnung mit dem Himmel, Paul Vogt*[6], *Fort musst du, deine Uhr ist abgelaufen." Des könnt grad vom Scheef selber stammen. Des lassma a so. A bissel politisch darf's scho sein.*

[...]

Der Wandertag

Regierungschef **RC**, sein Chefredaktor **CR** und ein Passant **Pa**

RC und CR kommen schnaufend auf die Bühne.

CR: *... groossartig ischt das gse, wia du im do Parooli botta huscht. Groossartig. Staatsmännisch. Es het der fascht net zuatraut!*

6 Paul Vogt: seit 1993 Landtagsabgeordneter der Freien Liste

RC: (schnaufend hinterher) *Wo? Bi da Börgergschprööch?*

CR: *Nei! Ufem Schloss domma. Wod em Förscht gseet hescht: „Bis hierher und nicht weiter!“*

RC: *Aber so eppes säg i doch gär netta!*

CR: *Aber natörlig. Waasch es numma? Bim Neujoorsempfang? „Bis hierher und nicht weiter!“ Klassisch! Het fascht a Titelschtory druus gmacht!*

RC: *Also Entschuldigung, dass der jetzt wederschprecha muass. Du waascht, i tua das net gern und i hoff, du bischt mer ned bös. Aber i ha nia, eerlig, NIA so eppes geseet. Und scho gär net gegenöber em Förscht. Und ganz seher net am Neujoorsempfang.*

CR: *Und won er het noochischenka wella? Was hescht do gseet?*

RC: *Es waass i also bim beschta Wella ...*

CR: *Aber i waass es. I bi jo dernebet gschtanda met mim Gräätle: „Danke“ hescht gseet. „Danke, Durchlaucht, aber nur noch ein Schlückelein!“ hescht gseet. I ha der Bewiis.*

RC: *Aber es haasst doch net, dass ...*

CR: *Aber ma kas a so interpretiera!*

RC: *Natörlig, natörlig. I well jo o net wederschprecha. Aber ganz wol ischt mer do net derbei.*

CR: *Loos! S Präsidium het gseet, mier muan di besser verkoofa. D Lütt hen langsam s Gfüül, der Landtagspräsident sei der stark Maa im Staat!*

RC: *Aber es ischt er jo o. Als oberschta Volksvertretter ischt er össerscht segensreich.*

CR: *Aber wia lang noch? S eerscht, wo der Förscht maha wörd, wenn sini Verfassig dorikunnt, ischt, dass er d Volksvertrettig uflöösst. Dia bruuchts jo denn numma. S bruucht si scho jetz numma. Aber es wär denn a betzle gär öbereilt, wenn er scho etz, i deran aagschpannta Laag ...*

RC: *Aber was seescht denn du för Saha?*

CR: *Etz tua noch a so, wia wennd das alls net wööstischt!*

RC: *Jo, aber ...*

CR: *Kumm etz. Es ischt alles Teil vo ösrem gfitzta Plaa.*

RC: *Aber es het mer niemert ...*

CR: *Uf jeda Fall muemer di etz för dia Zitt nochem Landtag uufbaua. Verschtooscht. Well, wenn denn alles verbei ischt, denn zaagemer dem Förschtle amol, wo der Volkshammer hanget. Im Moment kommer na jo noch för ösri Zweck benotza. Aber nocher ... Hähä. Und do söttischt halt scho a betzle Kontura ha. An anders Uuftretta. Verschtooscht. Energischer. Selbschtbewusst! Halt aso wia der ander.*

RC: *Und wisoo nönder net glei der ander*[7]*?*

7 *Regierungsrat Dr. Ernst Walch*

CR: *O wells vom andra dummerwiis a Fotti git usem 92*[8]*, won er als erschta usem Regierigsgebäude kunnt und s Victory-Zäächa macht. Huara Selbschtdarsteller! Und es kunnt net guat. Ir momentana Situatioo.*

RC: (abwesend) *Aber singa kan er guat.*

CR: *Er ka o noch anders ganz guat.* (schaut sich um) *Aber etz loos: Mier sötten Fotti ha, guata Maa. Und zwor ganz spontan.*

RC: (setzt sich hin) *Looss der no Zitt. S pressiert net.*

CR: *Etz wärs aber grad günschtig. Kann rota Butzi witt und breit.*

RC: *Guat. Aber machs ned a so gär uuffällig. Machs a betzle zrogghaltend. Ganz natörlig. Ganz ... ganz ...*

CR: *Loos. I waas scho, wia ma so eppes macht. Und wia mas denn verkooft. Aber vilecht wärs gliich ned schlecht, wenn noch eppert met ufem Fotti wär.*

RC: *Jo du vilecht. Mier könnten jo metem Selbschtuuslööser ...*

CR: *Das ischt grotesk, wasd etz seescht. Grotesk!*

RC: *I find das schöö, dass mier amol Zitt hen, üüs a betzile nöcher kennazlerna. Im Tagesgschäft gon so Sacha jo unwillkürlig unter.*

CR: *Do sach i eppert. Du. Do kunnt an. Wenns no kann Rootan ischt.*

Ein Passant kommt keuchend.

CR: *Passt perfekt! Der kenn i net. Du! Kumm a mol do uffa!*

Passant keucht.

CR: *Du! Kumm amol!*

Passant keucht.

RC: *I glob, der verschtoot di net.*

CR: *Jo, was lauft der denn do homman umma, wenn er nüt verschtoot? You! Do you spiik Inglisch? Come here! Subito!*

Passant taucht auf.

CR: *Parlez vous frangsä? Vieni qui! Vamos do herr do! Tatschkinees!*

Passant zündet Zigarette an.

CR: *Cän we make fotograph wis you and se mischter president? Faire ünä fotti avec le monsieur president? Handshake? Scheiki Händi?*

Pa: *Was witt? Bischd bsuffa?*

RC: *Ah. You speak German?*

Pa: (zu CR) *Was ischt au äns für eina?*

CR: *Es ischt doch der Regierigschef.*

Pa: *Sicher nid. Äna hät weder Haar ufam Grind noch ummän ummi.*

8 In Liechtenstein fand 1992 die sogenannte „Staatskrise" statt.

CR: *Was ischt etz das förna klappets ..?*

RC: *Loos no, loos no.* (zu Pa) *I glob, Sie maanen min Vorgänger, der Herr Frick.*

Pa: *Richtig. Äna Frick. Äna Frick, wa ünsch Bärgär bir Melioratioo a so bschissa hed!*

CR: *Genau: Äna Frick, wo eu armi armi Berger a so gemein bschessa het.*

Pa: *Äna Frick, wa ünsch Bärgär verbotta hed, ünscha eiga Zmittag usam Wald z hola ...*

CR: *Genau: Äna Frick, wo eu freia Berger verbotta het, ünscha eiga Zmittag usam Wald ...*

Pa: *Äna Xander Frick*[9]*, wa ünsch Bärgär nugat Elender brunga het!*

CR: *Genau: Äna Xander Frick, wo eu stolza Berger ...*

Pa: *Saminawärch, Jagdgsetz, Ludmilla-Film, Hocheck-Lift ...*

CR: *Was Xander Frick? Mario Frick*[10]*! Der Mario Frick het eu Stiaragrind s Leba schwer gmacht!*

Pa: *Und sit dem Bau vom Tunnäll zwüschät Gnalp und Steg geits da joppa sowisoo zua und har wia ...*

CR: *Sägamol. Wo hens denn der vergessa? Ischt das en Japaner, wo si im Pazifikkriag öberem Kulm abgschossa hen?*

Pa: *Wir händ da joppa scho Milch gschtreckt, da siid ier im Tal no uf da Bömm ghockat!*

CR: *I glob, der het kann Aanig, was do im Moment im Land lauft. Lesisch du ka Zittig?*

Pa: *Ich bruucha kei Ziittig, zum wissa, was da alls falsch lauft im Land dunna!*

RC: *Jo, denn waascht du o gär net, vor was förnera groossa groossa Kriisa mier s Land grad bschötzen?*

Pa: *Wennds da än Kriisa gid, de heidär schä sälbär gmachat. Hät ma van Afang a d Finger drva laa, wärs au nia a so wiit cho.*

CR: *Denn findescht du also scho o, dass d Gegner vo da Verfassigsvorschläg Schold sin a dera ganza Misera?*

Pa: *Ich ha scho albi gseid, ma hät däm Chauf nia zuaschtimma turfa. Nia. Oberland und Unterland geid nid zäma. Geid nid! Äns ischt historisch beleid.*

CR: *He he he he!*

RC: *Jo also ...*

Pa: *Und de äni Fürschta. Nugat äns Kumeedi. Nugad äs Kaschperlitheater!*

CR: *Du wart etz!*

Pa: *Ischt au waar! Am 23. Jenner 1719 händ wier uf der Schlosswisa dunna ändära Huldigung nugad zua-*

9 Alexander Frick: schwarzer Regierungschef der Jahre 1945 - 1962

10 Mario Frick: roter Regierungschef der Jahre 1993 - 2001

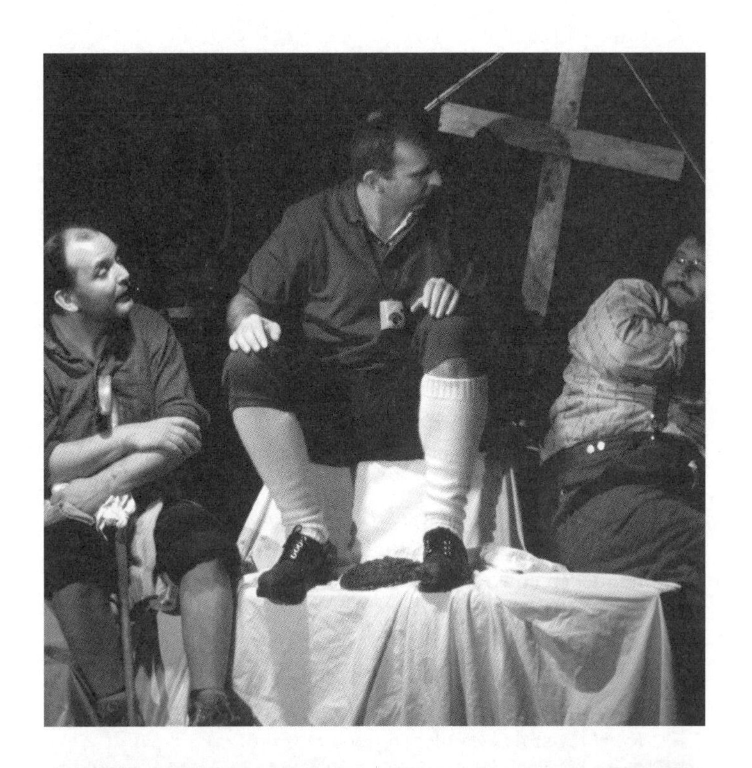

gschtimmd, will ma ünsch verschprocha hed, dia alta Rächt und Gwonheita nid z ändara.

CR: *Das ischt etz aber wörklig waansinnig intressant, was du do seescht. Wetscht mer das net* (nimmt ihn am Arm) *nochamol ufs Bändle säga?*

Pa: *Und was tüänd äni Striithänsli? Äna Eid ischt no nid verchlunga gsi, da händsch z Wian dussa scho än nääi Dianschtinschtruktioo erlaa, dür dia ma „die alte, üble" Regierig besittäga hed wella und radikali Reforma agordnet worda sind. Dia Sakerment!*

CR: *Also. S Band lauft!* (gibt Pa einen Stoss)

Pa: (stürzt nach vorn:) *Ahhh!*

RC sitzt, Ellbogen auf den Knien, das Haupt gebeugt und lang sam schüttelnd

CR: *Es ischt weder an össerscht befridigends Interviu gse. Össerscht segensreich. Wetscht amol loosa?* (schaltet Bändchen ein)

Pa: (ab Bändchen:) *Ahhh!*

CR: *Wetsches nochamol loosa?*

RC: *Nei nei. Loos no. Aber gell. Wenn denn alles verbei ischt, denn gommer weder anderscht metanander um. Gell. Alli!*

CR: *Klar!* (lässt das Bändchen nochmals laufen)

RC: *Denn simmer alli weder Fründ! Verschprechscht mer das? Bitte bitte bitte bitte!*

CR: *Klar. Mier sin jo denn sowisoo under üüs!*

Harmonie

Ingo **I**

I: *Guatan Oobed,*
i bi der Ingo und i bi harmoniisöchtig.
Tschold dra isches Bambi.
Ned d Beiz.
Der Film.
Als Buab bin i der a Wianächta gi luaga. Und das het mer glei mächtig imponiert. Am Aafang hets jo för der loschtig Kerle gär net a so schlecht usgluaget. Obwol er en schlechtan Umgang kha het: Hasa. Stinktier. Und so witter. Und denn het ma o noch us der Mama Rehschnitzel Mirza gmacht. Do ischt der Gschtrefel losganga. Am Schluss aber ischt denn der Vatter ko und het för Ordnig gsorget. Das het mer gfalla. O well a sövel Fraua im Kino bröölet hen.

Jo und sit dem han i eigentlig no noch ernigi Sacha luaga wella. O am Fernsee. Am Aafang a betzle a Problem - Aber net z gross. Soss schalt i grad um! - und am Schluss wören dia Bösa ganz grausam umbroocht und alli sin ganz häppi. Derbei ischt mer aber wechtig, dass joo dia familiära Wert hochghalta wören. Es ghöört dazu. Harmonii und Familia ghöören zemma. En Film luaga, wo ka familiäri Wert transchportiert, het kann Wert. Do lauf i vorher usem Kino ussi. Es verträg i net. Do bin i empfindlig.

I han alli Disney Film. Uf DVD. Und James Bond. Es ischt vom familiära Gsechtspunkt her en Grenzfall. Derför konn dia Bösa am Schluss öber, was si verdianen.

Ir letschta Zitt simmer etz dia Film a betzle verlaadet. Drum han i aagfanga, Pornofilm z luaga. Dött gits am End o immer a Häppi End. Und familiär isches o. Zeerscht wörd a betzle gschwätzt metanand und denn wörd a betzle granglet und nochher ... - eba - gitts denn Harmonii. Ned?

Unter Sennen III (Zvieri)
Mister **Mi**, Senn **S** und Batzger **Ba**

Mi: *Zeerscht amol möcht i eu ganz herzlig zo ösrem wöchentliga Lyrik-Wörkschop begrüassa. S freut mi, dass er alli so zaalriich erschina sin. Das gitt mer Motivatioo för witteri ernigi Veraaschtaltiga. Aber etz bin i natörlig gschpannt, was er sit ösra letschta Setzig z Papier broocht hen. Drum fangemer glei aa met da Lesiga vo öserna neua Text. Als Gedicht zom Tag han i eu en aagna Text metbroocht:*

Sennen-Haikuh
Die Kuh gibt Milch
Der Käser macht den Käse
Knochen im Sennenloch

Mi: *So, Senn. Denn denk i amol, d Reia wär a dier. Senn. Bitte!*
S: *Murmeltiers Geburtstag*

Die Mitternacht zog näher schon,
In stummer Ruh liegt das Malbun.
Nur oben in des Murmeltiers Schloss,
Da flackert's, da lärmt des Murmeltiers Tross.

	Dann endlich geht das Lichtlein aus *Und Friede herrscht im Murmelhaus.* *Im Murmelhaus lebt Murmelvater* *Mit Murmelmutter, Murmelkater,*
	Murmelnana, Murmelsohn, *Murmeltochter, Murmelenkelsohn,* *Murmelgoldfisch, Murmelziege,* *Murmelhamster, Murmelfliege,*
	Murmeluntermieter, Murmelhund, *Murmelschildkröt', Murmel ...*
Mi:	*I glob, mier wössen, was d mannscht!*
S:	*Heute feiern Murmeltiers ein Fest,* *Geladen sind auch viele Gäst':* *Murmelonkel, Murmeltante,* *Murmelcousin, Murmelanverwandte,*
	Murmelfreunde, Murmelarbeitskollegen, *Der Murmelbischof spendet Segen,* *Murmelnachbarn, Murmelbriefträger,* *Murmelbürgermeister, Murmel ...*
Mi:	*Jo. Guat. Witter!*
S:	*Im Frieden alle sind vereint.* *Selbst der Geier, Murmels grösster Feind,* *Ist gern auf die Einladung hin gekommen* *Und bringt ein Waffenstillstandsabkommen.*
	Doch einer fehlt, der wurd vergessen, *Und der hält nichts von solchen Spässen.* *Und weil er grausam ist in seiner Wut,* *Nimmt Flinte er und Jägerhut,*
	Legt unweit der Geburtstagsfeier *Sich in das Gras, der schlaue Meier,* *Und kühlt mit Kimme über Korn* *Den durch das Tier geweckten Zorn.*
	So knallt er nieder Murmelvater, *Murmelmutter, Murmelkater,* *Murmelnana, Murmelsohn,* *Murmeltochter, Murmelenkelsohn,*

Murmelgoldfisch, Murmelziege,
Murmelhamster, Murmelfliege,
Murmeluntermieter, Murmelschäfer,
Murmelschildkröt', Murmelkäfer,

Murmelonkel, Murmeltante,
Murmelcousin, Murmelanverwandte,
Murmelfreunde, Murmelarbeitskollegen,
Murmelbischof, Murmelsegen,

Murmelnachbarn, Murmelbriefträger,
Murmelbürgermeister, Murmelkaminfeger.
Mit einem Schuss in sein Gefieder
Streckt auch den Geier er dann nieder.

Mi: *Danke schön.*
S: *Bi no ned fertig!*
Die Mitternacht zog näher schon,
In stiller Ruh liegt das Malbun.
Nur in der Höhl' der Murmeltiere
Brennt das Licht noch bis um viere.

Es brennt auch später noch um sieben,
Denn keiner ist hier übrig'blieben,
Um alle Lichtlein auszuschalten.
Ja, so ist das in den Alpen!

Mi: *Und du, Batzger? Hescht du üüs o eppes Schöös gschreba?*
Ba: *Oben am jungen Rhein*
Lehnet sich Liechtenstein.
Wenn du noch einen Vater hast,
halte, Batzger, ihn hoch in Ehren.
Amen

Wildeler unter sich
Wildeler 1 **W1** und Wildeler 2 **W2**

W1: *Geschtert hens weder an verwöscht!*
W2: (flüstert) *I waas. Ned aso lutt!*
W1: (flüstert) *Z Russland.*
W2: *Weder am Weldala?*
W1: *Weder am Weldala!*
W2: *I han ems all gseet. Aber er het jo ned glooset!*
W1: *Er ischt all a betzle en Uuvorsechtiga gse.*

W2: *Ah ba. Dia söllen ned a so tua. Weld gits gnua. Und wenns mier ned nön, denn nünts en andra.*

W1: *Schwizer!*

W2: *Zom Beischpil.*

W1: *Oder Kanalinsulaner.*

W2: *S ganz Joor uf Küa schüüssa. Und denn bim Hochweld metweldala wella!*

W1: *Hen si alls üüs abgluaget!*

W2: *No hens halt mier i da Geen.*

W1: *Drum ka mas o ned afacht a so uusrotta.*

W2: *Jeds Land het sini Aagaheita. O mier.*

W1: *Kascht doch vo da Dütscha o ned afacht verlanga, si söllen sich vo hött uf morn umkrempla!*

W2: *Oder d Italiener!*

W1: *Oder d Italiener!*

W2: *Grad d Italiener.*

W1: *Aber vo üüs verlanga, dass mier ösri beschta Charakter-eigaschaftan uufgeen.*

W2: *Mier hen allbigs scho gweldelet!*

W1: *Mier alli!*

W2: *Ned no d Berger.*

W1: *Mier muan afacht weder derzua stoo.*

W2: *Schtolz sii muan mer uf üüs.*

W1: *Hemmer o alla Grund derzua!*

W2: *Und ned üüs dia ganz Zitt entscholdiga för das, was mer sind!*

W1: *Genau! Ned a so wia dia vor Regierig, wo do vor jedem und sim Berooter uf da Kneu ummarotschen!*

W2: *Degenerierti Weldeler sin das!*

W1: *Deformierti Welddiab!*

W2: *Kann Reschpekt hen dia vor öserna Traditiona!*

W1: *Vorem Noochlass vo öserna Vorfaara!*

W2: *Alles Weldeler!*

W1: *Und Hüenerdiab!*

W2: *Richtig! Und Schwarzbrenner!*

W1: *Und Schmuggler!*

W2: *Rii-Pirata simmer gse! Es loomer üüs ned nee!*

W1: *Mier lon üüs doch ned vo irgendwellna Weicheier ösri Vergangaheit nee!*

W2: *Ösers Erbguat stela!*

W1: *Ösri Nationaal Identität!*

W2: *Nia!*

W1: *Mier sin noch eppert. Mier! Öbrigens, der Matutu Malbuni het weder aaglüttet. Er kämt gern nögscht Wocha weder* *amol verbei met sim Köfferle.*

W2: *Du. Uumöglig. UU-möglig. I sött id Rehab. Weg dem Jagduufall.* (zeigt auf seinen Fuss)

W1: *A kumm etz. Dr Matutu. Er ischt vil wechtiger!*

W2: *Nei, han i gseet!*

W1: *Guat. Denn goot er halt uf d Virgin Islands.*

W2: *Was?*

W1: *Denn goot er halt uf d Virgin Islands. Du wascht, was es bedüttet.*

W2: *Virgin Islands, Virgin Islands. Jetz waart halt.* (schaut auf seinen Fuss) *So schnell muass der Schroot net ussa. Nögscht Wocha hescht gseet?*

W1: *Nögscht Wocha han i gseet!*

W2: *Guat. Nögscht Wocha. Meentig.*

W1: *S goot jo.*

W2: *Klar. Mier Weldeler muan doch zemmaheba!*

W1: *Eba. Uf üüs!*

W2: *Uf ösri Freiheit!*

W1: *Uf ösri nationaal Identität!*

W2: *Wildmannlis Heil!*

W1: *Wildmannlis Dank!*

Alb-Abtrieb (Unter Sennen V)

Senn **S**, Batzger **Ba** und Toggi[11] **T**

Der Batzger liegt im Bett. Neben ihm sitzt der Senn. Die Stimmung ist sehr dunkel gehalten.

S: *Dr Meschter het gseet, i söll der a Guatnachtgschecht verzella. Dermet besser schloofa kascht. Und mier üüs nöcher kon.*

Ba: (zieht eine Gabel unterm Bettzeug hervor) *Äns de nid!*

S: *Betta!*

Ba: *Ich bin rein, mein Herz ischt klein,*
wenn du noch einen Vater hast,
dann halte, Kind, ihn hoch in Ehren. Amen.

S: *Händ!*

Batzger hält die Hände in die Höhe

S: *Guat!*

Batzger versteckt sie wieder unter der Decke

S: *Nüt ischt! Händ uf d Decki! Denn gitts o ka Sauereia! Zee potzt?*

Batzger hält die Füsse in die Höhe

S: *Händ?*

11 *Sagenfigur*

Batzger hält die Hände in die Höhe

S: *Zee potzt?*

Batzger zeigt die Zähne

S: *Guat. Hol mer noch s Buach!*

Batzger zieht Heft unter der Decke hervor

S: *Also. I han amol a Bäsi kha. An aalti. Ischt scho lang tot. Der liab Gott sei era gnädig.* (Kreuzzeichen) *Dia het muusbääallää imana klinna klinna Hüüsle gwoont. Dr Maa, der Vetter Franz, ischt scho lang gschtorba gse. Und Goofa, wo zonera hetten luaga könna, het si kaani kha. So isch si der ganz Tag im Nescht glega und het Fernsee gluaget. Im Summer Spiel ohne Grenzen, der Tschirro und Vimplton. Im Winter Lauberhorn, Kitzbüel, Drüschanzaturnee und der Spenglerköp.*

Batzger schläft bereits

S: (weckt ihn) *Net schloofa! Loosa!*

Batzger hält die Hände in die Höhe

S: *Etz het mini Bäsi en Nochber ka, der Drüüfinger Adolf, der Ältischt vom Holzfuass Egon, wo all met sinera Frääsi am ummawerka gse ischt.*

Batzger schläft bereits

S: *Jo und irgendwenn ischt denn der Pechvogel mim Hempzepfel id Fräsi groota und do hets na so föri zocha, also zerscht hets na am Ranza verwöscht, also aso* (zeigt wie), *rechtig uufgschletzt, do sin em sini Gedärm noget a so ussapflodderet und do het er natörlig nochiluaga wella, was noch z rettan ischt und do ischt er bim Luaga z nööch draa und do ischt er grad o noch mettem Oog … Und denn hets em dr Oogapfel zerfräset. Und denn d Nasa. Und d Oora. Dia reschtliga drü Finger …*

Batzger hält die Hände in die Höhe

S: *Jo und do het ma halt gmunklet, do sei a Toggi im Speel gse. Oder en Schräätlig. Der hei das aagrechtet. Anderscht ischt das jo o gär net möglig gse. Aber bewiisa het mas dem Doggi natörlig ned könna, well a so na Doggi ischt o en gfitzta Siach. Es kunnt i mannigfaltiga Verkleidiga. Uf jeda Fall ischt d Bäsi gwarnet gse und het vo dött aweg all Obed en schweera Regel vord Tör gschoba. Mengs Joor lang. Aber wias der Teifel well, het sis denn pump amana dunkla, kalta Novemberoobed vergessa. Und well o grad nüt im Fernsee ko ischt, ischt si scho vorem 12 is Näscht. Und a so isch es ko, dass si um Mitternacht scho tüüf gschloofa het und denn …* (gähnt) *ischt si eba … um … Metternacht … Metter …* (schläft ein)

Dunkel. Ein kleines Licht
Batzger beginnt zu stöhnen, hinter dem Bett erscheint ein Kopf

Ba: (mit geschlossenen Augen, unter Stöhnen) *Gang awäg, Toggi. Laas mi i Rua!*

T: *Ich glaobe, man muss änfach seen, dass wia diese lädige Verfassungsdiskussion schon lange hätten gut hinter uns lassen können. Zumal wir ja im übrigen durchaus zuversichtlich sind, dass wir äne entsprechende Meahäät bekoomen.*

2001 Das LiGa und der Schlösslekeller

Nachdem wir mit dem „Holding“ das Vaduzer Kellertheater (Vaduzersaal) bespielt hatten und feststellen mussten, dass diese Bühne für unser nächstes Projekt – das Kulturprogramm „Hirsch & Wurscht“ - leider nicht geeignet war, schauten wir uns Anfang des Jahres 2000 nach geeigneten Lokalitäten in Vaduz um. Regina Marxer brachte uns schliesslich auf die Idee mit dem leerstehenden Hotel Schlössle. Über Umwege konnten wir einen Kontakt zur Besitzerin, einer einst im Kulturbereich tätigen Dame aus Deutschland, herstellen und bereits beim ersten Gespräch, bei welchem wir lediglich um die einmalige Einmietung im grossen Schlössle-Saal baten, führte sie uns in den Keller zur hoteleigenen Kegelbahn und bot uns an, diese auf eigene Kosten für eine permanente Kleintheaternutzung umzubauen. Wir sollten uns lediglich für eine mehrjährige Nutzung der Lokalität verpflichten!

Es sollte noch zwei Jahre und zwei Produktionen („Hirsch & Wurscht“ und „Best of“) im Schlössle-Saal dauern, bis wir im Winter 2002 das Provisorium des Schlösslekellers erstmals – und nur mit einer Sonderbewilligung – für ein Programm nutzen konnten („Monte LiGa“). Am 17. Oktober 2003 ging es dann richtig los! Aus dem aus einer Not heraus gegründeten Verein „Eine Bühne für das LiGa“ war das Vaduzer Kleintheater „Schlösslekeller“ geworden. Für das LiGa bedeutete dies, dass wir endlich über eine eigene Hausbühne verfügten, deren Technik und Techniker wir jederzeit in Anspruch nehmen konnten und wo stets eine willige Kaffeemaschine auf unsere zittrigen Daumen wartete.

Zu den beiden ersten Produktionen im Schlössle-Saal konnten wir nach vielen Jahren den „Mann fürs Grobe" Markus Schädler wieder ins LiGa-Boot holen. Zudem übernahm Bruder Filipp den Barbetrieb und stellte eine Helfer-Equipe zusammen, auf deren Hilfe wir uns auch heute noch verlassen können. Markus, Filipp, Guido und Madlen sind aus jener Zeit fix im Schlössle-keller-Team dabei. Silvia kam ein Momentchen später.

Weitere Aufführungen:

Im fabriggli Buchs (CH), im Keller 62 Zürich (CH) und im Botanischen Garten Brüglingen/Basel (CH).

Für die Aufführungen in der Schweiz wurde das Programm den jeweiligen örtlichen Gegebenheiten angepasst und in einer gekürzten, zum Teil mit älteren Nummern versehenen Version gespielt.

HalleLiGa!

Fürchtet Euch nicht

Texte: Mathias Ospelt
Musik: Marco Schädler
Regie: Ingo Ospelt
Premiere: 5. November 2003, Schlösslekeller, Vaduz
Derniere: 7. Januar 2004, Schlösslekeller, Vaduz

Programm

Song: Petit Papa Noël (Tino Rossi)

„Da Liechtenstein geboren war …“

Unternehmen ‚Weihnachtsfeier', Teil I

Lehrling I

Im Aufzug I

Song: Mommer tommer hommer (Tschüggerhymne)

Schulamt

Unternehmen ‚Weihnachtsfeier', Teil II

Lehrling II

Telefonzentrale

Unternehmen ‚Weihnachtsfeier', Teil III

Men in Black

Image-Störenfried

Im Aufzug II

„Kasper bekommt Post“ (Marionettentheater)

It's showtime!

a Harmoniemusik Täscherloch

b Jodelclub Klar & Fest

c Dualer Männerchor: "Melchior und Balthasar"

d Primarschüler: „Der Wespe Abschied“

e Drei Könige: "Die heilige drei Könige"

König Melchior bei der FrePo

Lehrling III

Song: Fürchtet Euch nicht!

„Da Liechtenstein geboren war ..."

Dunkel, nur der Schein der Weihnachtsbeleuchtung
(aus dem Off, Predigerstimme:)

> *Da Liechtenstein geboren war am Vorderrhein im europäischen Lande, zur Zeit des maltesischen Vorsitzes im Europarat, siehe, da kamen die Weisen vom Morgenland nach Europa und sprachen:*
> *"Wo ist das neugeborene Land der Liechtensteiner? Wir haben seinen Stern gesehen im Morgenland und sind gekommen, es anzubeten."*
> *Da das der Europarat hörte, erschrak er und mit ihm das ganze Europa. Da berief der Europarat die Weisen heimlich und erlernte mit Fleiss von ihnen, wann der Stern erschienen wäre, und wies sie gen Vaduz und sprach:*
> *"Ziehet hin und forschet fleissig nach dem Ländle; wenn ihr's findet, so sagt mir's wieder, dass ich auch komme und es auf Herz und Nieren prüfe."*
> *Als sie nun den maltesischen Vorsitzenden des Europarats gehört hatten, zogen sie hin. Und siehe, der Stern, den sie im Morgenland gesehen hatten, ging vor ihnen hin, bis dass er kam und stand oben über, da das Ländle war.*

Unternehmen ‚Weihnachtsfeier', Teil I

Reto Kieber **Ki**, Leiter Stabstelle Imagefragen, Herr Kaiser **Ka**, Stabstellenleiter-Stellvertreter Medien, und ein Lehrling **L**

Ka: *Hoi!*
Ki: *Hoi!*
Ki: *Hender s Budget scho abgee?*
Ka: (zieht Nase hoch) *`törlig!*
Ki: *`törlig.*
Ka: (zieht Nase hoch) *Mier sin allbigs dia Erschta, wo alls grecht hen. Mier sin allbigs im Zittplaa. Mier halten üüs allbigs ad Vorgaba. Mier hen no nia en Nochtragskredit ...*
Ki: *Eu gitts jo o no gär ned a so lang!*
Ka: (zieht die Nase hoch) *`törlig!*
Ki: *Jo kumm etz! Euri Stabschtell het man amol erscht vor eppa drü Mönet offiziell is Leba grüaft. NOCH der Stabschtell för Kommissioona und NOCH der Stabschtell för Kleine Anfragen.*
Ka: *Aber noch VOR der Stabschtell för Verfassigsumsetzigs-*

frooga, der Stabschtell för Wanderweg und der Stabschtell för Ämterbeldig. Mier ghöören also scho lang zom Inventar!

Ki: *Jo guat. Wenns a so aaluagischt …*

Ka: (zieht die Nase hoch) *Wia söll is denn soss aaluaga?*

Ki: *I maan no: Wenns a so aaluagischt, denn gitts dia meischta Stabschtella scho lang. Zomindescht dia, wos etz gitt. Well jo baal weder neui derzuakonn. Und denn sin dia neua wederom alt. Genau.*

Ka: *Wo kunnt der Bomm her?*

Ki: *Das ischt a Gegagschenk. Us Wian*[1].

Ka: (zieht die Nase hoch) *Wer sin ier noch amol?*

Ki: *Schtabschtell Imitschfrooga*

Kaiser zieht die Nase hoch.

Ki: (reicht ihm die Hand) *Leiter Stabschtell för Imitschfrooga. Kieber. Reto.*

Ka: (zieht die Nase hoch) *Ier sin absolut öberflössig. Was ier tonn, konn mier o. No speditiver! Das betzle Arbet, won ir hon, erledigt min Lehrling im Bus zor Arbet.* (zieht die Nase hoch) *A paar Telefon im Stau ir Herragass und: d Arbet vomna Tag Stabschtell Imitsch erledigt!*

Ki: *So?*

Ka: (zieht die Nase hoch) *`törlig!*

Ki: *`törlig.*

Ka: *Ösers Budget han i uf der Schiissi gmacht. Bim Zittiglesa.*

Ki: *`törlig.*

Ka: *`törlig! Wo ischt der Drett?*

Ki: (schaut auf die Uhr) *Kan Aanig! Ich luag amol.* (nimmt Tabletten raus, haut sich ein paar rein)

Ka: (nimmt Handy raus) *Kaiser!*

Ki: (nimmt Handy raus) *Do ischt der Reto. Din Chef. Sorry, dass i stöör, aber …*

Ka: (zieht die Nase hoch) *Hen mier s Budget scho gmacht?*

Ki: *Du, säg amol, wia stoots met em Budget förs nögscht Joor?*

Ka: *Jo denn hopp!*

Ki: *Ok – Ok – Ok – Ok!*

Ka: *Vo mier?*

Ki: *Vo mier?*

Ka: *Was för Aagaba?*

Ki: *Was för Aagaba?*

Ka: *Vo mier?*

Ki: *Vo mier?*

Ka: *Ka Zitt!*

Ki: *Ka Zitt. I muass doch dia Wianachtsfiir vorbereita. Met em*

1 Auf Weihnachten 2003 hin wurde im Schaaner Wald eine der schönsten Tannen gefällt, um diese an den Wiener Weihnachtsmarkt zu verfrachten.

Kaiser. Und dem ...

Ka: *Do schwätzemer spööter noch dröber.*

Ki: *Mir schwätzen denn spööter noch dröber.*

Ka: *`törlig! Aber fang scho amol a!* (Telefongespräch fertig) *Ölgötz!* (zieht die Nase hoch)

Ki: *Bis spööter! Tschau. Susi ...*

Lehrling kommt

L: (ausser Atem) *Sorry. Aber ich ha noch ...*

Ka: *Dini Chefin im Kopierraum ufs Krüz lega mösa?*

L: *Ö. Nei.*

Ka: *Hescht wenigschtens d Händ gwäscht?*

L: (schaut zu Kieber) *I ha noch ids Lager muassa.*

Ki: *Scho recht. Als Lehrling darf man a betzle z spoot sii.* (gibt ihm die Hand) *Grüass di.*

L: *Grüezi, Herr Kieber. Grüezi, Herr Kaiser.*

Ka: (tut nicht dergleichen) *Hescht d Händ secher net gwäscht!* (zieht die Nase hoch) *Z früa ko het d Chefin sowisoo net gern.*

Ki: *Also. Hender eu eppes öberleet?*

Ka: *`törlig!* (zu Kieber) *Leg los! I ha ned ewig Zitt!*

Ki: *Jo. Also. Jo. Du. Das ischt ned a so afach. I ha mer scho a betzle eppes öberleet, aber grundsätzlig muass i säga, ...*

Ka: *Met andera Wort, du hescht nüt öberleet!*

Ki: *Nei. So ka mas o net säga. I bi afacht noch i dr Projektphaasa und dött kan i noch ka verbindligi ...*

Ka: *Schlicht und ergreifend:* (zieht die Nase hoch) *Nix. Nüt. Nada. Söllen doch dia andra der ganz Schiissdregg macha. Ischt doch so. Oder?*

Ki: *Naa. I bi afacht ned öber dia erscht Entwickligsschtufa ...*

Ka: *Und du?* (zieht die Nase hoch) *Bischt du scho öber dia erscht Entwickligsschtufa? Oder söll i besser dini Chefin fröga? Also. Machemer förschi. Hescht eppes?*

L: *Nei!*

Ka: *Z dumm?*

L: *Nei. Ier heid mir ir letschta Sitzig uusdrücklig verbotta, dass i mir Gedanka macha. Das sei nu Ziitverschwendig. Us ama Schnäcka künn ma jo o kä Formel-1-Pilot macha.*

Ka: *Han i gseet?!*

L: *Heid ier gseit.*

Ki: *Hescht du gseet. Möösst sogär im Protokoll stoo.*

Ka: *Wer macht denn bi üüs a Protokoll?*

Ki: *Ähhh. Also i ha ...*

L: *Mir heidärs usdrücklig verbotta, dass ids Protokoll macha. Us ama Herdöpfelsack künn ma jo au kä Regierigschef macha*[2]*. Das sei nu Zittverschw ...*

Ka: *Wo bin i do eigentlig? WO BIN I DO GLANDET? Niemert, wos Protokoll schriibt. Niemert, wo sich Gedanka macht. Niemert, wo Verantwortig öbernünnt ...*

Ki: *Jo wia luagts denn bi dir us? Hescht du a paar Idea ...*

Ka: *JO, WAS GLOBSCHT DENN DU EIGENTLIG! I HA DOCH KA ZITT FÖR SO PLÄUSCH! I BI SCHLIASSLIG KAN STABSCHTELLALEITER SO WIA DU! I BI*

2 Dies im Gegensatz zum Image-Berater der Regierung Mario Frick, Herrn Klaus J. Stöhlker, der einmal sinngemäss meinte, er könne selbst aus einem Kartoffelsack einen Bundesrat machen.

STABSCHTELLALEITER-STELLVERTRETER!

Ki: (zum Lehrling) *Kumm! Mier öberlegen üs schnell eppes!*

Ka: *VIZE BIN I! WÖSSEN IER ÖBERHOPT, WAS DAS HAASST? VIZE? DAS HAASST, DASS I S ZWEI UFEM BOGGEL HA! ABER NED EPA, WELL I DER ZWOOT BI, SONDERN WELL I FÖR ZWEI SCHAFFA MUASS! WELL I DR KARRA VO MIM INKOMPETENTA STABSCHTELLALEITER ZÜHA MUASS. I. I GANZ ALLAA! UND KA SAU HELFT MER DERBEI. KA SAU!*

Ki: (zum Lehrling) *Hescht scho eppes?*

Kaisers Handy klingelt.

Ka: *Kaiser! - Was Budget? Es kascht der is Födlan ihi schoppa! Es interessiert doch mii ned! - Gib mer gschiider schnell a paar Idea förna Wianachtsfiir - `törlig dia hüürig! Wenn denn soss? - Secher net! - Blödsinn! - Mee fallt der ned ii? För was wören ier eigentlig zallt? - Tschau! He! Und vergess mer s Budget ned!* (legt auf) *Zom Glöck för eu ha wenigschtens ii mini Huusufgaba gmacht. Also:*
- D Wianachtsfiir findet im Tresner Saal statt
- Zeerscht gitts en Apéro
- Denn a Begrüassig dora Regierigschef
- A klinni „humoristische Einlage" vo ösrem Oberwitzbold. Es muass er gär ned vorbereita. Es langet, wenn er sin dumma Grind zaaget.
- Denn gitts Essa. Soppa. Salot. Broota. Nüt Vegetarisches. Soss stinken dia Wiiber no weder a so.
- Noch em Hoptgang der Sketch vom Amt för Personal und Organisation
- Dessert
- Dernoch Tanz met ‚Wuarscht'n Brot'
- Anschliessend „Gemütliches Beisammensein"
Het das an vo eu metgschreba?

Ki: *Entschuldigung. Aber, äähh, das ischt doch genau s Programm vom letschta Joor!*

Ka: *`törlig ischt das s Programm vom letschta Joor! Das ischt doch genau d Idee: Never change a winning Wianachtsfiir!*

Ki: *Aber der Regierigsschef het uusdröklig gseet, er welli das Joor amol eppes ganz anders!*

Ka: *Und?*

Ki: *Drum het ma jo o das OK is Leba grüaft!*

Ka: *Jo?*

Ki: *Soss wär doch dia ganz Üabig gär ned notwendig!*

Ka: *Jo und etz?*

Ki: *Eba.*

CBF
BRASIL

Ka: *Wia?*
Ki: *Wian i gseet ha.*
Ka: *JO DENN MACHEN DOCH EUREN GOTTVERDAMMTA HUARA SCHIISSDRECK ALLAA! I HA SCHLIASSLIG NOCH ANDERS ZOM TUA! HUARA SEICH!* (und ab)
Ki: (nimmt Tabletten) *Ma het mi gwarnet!* (steht auf)
L: *Du! Herr Kieber! Ich han än Idee!*
Ki: *Ned etz! Ned etz! Mach du gschiider a Protokoll.* (ab)
Lehrling nimmt Heft raus, schreibt was rein.

Lehrling I
Lehrling **L**

L: (liest in seinem Heft) *Erstens: Wier händ äs minimals Budget. Schliasslig muasswär spara.*
Zweitens: D Wianichtsfiir süll ds Gmeinschaftsgfüül stärcha.
Drittens: Wier sötten isch uf ünschi Kernkompetenza konzentriera.
Ich fasse zusammen: D Wianichtsfiir süll billig sii, – „Spaarmaassnaama" – gmüatlig sii – „Gmeinschaftsgfüül" – und simpel gschtrickt sii – „Kernkompetenz".
Ich ziehe folgende Schlussfolgerung: Wier träffänd isch ir Kathedrala, – „Kernkompetenz" (macht einen Haken ins Heft) *– singänd Wianichtsliader und tringänd Tee – „Gmeinschaftsgfüül"* (macht einen Haken ins Heft) *– und am Schluss – „Sparmassnahme" - kunnt jeda äs Exemplar vo „Die Thronreden des Landesfürsten 1938-1989" uber.* (macht einen Haken ins Heft) *Da häwär jo no ädda 7.000 Exemplar im Lager. Hm. Mal luaga.*

Im Aufzug I
Amtsleiter 1 **A1** und Amtsleiter 2 **A2**

A1: *Grüezi*
A2: *Danke*
A1: *Und Ihna?*
A2: *Ischt scho recht.*

A1: *Und soss?*
A2: *Das wärs denn.*
A1: *Sinder mim Auto do?*
A2: *Grausam!*

A1: *Im Voradelberg gitts dia beschta Wörscht.*
A2: *Mier hen all noch dia högscht Selbschtmordraata.*
A1: *Tresa, Vadoz und Schaa waksen zemma.*
A2: *Knöpfle kascht noget am Schellaberg essa.*

A1: *En rechta Schua koscht 500 Stutz.*
A2: *Dia beschta Schnitzel macht all noch mini Mamma.*
A1: *Neuseeland ischt vil schönner wia Auschtralia.*
A2: *A Fründin, wo mi ka Geld koscht, ischt nüt wert.*

A1: *Jo denn.*
A2: *Ebafalls.*
A1: *Ka ma nüt macha.*
A2: *Ade!*

Mommer Tommer Hommer (Tschügger-Hymne)

[Äh, kascht net, kascht du, könntischt net no?
Frög der Ding do, frög der Ding!
Söll der Ding do? Frög der Ding do!
Öh … Kascht net, könntscht net no, kascht net du?]

Meentig Marga
Varem Zmarga
Ton mi d Sarga
Fascht verwarga

Tschüggi-di-tschügg-tschügg
Tschüggi-di-tschügg

All noch kotzblau
Stüüra, Scholda
Und o d Potzfrau
Ned aagmolda

Kumm i endlig is Büro
Brennt scho alles lichterloo
Alles gräzet „Füürio!"

„Stop!" säg i „I bi jo do!"
Alli Räder bliiben stoo
Min Befeel, der goot a so:

Zeerscht gommer
Denn mommer
Denn hommer
Der Jommer
Denn stonmer
Denn lommer
Denn tommer
Denn konnmer
Grad alls a so sii loo
Wias ischt

Donnschtig Marga
Nochem Zmarga
Ton mi d Sarga
Fascht verwarga

Tschüggi-di-tschügg-tschügg
Tschüggi-di-tschügg

S Gschäft i Nööta
Als ir Klemmi
Uufträg flööta
Remmi demmi

Kumm i spööter vom Büro
Brennt dahoom alls lichterlo
Alles gräzet „Füürio!"
„Stop!" säg i „I bi jo do!"
Alli Räder bliiben stoo
Min Befeel, der goot a so:

Zeerscht gommer ...

Sunntig Marga
Vorem Zmarga
Ton mid Sarga
Fascht verwarga

Tschüggi-di-tschügg-tschügg
Tschüggi-di-tschügg

Uf da Banka
Net gern gsaha
Vil z vil Franka
Underschlaha

Schloof i endlig comme il faut
Zwiggt mer d Aalt in schlaffa Po
Und si gräzet „He! Hallo!
I het Loscht uf Holdrio!“
Plötzlig bliibt mis Rädle stoo
Min Befeel, der goot a so:

Zeerscht gommer …

Schulamt

Vater **Va** und Sekretär **S**

Va: (ohne Anklopfen) *Wo ischt er?*
S: *Wer?*
Va: *Der Chef natörlig. Wer denn soss?!*
S: *Der Herr Schualamtsleiter ischt anera Konferenz.*
Va: *Z Pisa?*
Sekretär hört den Scherz jeden Tag und gibt keine Antwort.
Va: *Denn bring mer der Stellvertretter. Aber rassig. I ha ned vil Zitt. I schaff schliasslig ir Privatwörtschaft. Ned a so wian ier. Dött wärender scho lang verlumpet. Also. Hopp. Wo ischt er?*
S: *Er ischt o ned umma.*
Va: *O am Nasabora?*
S: *Nei. Fortbeldig.*
Va: *Ischt die Katze aus dem Ort, bilden sich die Mäuse fort!*
S: *Kann i eppes uusrechta?*
Va: *So eppes bin i mier net gwennt. Dermet das klar ischt. So eppes kunnt bi mier net vor. Normalerwiis ischt man umma, wenn i kumm!*
S: *Jo hen Sie sich aagmolda?*
Va: *Seher net! Simmer do im Liachtaschtaa oder i irgendanera Bananarepublik? „Aagmolda“! Es simmer üüs net gwennt! Wenn i kumm, het man umma z sii! A sonen Lotterverein! Do sött ma glob i amol khöörig uusmeschta, glob i!*
S: *So wia ir Privatwörtschaft?*
Va: *Bruuchscht mer gär net a so ko, du Bleischteftschpetzer! Es bin i mier im Fall net gwennt!*

S: (versuchts im Guten) *Wo muan Sie denn hi? Oder wer oder was bruuchen Sie denn? Vilecht kan ii Ihna jo o helfa!*

Va: *Was? Du? Mier helfa? Es söll wol en Witz si! Ier steggen doch alli unter anera Deggi!*

S: *Wer? Met wem?*

Va: *Ier alli! Ier alli zemma vo dem Ämtle! Metarbeiter, Leerer, Schualabwaart. Alli! Wer do schafft, hets doch im wörkliga Leba nia gschafft! Wer do underi ko ischt, het doch ir Schual verseet.*

Sekretär will intervenieren.

Va: *Nüt ischt! Amol Leerer – allbigs Leerer! Muascht mer gär nüt verzella! Amol Leererseminar – allbigs Pfadifüerer! I kenn mi scho aus. Jeden Tag eine gute Tat! Jeden Tag die Inkompetenz des Kollegen decken! Und wemmer scho bi guata Taata sin: Gitts do eigentlig kan Kaffee, wemma na Beschprechig het? Es bin i mier im Fall net gwennt!*

S: (drückt auf Knopf) *Annunziata, könntischt du uns noch zwei Kafi bringen?* (zu Vater) *Zocker? Melch?*

Va: *Gär nüt. I well gär nüt vo eu! Es wärs denn noch!*

S: *Aber etz hen Sie doch grad gseet, Sie hetten gärn en Kaffee!*

Va: *Han i es gseet? Han i es wörklig gseet? I glob, i ha gseet, öbs do kan Kaffee gitt! Es ischt eppes ganz anders! Eppes ganz anders!*

S: (ins Gerät) *Lass es, Annunziata. Kein Kafi. Danke!*

Va: *Uf was i ha ussiwella, ischt, öb ma do kan Kaffee aabottan öberkunnt! Verschtooscht! „Aabütta!" Fründlig sii zo da Kunda! Zo da Geldgeber! Mier zalen schliesslig euri Ghäälter!*

S: (ins Gerät) *Sorry, Annunziata. Jetzt bräucht ich doch noch einen Kafi. Aber mache ihn bitte stark!*

Va: *Es tät eu nüt schada, wenn er em normala Volk uf der Strooss medamana betzle mee Reschpekt begegna tätend. Es wär noget Aaschtand. Verschtooscht, du Schualmeischterle! Aaschtand! Rück-sicht-nahme! Und wenn i scho grad do bi: Bin i doch net letscht Wocha zomana Elteragschprööch iiglada wora. Iiglada! I! Als Vatter! Wössender was? Wössender was, han i gseet: I bi mer gwennt, dass ma mi frööget, öb i Zitt ha! Verschtooscht! Öb i Zitt ha! Net der ander! Schööni Iiladig ischt das, wenn i ned amol säga ka, öbs mer öberhopt passt. Und denn noch vo mier verlanga, dass i do med irgendamana gschtudierta Voradelberger Tottel oder noch minders a am Tesch hogga muass und zualoosa muass, wian er min Goof schlecht macht! Nei nei! Nei nei, du! Wenn eppert seet, dass min Goof nüt* *ka, denn bi das denn all noch ii! I! Sin Erzüüger! Es darf ned amol sini Mamma säga! Verschtooscht mi! Ned amol sini Mama! Aber i bi sowisoo numma länger bereit, der ganz Zauber afacht a so metzmacha! Do hemmer a so na Kom-meedi ka, bis mer der Lalli endlig im Ginasium ka hen und denn a so eppes! Elteragschprööch! Es ischt doch net d Ufgab vo dan Eltera, z luaga, dass d Goofa eppes lernen! Ösri Ufgab ischt, dass si am rechtan Ort sin! Hescht du eigentlig an Aanig, was mi das alaa a Telefóner a dia entschprechenda Stellana koscht het?! Primarleer! Schualamt! Beldigsminischteri! Regierigschef! VBI! Wärend mineran Arbetszitt muass ii ummatelefoniera, dermet min Sohn o joo a guati Uusbeldig öberkunnt. Wärend der Arbetszitt! Und wer zallt mer das?! Und denn: Guati Uusbeldig! Wenn dia Uusbeldig wörklig a so sauguat ischt, wian er all sägen, werom bringt er mer denn all Einser und Zweier ham. Es kas doch net sii. Es kas doch net sii! Verschtooscht! Wenn das a guati Uusbeldig wär, denn het er noget Sekser!*

Sekretär ab.

Va: *Aber met mier numma. Met mier numma! I wör ab sofort jedi einzeln Notan aafechta! Glei in Rekurs! Numma lang ummadiskutiera! Dia söllen mier zeerscht bewiisa, dass min Simon-Wenzel sini Feeler öberhopt und denn o wössentlig gmacht het! Na nei, du! Na nei, du! Net met üs! Und i has mim Simon-Wenzel scho gseet. Simon-Wenzel, han i gseet, das machemer ganz afach. Der Leer git dier a schlechti Nota, du schlachscht em aani dri. So afacht goot das. Wia ir Privatwörtschaft. Er schiisst dier id Kappa. Du schiissischt zrogg. Zack Peng! Aus die Maus! Do het net no min Simon-Wenzel eppes glernt, sondern der Leer grad o! Und guat ischt.*

Aber der Hammer ischt scho der hüürig Summer gse. Was fallt eu eigentlig ii! Hitzefrei ge, aber das erscht an Tag vorher ir Zittig bekannt macha! Do ka sich doch öseraas gär ned druuf iischtella! Mini Frau bruucht schliasslig o en Uuslauf! Si het schliasslig o a Leba! Und das muass plaanet sii! Und wenn denn ier vo am Tag ufan andra hitzefrei gen, denn muass en Babysitter hera! Der Simon-Wenzel stellt mer doch soss s Huus ufa Kopf! Suuft mer der Wiikäär leer! Roocht mer mini Zigaran aweg! Klaut mer s Cabrio! Goot mer a mini Videosammlig, der Saukerle! Na nei, du! Na nei, du! Aber dia Rechnig hemmer schöö em Schualamt gscheggt! Met Kopii ad Beldigsminischteri! No, dass es dokumentiert ischt! Heilandzack! Es zalemer secher ned! Als öb mier Eltera för ösera Saugoof verantwortlig wären!

Unternehmen 'Weihnachtsfeier', Teil II

Lehrling **L** und Kaiser **Ka**

Lehrling sitzt und schreibt in sein Heft. Sobald Kaiser kommt, macht er sein Heft zu und versorgt es.

Ka: (mit weissem Staub um die Nase) *Aaahhhh! Der Herr Generaldirektor! Het d Chefin hött uf Iri Dianscht verzechta könna?*

L: *D Frau Schafhauser ischt im Spital.*

Ka: (zieht die Nase hoch) *Vierling?*

L: *Gaschtroenterokolitis, glaub i.*

Ka: *Denn wörscht di a Wiile lang beherrscha mösa, du arabischa Hengscht! Säg amol. Wo kunnscht du öberhopt her?*

L: *Vom Bärg.*

Ka: *Vo wellem? Vom Kilimandscharo oder vom Sinai?*

L: *Sie meinänd wägät minera Huudfarb, Herr Kaiser?*

Ka: *Genau, Herr Lehrling. Weget dinera Huttfarb. Oder si dr am Bärg di jobba so nöch ar Sunna, dass ier afochas s ganz Joor Sunnabrand hen?*

L: *I bi z Kolumbia gebora.*

Ka: *Denn dörft der Vatter entweder Entweckligshelfer oder Treuhänder sii?*

L: *Weder noch. Beziähigswiis, i weis nid, wär min Vatter ischt. Mini Eltera händ mi adoptiert.*

Ka: *Werom?*

L: *Warschindli händsch ds Gfüül kha, dass ma schi än Platz im Himmelriich erkaufa künn, wenn ma schi amman arma Negerli aanämm.*

Ka: *Pech, wenn der liab Gott a riichs Negerli ischt.*

L: *Oder än Beamta.*

Ka: (zieht die Nase hoch) *Hescht denn noch Verwandti z Kolumbia?*

L: *Verwandti nid. Aber wer händ no Kontakt zom Waisahuus, wan i gsi bi.*

Ka: *Und vo dem Waisahuus kunnscht nia Bsuach öber?*

L: *Werom?*

Ka: *Jo. Denn könntens mer jo amol a paar kolumbianischa* (zieht die Nase hoch) *Spezialitäta metbringa.*

L: *Schnittbluama?*

Ka: *So eenlig. O eppes Abpaggts.*
L: *Banana?*
Ka: *Fascht. No ned gääl.*
L: *Würscht?*
Ka: *Macht ma dia us Kokablätter?*
L: *I freega amal.*
Ka: *Mach das. Aber säg, der Kieber hei gfrööget. Gell. So. I muass witter. Du hescht jo alles im Greff, sach i do. Also: Hasta manana!* (ab)
L: *Hasta la vista, Kaiser!* (nimmt Heft raus. Schreibt hinein)

Lehrling II
Lehrling **L**

L: (liest in seinem Heft) *Erstens: D Wianichtsfiir süll albi noch ds Gmeinschaftsgfüül stärcha.*
Zweitens: Wier sötten isch allbi no uf ünschi Kernkompetenza konzentriera.
Drittens: Üns Budget würd alltag wenägär.
Ich ziehe folgende Schlussfolgerung: Wier singänd albi noch Wianichtsliader und tringänd albi noch Tee, – „Gmeinschaftsgfüül" (macht einen Haken ins Heft) *– träffänd isch aber neu z Vaduz im Fürschtliga Wald – „Kernkompetenz"* (macht einen Haken ins Heft) *– und als Spar-Gschenkli gits s blaurot Verfassigsbüachli vam Fürscht. Äns kamma nid gnuag lesa.* (macht einen Haken ins Heft) *Hm. Äns würd mer än bsinnlägi Fiir gä.*

Telefonzentrale
Telefondame 1 **TD1** und Telefondame 2 **TD2**

TD1: *Sii tuats afochas grausam, wia sis am machen!*
TD2: *Mir machets scho lang keina mee!*
Gacker gacker gacker
TD2: *Geschtert ischt mini Tante met der Nochbüüri in Waal gi spaziera.*
TD1: *S Senzili?*
TD2: *Genau. S Senzili. Zemma mim Frenzili. Und wia si aso dora Waal tripplen, do sacht s Frenzili plötzlig en bruuchta Pariser ufem Waalboda. Der nünnt si uuf met irem Stegga und zaget na em Senzili und seet: Sii tuats afochas grausam, was do a so im Waal ummalitt! Und s Senzili nünnts,*

hebts as Muul und seet: Und s Bescht lon si dinna!
Gacker gacker gacker
Telefon
TD1: (nimmt ab, mit normaler Stimme) *Landesverwaltung. Guata Taaaag? - Jo? - Nei! - I tua Sie grad verbinda!* (drückt auf Knopf) *För di!*
Telefon
TD2: (nimmt ab) *Jo? Nei! I tua Sie grad verbinda!* (drückt auf

Knopf) *I glob, s ischt gliich för di!*

Telefon

TD1: (nimmt ab, mit verstellter, tiefer Stimme) *Jooooo? - Nei! - I tua Sie grad verbinda!* (drückt auf Knopf, mit normaler Stimme) *Du bischt!*

Telefon

TD2 nimmt nicht ab.

TD1: *Nümm scho ab!*

TD2: *Etz waart. Etz loomer na ir Wianachtsliaderschloofa sötterla.*

Beide singen:

Glockenklang aus der Ferne,
über uns leuchten Sterne.
Kein Mensch weit und breit,
wir sind zu zweit,
wandern durch den weissen Winterwald.

TD1: *Nümm etz ab! Du bischt!*

TD2: (nimmt ab) *Amt för Stüürhinderzüchig. Guata Tag! – Wia bitte? – Nei. Do sin Sie falsch verbunda. Wobei. Wemmer Sie grad dra hen ... – Jo? – Vo mier us. I tua Sie weder zroggverbinda. Iri Nummera hemmer jo jetz.* (drückt auf Knopf) *Puh! So en läschtiga Siach!*

Telefon

TD1: (nimmt ab) *Jo? – Wer bitte? Ah jo. Sin Sie all noch ir Leitig? Nünnt niemert ab? So so. Amt för Stüürhinderzüchig? Hei! Sii tuats afochas grausam, wia sis am machen! Jojo! Und s Bescht lon si dinna! Jo! I tua Sie verbinda. (legt auf)*

Kein Telefon

TD2: *Wo hescht na etz hiigscheggt?*

TD1: *Direkt zom Kaiser.*

TD2: *Und wo het er hii wella?*

TD1: *Zom Regierigsschef.*

TD2: *Und werom hescht na zom Kaiser gscheggt?*

TD1: *Weller sich bim Regierigsschef öbera Kaiser het beschwäära wella. Etz kann er sis Problem grad direkt löösa.*

[...]

Unternehmen ‚Weihnachtsfeier', Teil III

Kieber **Ki**, Kaiser **Ka** und Lehrling **L**

Ki: (liest in der Zeitung) *Do stoot, dass der Droogamissbruuch i da Chefetaagena all mee zuanünnt. An Unter-*

suachig het ussagfunda …

Ka: *WAS? WAS FÖRNA UNTERSUACHIG?! WAS FÖRNA TENDENZIÖSI, UUSERIÖSI UNTERSUACHIG SÖLL DAS SII?! DIA SÖLLEN GSCHIIDER AMOL BI DENAN A RAZZIA MACHA, WO ERNIGI UNTERSUACHIGA DORIFÜEREN! Und denn amol bim Sozialamt nochiluaga, was dött för Pflänzle und Krüttle i dan Amtszimmer waksen! Oder bim Amt för Umweltschotz! Und bim Flöchtlingsamt!* (reisst ihm die Zeitung aus der Hand) *Wer schriibt a sonen Dregg? Was förna abkaatreti Sach ischt do weder am süüda?! WIA HAASST DER? SDA? Han i no nia khöört! Könnt en Doppelnamma sii. S-D-A. Secher a Wiib!*

Ki: *Sda haasst Schweizerische Depeschenagentur. Das ischt en Korrespondenta …*

Ka: *WAS! SCHWIZER! JETZT LANGETS! MUASS MA SICH VO DENA DENN ALLES GFALLA LOO!*

Ki: *Aber si schriiben doch öber d Schwiz!*

Ka: *UND WEROM STOOT DAS I ÖSERNA ZITTIGA!*

Ki: *Das ischt doch gär ka Zittig vo üüs. Das ischt d NZZ!*

Ka: *WAS! DU LESISCHT A SCHWIZER ZITTIG? A LINKI SCHWIZER ZITTIG! I GLOBS NET. I GLOBS AFACHT NET!*

L: *Grüezi!*

Ki: *Grüezi!*

Ka: *„GRÜEZI"? I GLOB I HÖR NED RECHT! „GUATA TAG" HAASST DAS! GUATA TAG! ODER GRÜASS GOTT, WENNER DRUUF BESCHTOND. ABER „GRÜEZI"? Gon doch glei gi Hornussa oder gi Ovo fressa, heitara Siach!*

L: *Guata Morgät, Herr Kaiser.*

Ka: (zieht Nase hoch) *I verträg der Schwizer Kulturimperialismus all weniger.*

Ki: (zu Lehrling) *Muascht entschuldiga. Der Herr Kaiser und i hen geschtert noch a längeri … Setzig kha. Etz simmer a betzle müad … und greizt.*

Ka: *S wörd högschti Zitt, dass mer en aagna Fernseesender hen! Denn höört das uuf met dem Ummaschwizerla. Denn hört ma no noch ösera Dialekt.*

L: *Äns glaub i nid.*

Kaiser zieht Nase hoch.

Ki: *Er mannt, dass das met em Dialekt scho bim Radio ned funzioniert het.*

L: *Äns mein i nit. I meina, dass es da kä eigna Dialekt gid.*

Ka: (zieht Nase hoch) *I ha das ironisch gmannt.*

Ki: *'törlig!*

Ka: *'törlig!*

L: *'türlig!* (zieht sein Heft raus) *Also. I ha mer das mit dera Wianichtsfiir noml dür da Kopf ga la und hammär folgendi Uberleckäga gmachät. Gäld ischt keis umma. Beziähigswis: äs weer scho umma. Nu bruuch mäs für wichtägäri Sacha. Schwarzi Botschafter, schwarzi Radiolüüd, än schwarzi Zuakumft ...*

Ka: *Zur Sache, Schoggitoggi!*

Ki: *Mach witter!*

L: *Wian i also gseid ha: Gäld ischt keis umma. De mach wär än Underhaaldig, wa nüd koschtät. Oder fascht nüd. Wier bietän än riisa Show mid allem, was bi ünsch im Land Rang und Nama hed.*

Ka: *Du wetscht aber ned eppa der Onkel Herbert als Wianachtsma ufd Büni stella?*

Ki: *Etz looss na doch!*

L: *Mid allem, was bi ünsch im Land Rang und Nama hed. Ir Kulturszena!*

Ka: *O Jessesmareia!*

Ki: *Interessant! Mach witter.*

L: *Tänzerinna, Clowns, Kabarettischta, Musigbands, Jongleur, Zauberer und und und. Wier zeigen da Lüüt ir Landesverwaltig, was ma da im Land für wenig Gäld mit engagierta Künschtler und tolla Produktiona ...*

Ka: *Tänzerinna! Sehr guat! Da het i noch a guati Adress ir Tschechei ...*

L: *I meina eigentlig nid ändärä Tänzerinna.*

Ka: *Was mannscht denn du eigentlig för Tänzerinna?*

L: *Halt richtägi.*

Ka: *Mannscht du, i tei ka richtigi Tänzerinna kenna?*

Ki: *I glob, er mannt Tänzerinna, won an Uusbeldig gmacht hen.*

Ka: *Hen mini o. Dia bescht! In der Schule des Lebens!*

Ki: *Jo aber si hen kan künschtlerischan Aaschproch.*

Ka: *Hesch du an Aanig! Das ischt Kultur pur!*

Ki: *Jo. Freikörperkultur.*

Ka: *Was ischt do dra schlecht? No well du a gschtöörts Verhältnis zo dim Körper heschtt?*

L: *Ja sind das Liachtaschteiner Tänzerinna?*

Ka: *'törlig!*

Ki: *I ha ka gschtöörts Verhältnis zo mim Körper im Fall!* (wirft ein paar Tabletten ein)

Ka: *Mier hen schliasslig Land ir Tschechei!*

Ki: *MIER net. Der FÖRSCHT het Land ir Tschechei.*

Ka: *Aber er seet all, es sei ösers.*

Ki: *Jo, das ischt a sona Floskla. „Siis" – „Ösers". Er nünnt das ned a so genau. Der hetti a Fröd, wenn mier ufd Idee kämten, dia Ländereia als ösra Besitz z betrachta …*

Ka: *Denn machemer halt a völkerverschtändigendi Darbietig druus. „Folkloristische Tanzgruppe aus Mähren".*

L: *I uberlek mer das nochamal. D Adrässi könntens mr ja scho amal gä.*

Ka: *I muass zeerscht luaga, won i si ha.*

L: *Jo und wia findätär schä suss, mini Idee?*

Ki: *Seer guat! Das wörd en richtiga Hit!*

Ka: *Dia Idee met da Tänzerinna ischt guat. Tänzerinna konn ganz guat. Der Reschta brüüchts mineran Aasecht netta. Clowns, Füürschlocker, Elefanta. Es goot mer eerlig gseet am Arsch verbei. Aber Tänzerinna? Mo moll!*

L: *De süll i amal Kontakt ufnä mid dena Lüüd?*

Ki: *Seer guat! Nümm du amol Kontakt uuf. Und frög glei, was si koschten.*

Ka: *Halt o nüüt! Erschtens hemmer absolut ka Geld för der Aalass und zweitens sött en Uuftrett vor der Landesverwaltig anawäg an Eer sii. Grad för en Liachtaschtaaner Künschtler!* (zieht Nase hoch) *Und weg dena Tänzerinna: Dött het i o noch a guati Adress z St. Petersburg. Ganz guati Waar. Ganz guati Waar. Frösch. Knackig. Apropos Petersburg: Han i eu eigentlig scho vo mim neua Schletta verzellt?*

L/Ki: *Jo!*

Ka: *Dr BMW Z4. En offna Zweisitzer. Einzigartig im Design. Perfekt im Handling. Makellos ir Verarbeitig und fulminant ir Leischtigsentfaltig. Und wössender, was es Bescht ischt?*

L/Ki: *Jo!*

Ka: *Wemana bim Heidegger kooft, …*

L/Ki: *… denn ischt der Kleber*[3] *scho druuf!*

3 Kleber mit der Aufschrift „Für Gott, Fürst und Vaterland", die als Zeichen der Fürstentreue auf Autohecks geklebt wurden, womit man bei Fahrten ins Ausland einen super Image-Auftritt machte.

Image-Störenfried

Regierungsvertreter **Re** (mit Baseballschläger) und sein Assistent

Re: *Meine sehr verehrten Damen und Herren Pressevertreter, „heutzutage stehen alle“ westlichen „Staaten in einer Image-Konkurrenzsituation. Da müssen wir mithalten“*[4]. *Wie Sie aber wissen, hat Liechtenstein diesbezüglich je länger je minder ein Problem. Es scheint, die nicht-liechtensteinische Welt will einfach nicht wahrhaben, dass wir gar nicht so sind wie es unser Image weismachen will beziehungsweise, dass unser Image gar nicht so ist, wie wir gerne hätten, wie es wäre.* (prüft Schläger) *Image und Realität sind also nicht kongruent.* (schlägt mit Baseballschläger ein Luftloch) *Zack! Nicht deckungsgleich. Realitätsverrückt. Sozusagen. Verständlicher ausgedrückt: Unser Image in der Welt draussen und unsere Realität im Innern drin sind völlig verschieden. Da gibt es eine Diskrepanz. Und da es schwieriger ist, das Image im Äussern als die Realität im Innern zu ändern, packen wir das Problem an der Wurzel: im Innern. Damit es dann nach Aussen strahlt. Und strahlen soll es ja: unser Strahlenstein. Unser strahlend sauberes Liechtenstein. Unser Sauberstein.*

Assistent. In Bomberjacke, T-Shirt und Springerstiefeln.

Re: *Wie Sie wissen, haben wir nun zahlreiche Anstrengungen unternommen, um eine breit abgedeckte Image-Korrektur vorzunehmen. In Phase 1 machten wir daher eine „umfassende Umfrage in Staaten, die für uns strategisch wichtig sind“. Bevor wir nun aber mit einer ausführlichen Auswertung der gewonnenen Daten viel wertvolle Zeit und Geld verloren hätten, gingen wir rassig und direkt in die Phase 2 der Imageoffensive: Wir legten uns an mit dem Europarat. Es ist wichtig, dass wir mit solchen Aktionen unsere Selbständigkeit, unsere Autonomität, unsere Einzigartigkeit beweisen. Was uns aber noch nicht ganz gelungen ist, ist die Bevölkerung in seiner ganzen Gänze aus eigenem Willen unter eine Decke zu zwingen. Denn: Es kann der Beste nicht im Frieden leben, wenn es der „engagierten Minderheit“ nicht gefällt. Deshalb haben wir uns für Phase 3 für eine „Duale Strategie“ entschieden. „Duale Strategie heisst konkret, dass man Komplexitäten meistern muss. Und Komplexitäten meistert man mit Vereinfachungen“* (zeigt auf den Assistenten). *Je komplexer das Problem,*

4 Die Zitate stammen sowohl aus dem im Mai 2003 präsentierten Kommunikationskonzept der Regierung „Liechtenstein – The Global Village“ wie auch aus einem Interview mit Gerlinde Manz-Christ, Leiterin der Stabstelle für Kommunikation und Öffentlichkeitsarbeit, erschienen im Staatsfeiertags-Magazin „Offensive Liechtenstein“ des „Liechtensteiner Vaterlands“ (2003).

desto einfacher die Lösungsstrategie. Überfremdung, Arbeitslosigkeit, Monarchiemüdigkeit, egal was. Die Lösung muss jeweils beeindruckend simpel sein. (übergibt dem Assistenten den Baseballschläger) *Die Kernaussage der Offensive ist nun folgende: „Jede Liechtensteinerin, jeder Liechtensteiner ist ein Botschafter ihres/seines Landes". Diesen Botschaftern wird eine „Basisinformation zur Verfügung gestellt, um die Kernbotschaften entsprechend nach aussen zu tragen. Wir verfügen über knappe Ressourcen. Wir arbeiten daher mit Multiplikator-Effekt." Natürlich ist diese Idee nicht auf unserem Mist gewachsen. Aber alle guten Ideen wurden irgendwann einmal geklaut. Alle grossen Staatsmänner haben geklaut. Die Römer bei den Griechen. Hitler bei Mussolini. Schröder bei Blair. Bush bei den Taliban. Und und und.*

Beide gehen langsam ins Publikum

Erinnern Sie sich? Vor einiger Zeit machte im St. Gallischen Buchs eine Bürgerbewegung Furore. Aktion „Störefried". Da wurden so genannte „Störenfriede" - Drogenhändler, die aufgrund ihrer Hautfarbe gut als solche zu erkennen waren - von guten Bürgern observiert, bei ihrem verwerflichen Tun begleitet und letztlich aus ihrem nicht angestammten Areal vertrieben. Hier kam die Duale Strategie wunderbar zur Anwendung:
Ein komplexes Problem: Drogenhandel.
Eine einfache Antwort: Vertreibung der Händler.
Das Problem, das wir nun in Liechtenstein haben, ist, dass die hiesigen „Störenfriede" gerade eben aus diesem Lande stammen, sie also nicht unbedingt an ihrer Hautfarbe zu erkennen sind. Also. Was tun?
Haben wir heute zufälligerweise einen solchen „Störenfried" im Publikum? Hm? Ja wo sind sie denn, die Jöömeri, die Leserbriefschreiber, die nach Strassburg Seckler, die Rätschis und Denunziererlis!? Die Landesverräter? Hä! Ahhh! (findet einen) *Da ist einer! Keine Angst. Ihnen geschieht nichts! Im Gegenteil!* (winkt den Assistenten her). *Im Gegenteil! Mein Assistent wird sich ein wenig in Deiner Nähe aufhalten* (Assistent stellt sich direkt hinter ihn) *und schauen, dass Dir nichts geschieht. Und er wird sich ab sofort permanent in Deiner Nähe aufhalten und schauen, dass Dir nichts passiert. Gell!* (gibt dem Assistenten ein Zeichen und geht wieder auf die Bühne) *Das nennt sich „Image-Frühwarnsystem", sehr geehrte Damen und Herren: Frühwarnsystem. So werden der Allgemeinheit schädliche Umtriebe frühzeitig erfasst, erkannt und eliminiert. Und das ist gut so.*
Für ein strahlendes, offensives, neues Liechtenstein!
Danke!

Regierungsvertreter ab, Assistent bleibt bei Störenfried.

Im Aufzug II

Amtsleiter **A** und König Caspar **KC**

A: *Grüezi!*
KC: *Bonjou'!*
A: *Und Ihna?*
KC: *Où est-ce que je t'ouve le* (schaut auf Zettel) *'egie'ungssek'eta'iat?*

A: *Und soss?*
KC: *Le 'egie'ungssek'eta'iat. S'il vous plait.*
A: *Sinder mim Auto do?*
KC: *Non. Avec des cameaux.*

A: *Im Voradelberg gitts dia beschta Wörscht.*
KC: *C'est quoi: Wö'scht?*
A: *Tresa, Vadoz und Schaa waksen zemma.*
KC: *Et le 'egie'ungssek'eta'iat?*

A: *En rechta Schua koscht 500 Stutz.*
KC: *Oscht? C'est l'ouest?*
A: *Neuseeland ischt vil schönner wia Auschtralia.*
KC: *Aaah! L'Oscht'alie!?*

A: *Jo denn!*
KC: *Me'ci beaucoup!*
A: *Ka ma nüt macha.*
KC: *Dieu vous ga'de! Conna'd!*

König Melchior bei der FrePo

Ein Beamter der Fremdenpolizei **FP** und König Melchior **Me**

FP: (stempelt was rum) *32.995, 32.996, 32.997. Jetz han i denn baal alli. 32.998, 32.999 ...*
Melchior kommt mit einem Geschenk unterm Arm.
Me: *Guten Tag!*
FP: *Du nicht können anklopfen?*
Me: *Oh. Verzeihen Sie. Die Tür war offen. Bin ich hier richtig beim* (schaut auf einem Zettel nach) *Ausländer- und Passamt?*
FP: *Du immer überall hineingehen, wo sein offen?*
Me: *Nein. Ausser ich muss dort rein.*
FP: *A ha. Ausser du müssen dort rein. So so.* (mustert den König) *Und was du jetzt wollen? Wahrscheinlich Familiennachzug, hä? Immer dasselbe.*
Me: *Nein.*
FP: *Ja was du denn dann wollen? Arbeitserlaubnis?*
Me: *Nein.*
FP: *Ausweis verloren? Dass ihr immer euren Ausweis verlieren.*
Me: *Auch nicht. Meine Papiere sind in Ordnung.*
FP: *Das sein Ansichtssache! Wo du kommen her?*
Me: *Aus Persien, guter Mann.*

FP: *A ha! Aus Bagdad!*

Me: *Das liegt im Irak, guter Mann. Ich aber komme aus Persien.*

FP: *Du mir nicht sagen, wo Persien liegen! Ich schon wissen, wo Persien liegen! Wir alle wissen, wo Persien liegen! Wir schliesslich haben Perserteppich.*

Me: *Gut. Dann wissen Sie ja, dass der Irak nicht zu Persien gehört.*

FP: *Irak gehören zu Persien, Türkei gehören zu Persien, Ägypten gehören zu Persien …*

Me: *Wenn Sie darauf bestehen.*

FP: *Du mir zerscht zeigen Papiere!*

Melchior gibt ihm seinen Diplomatenpass

FP: *Ho ho. Diplomatenpass!* (blättert drin rum, gibt ihn wieder zurück) *Du wissen, Diplomatenpass hier nicht gültig!*

Me: *Was heisst hier nicht gültig? Diplomatenpässe sind überall auf der Welt gültig!*

FP: *Hier nicht!*

Me: *Und warum nicht?*

FP: *Sein neue Bestimmung. Wir müssen sein vorsichtig. Wir uns müssen wehren gegen böse Menschen aus dem Ausland, die kommen mit Diplomatenpass und dann bringen Kommeedi über unsere schöne Land!*

Me: *A ja.*

FP: *Genau. Ich dich können jetzt sofort in Gefängnis sperren, wenn du haben Drogen auf dir. Gefängnis nicht weit von hier. Sehr praktisch.*

Me: *Also ich bitte Sie. Ich bin doch kein Drogenhändler!*

FP: *Ich nur sagen, was passieren, wenn du Drogen haben.* (betrachtet das Geschenk) *Was du da haben?*

Me: *Das dich nichts angehen!*

FP: *Du nicht werden frech! Sonst ich rufen Verstärkung. Also. Was du da haben?*

Me: *Ein Geschenk.*

FP: *Was das sein für Geschenk? Geschenk für mich? Du mich wollen bestechen?*

Me: *Nein. Ein Geschenk für Ihr Land. Wobei …*

FP: *Ich nochmals fragen: Was das sein für Geschenk? Ich nicht wollen wissen, für wen. Ich wollen wissen, was.*

Me: *Gold.*

FP: *Gold?*

Me: *Gold.*

FP: *Das sein verboten!* (streckt die Hand aus) *Hergeben!*

Me: *Ich glaub, mein Schwein pfeift. Das Gold ist ein Geschenk zur Geburt Eurer Nation. Eine kleine Aufmerksamkeit aus*

meiner Heimat.

FP: *Das jeder sagen können.* (streckt die Hand aus) *Hergeben!*

Me: *Gar nichts geb ich her, verdammich noch mal! Ich brauche eine Auskunft und nichts weiter!*

FP: *Hergeben und ich geben Auskunft!*

Me: *Das ist Erpressung!*

FP: *Hergeben und ich geben Auskunft!*

Me: *Ok.* (gibt das Gold rüber) *Ich möchte aber klar festgestellt* *wissen, dass diese Übergabe ganz klar gegen meinen Willen vonstatten geht und ich eine entsprechende Kompensation für dieses Gastgeschenk verlange!*

FP: *Schon gut.* (nimmt das Gold, beisst rein) *Gold. Tatsach! Du sprechen Wahrheit.* (nimmt Telefon)

Me: *Könnten Sie mir jetzt vielleicht als Gegenleistung sagen, wo ich meine beiden Reisegefährten finde? Ich habe sie unglücklicherweise verloren.*

FP: *Hoi! I bis. Du, do stoot a sonen Muselmaa met amana Barra Gold … - Mimna Diplomatapass, genau! Aber woher ..? – Was? Bi dier stoot o so an? WAS het der derbei? Stinka wiad Sau?*

Me: *Das wird wohl Balthasars Weihrauch sein.*

FP: *Das werden wohl von dem Balthasar sein Weihrauch sein, seet er. - Eba. - Balthasar. Genau. - Wie du heissen?*

Me: *Melchior!*

FP: *Er heissen Melchior. Und dein Muselmann heissen Balthasar. - Genau. Dann wir haben zwei Muselmann - Du jetzt aber nicht mit mir sprechen müssen wie mit einem Muselmann! - Was, ich haben angefangen? Ich nur haben versuchen zu dolmetscheren. - Guat. Und was machemer etz met dena? – Du. Woorschinnlig sins Russa. - Männscht? Männscht? – Oke! Guat. Alles klar! Tschautschau!* (legt auf, gibt Melchior den Goldbarren zurück) *Du haben Schwein gehabt. Dein Kollege seien in gleiche Gebäude. Du ihn treffen unten vor der Tür. Dann ihr beide gehen vorne an Hauptstrasse und warten auf Bus von Balzers. Dann ihr nehmen Bus von Balzers und fahren nach Vaduz. Dort ihr schon finden eine Bank, wo eure Ware nehmen. S ischt jo schliasslig Wianächta!*

Lehrling III

Lehrling **L**

L: (kommt und findet einen Brief auf dem Tisch) *An das OK der Weihnachtsfeier.* (dreht den Brief um) *Vom Schloss. Hei! Gits noch än Wianichtsgrati?!*

Er öffnet den Brief

Off: *An das Organisationskomitee der Weihnachtsfeier der Füastlichen Landesverwaltung. Sehr geehrta Herr Kaiser, sehr geehrta Herr Kieber, mit grossem Vergnügen habe ich der von Ihnen organisierten Weihnachtsfeier der Füastlichen Landesverwaltung beiwohnen düafen. Ich glaube,*

man muss einfach sehen, dass das Niveau des heimischen Kulturschaffens allen ausländischen Unkenrufen zum Trotz sehr hoch ist und das ist sicherlich auch ein Verdienst von Ihnen. Ich habe daher vorgesehen, Sie beide mit dem Titel „Fürstlicher Kulturrat" auszuzeichnen.
Hochachtungsvoll …

L: *Jo und ich? Das Ganza ischt doch miini Idee gsi!* (zerknüllt den Brief) *Ä so än Gemeinheit!* (geht ab, kommt wieder mit einer grossen Schachtel) *Wennds asoo ischt, dass afaa jeda än Ordan uberchunnt, de wol!* (fängt an, Plastikorden aus der Schachtel ins Publikum zu werfen). *Da! Nämät!*

Fürchtet Euch nicht!

Wenn dein Goldfisch nicht folgt,
Dein Chihuahua dich stresst,
Deine Tochter durchdreht
Und dein Sohn dich erpresst,

Wenn dein Vater bescheisst,
Deine Mutter nur lügt,
Wenn die Frau dich verlässt,
Und dein Mann dich betrügt,

Ja, dann fürchte dich nicht!
Fürchte dich nicht!
Alles alles wird gut!
Hab guten Mut!
Fürchte dich nicht!

Wenn dein Chef dich entlässt,
Keine Arbeit sich find',
Die Geliebte dir schreibt,
Sie erwartet ein Kind,

Wenn das Geld nicht mehr kommt
Und der Schuldenberg steigt
Und der Strom wird gekappt
Und das Telefon schweigt,

Ja, dann fürchte dich nicht …

Wenn die Zeitung dir dein
Abo aufkünd't,
Deine Radiostation
Deine Laune dir nimmt,

Wenn der Schlaf nicht beruhigt,
Die Tablette nicht schützt
Und das Trinken nicht hilft
Und das Kiffen nichts nützt,

Ja, dann fürchte dich nicht …

Wenn dein Kater miaut,
Vor die Tür sich nicht traut
Und dein Bello rumbellt,
Weil des Nachts jemand schellt

Und du nachschauen gehst
Und da liegt halb verwest
Ein Kadaver als Gruss
Eines braunen Halbschuhs,

Ja, dann fürchte dich nicht ...

Wenn der Nachbar nicht grüsst
Und der Wirt dich anschweigt,
Wenn der Pöstler nicht kommt
Und der Orden ausbleibt,

Wenn das Image versagt,
Jeder Witz' drüber macht,
Wenn kein Schwein dich versteht
Und dich nur noch auslacht,

Ja, dann fürchte dich nicht ...

Wenn Europa dir droht:
Fürchte dich nicht!
Wenns zu eng wird im Boot:
Fürchte dich nicht!

Wenn der Himmel einfällt:
Fürchte dich nicht!
Wenn sie stehnbleibt, die Welt:
Fürchte dich nicht!

Wenn der Mond explodiert:
Fürchte dich nicht!
Wenn die Sonne erfriert:
Fürchte dich nicht!

2003 **Das LiGa und die Obrigkeiten**

Eine der meistgestellten Fragen ans LiGa lautet: „Ist der Fürst schon einmal schauen gekommen?" Nein. Selbstverständlich nicht. Wozu auch? Gut. Zu den ersten beiden Produktionen haben wir ihn brav eingeladen. Als er dann nie kam, haben wir das wieder seinlassen. Man muss auch bedenken, dass ein Fürst im Publikum unserer Sache nicht unbedingt dienlich wäre. Die Aufmerksamkeit der Zuschauer wäre ja nicht mehr auf uns gerichtet, sondern alleine auf den Landesherrn. Da hätten wir am Ende noch die Einnahmen mit ihm teilen müssen. Nein danke!

Grundsätzlich hatten wir immer ein gutes Einvernehmen mit der Obrigkeit. Wir machten unsere Spässchen über sie und sie liess uns in Ruhe. Hin und wieder kam es sogar vor, dass das LiGa von Vertretern der Regierung zu offiziellen Anlässen eingeladen wurde. Zwar nie als Ehrengäste, dafür aber als Programmpunkte. Da wir jeweils den Eindruck hatten, dass uns diese Auftritte irgendwann einmal etwas bringen würden, das über das rein Finanzielle hinausgeht, nahmen wir alle diese Auftritte an. Bis auf einen. Und das kam so:
Im Oktober 2002 kam der damalige österreichische Justizminister Böhmdorfer ins Land. Wie schon bei ähnlichen Anlässen zuvor – z.B. beim Besuch des Staatssekretärs für Kunst und Medien Morak – wurden wir angefragt, ob wir ein kurzes Pro-

gramm zeigen könnten. Wir konnten. Aber dann trat eine von den Mühen des Lebens noch unerfüllte Ressorthilfsarbeiterin auf den Plan, die uns eine Liste an Themen zukommen liess, die wir auf keinen Fall ansprechen dürften. Wir lachten über diesen tölpelhaften Versuch der Zensur und machten weiterhin gute Miene. Dann meldete sich die Dame mit der Bitte, ihr das Manuskript des Programms zukommen zu lassen. Das konnte ich nicht, da ich es selber noch nicht hatte. Da wurde ich aufgefordert, der guten Dame den Termin unserer Generalprobe durchzugeben, damit sie unser Programm im Vorfeld kritisch begutachten könne. Ich bedankte mich für den Auftrag und schickte ihr die Adresse eines mir bekannten Clowns. Irgendwo hört's ja schliesslich auf. 3.000 Stutz hin wie her.

Weitere Aufführungen:

Im fabriggli Buchs und im Keller 62 Zürich.

Die LiGa-Homestory

Texte: Mathias Ospelt
Musik: Marco Schädler
Regie: Ingo Ospelt
Premiere: 3. November 2004, Schlösslekeller, Vaduz
Derniere: 18. Dezember 2004, fabriggli, Buchs

Programm

Gähnen

Namibia

Südwestlied (trad.)

Gastarbeiterkinder

Song: I brunz i der Rhii (Pissing in the River)

Wie es dazu kam 1

Quecksilber

Kochen

Song: An einem schönen Tag im letzten Herbste

Wie es dazu kam 2

Frauen

Song: Frau Hilbe, die Staubmilbe

Song: Der Passagier (The Passenger)

Heimat

Song: Plem Plem (Chan Chan)

Wie es dazu kam 3

Freunde

Ferien

StaZI

Song: Von guten Freunden

Wohnen

Wollen Sie mein Freund sein?

Wahlen

Kandidaten

Song: Muss i denn (Wooden Heart)

Abstimmung

Resultat

Namibia
Mathias **M** und Ingo **I**

M/I: *Als wir damals …*
M/I: *Als wir damals …*
I: *Fang du an!*
M: *Neinein. Mach nur.*
I: *Ok. Also als wir damals nach Liechtenstein kamen,* (macht Kunstpause) …
M: *… da war das alles nicht so einfach.*
I: *Erzähl jetzt ich oder du?*
M: *Du!*
I: *Eben.*
M: *Ich helf dir nur, wenn du nicht mehr weiterweisst!*
I: *Aber ich hätt ja weitergewusst!*
M: *Das hat aber nicht so getönt!*
I: *Mann, das war eine Kunstpause!*
M: *Das hat aber eher nach „Ich-weiss-nicht-mehr-weiter" getönt!*
I: *Was soll jetzt das!? Ich fang doch nicht eine Geschichte an und weiss nach dem ersten halben Satz nicht weiter!*
M: *Würd mich nicht überraschen!*
I: *Würd's dich nicht?*
M: *Würd mich nicht, nein. Das liegt bei uns in der Familie. Dinge anfangen und nicht fertig machen. Da kannst du gar nichts für.* (ins Publikum) *Sie müssen wissen, wir kommen aus Afrika.*
I: *Wieso erzählst du das jetzt? Es war abgemacht, dass ICH das erzähle!*
M: *Mir schien, deine Geschichte wäre nicht mehr vorwärtsgekommen. Sie wäre ein wenig ins Stocken geraten. Ins Hintertreffen. Sie hätt sich ein wenig verirrt. Auf glitschiges Terrain. Wär mal schnell um den Block Zigaretten holen …*
I: *Als wir also damals von Afrika nach Liechtenstein kamen, da war das alles gar nicht so einfach!*
M: *Meine Rede!*
I: *Die Sprache. Die Leute. Die Höhe. Die Berge. Die Sitten und Gebräuche …*
M: *War ja ganz eine andere Kultur!*
I: *WAS war eine andere Kultur?*
M: *Das hier!*
I: *Anders als WAS?*
M: *Als das, wo wir herkamen!*
I: *Da kannst DU dich ja dran erinnern!*

M: *Ich konnt mich schon immer besser erinnern als du!*

I: *Auch an Dinge, die du gar nicht erlebt hast, weil du noch gar nicht auf der Welt warst?*

M: *Gerade die!*

I: *Und wie bitte soll das gehen?*

M: *Ich verfüge über ein äusserst sensibles Instrumentarium an Empfindungen. So war es mir zum Beispiel bereits im Mutterbauch gegeben, mittels meines emotionalen Oszillographen gewisse Ereignisse, die in der Aussenwelt vor sich gingen, zu registrieren und anschliessend richtig einzuordnen.*

I: *Zum Beispiel?*

M: *Zum Beispiel deine morgendliche Aufstehroutine! Die konnte ich über ein ausgeklügeltes Abhörsystem durch Mutters Bauchwand hindurch via Nabelschnur als eindeutig meinem cholerischen Bruder zugehörig identifizieren. Was mir den Ausstieg aus dem mütterlichen Raumschiff nicht sonderlich verlockend gestaltete. Gerne wäre ich noch ein wenig durch die Weiten der Fruchtblase geschifft und hätte fremde Welten und neue Lebensformen entdeckt. Aber es sollte nicht sein. Es sollte nicht sein. So war es denn am Ende ein kleiner Schnitt für den Arzt, aber ein grosser Lebensabschnitt für mich.*

I: *Bringst du jetzt nicht etwas durcheinander?*

M: *Doch. So war's. Ich kletterte raus, steckte mein Fähnlein in die gute Liechtensteiner Erde und rief: „Ik bin ein Waduzer Knöpfli"!*

I: *Nicht das. Ich meine das davor. Die Vorgänge, von denen ich hier gerne erzählen würde, wenn du mich endlich liessest, beziehen sich auf eine Zeit, da warst du noch nicht einmal geplant.*

M: *Siehst du, wie sensibel ich war! Ich spürte alles durch meines Vaters … „Kleingepäck".*

I: *So genau wollen wir das jetzt auch nicht wissen. Jedenfalls: Als wir, also meine Eltern und ich, von Afrika nach Liechtenstein kamen, da war alles nicht so einfach.*

M: *Wir waren ja in Namibia gewesen. Unser Vater stammte väterlicherseits von einer Familie Ospelt aus Saarbrücken*[1]*, der es gefiel, gegen Ende des 19. Jahrhunderts nach Damaraland im heutigen Namibia auszuwandern.*

Böser Blick von Ingo

M: *Aber erzähl doch du!*

I: *Wir waren also in Namibia gewesen …*

M: *… auch bekannt als Deutsch-Südwestafrika …*

1 Das Saarland ist neben Liechtenstein einer der wenigen Landstriche dieser Welt, in denen der Familienname Ospelt existiert.

I: *... wo sich der Vater als Diamantenschürfer verdingte ...*

M: *... und die Mutter als Dienstmagd beim Bahnhofsvorsteher von Windhoek ...*

I: *... und als sich dann im Zuge der Entkolonialisierung das Land ...*

M: *... entkolonialisierte ...*

I: *... fassten unsere Eltern den folgenschweren Entschluss, ...*

M: *... also Vater fasste den Entschluss, Mutter blieb noch eine Weile „drunten" ...*

I: *... fassten unsere Eltern den Entschluss, dass Vater nach Europa zurückauswanderte ...*

M: *... re-emigrierte sozusagen ...*

I: *... und Mutter dann mit mir, ...*

M: *... der in der Zwischenzeit geboren worden war, ...*

I: *... nachfolgen sollte. Nachdem Vater auf seiner beschwerlichen Rückreise über Angola, Belgisch-Kongo, Französisch Äquatorialafrika, Lybien und Italien schliesslich durch Vaduz kam und dort die vielen Namensverwandten vorfand ...*

M: *... Metzgerei Ospelt, Schreinerei Ospelt, Sattlerei Ospelt, Schuhmacher Ospelt ...*

I: *... und dort die vielen Namensverwandten vorfand ...*

M: *... Blumen Ospelt, Ludwig Ospelt, Bäckerei Ospelt ...*

I: *... Bäckerei Ospelt?*

M: *Komm, halt dich nicht mit Details auf!*

I: *... als er also all diese Gewerbetreibenden vorfand, fühlte er sich sogleich heimisch und bewarb sich in einem Gastbetrieb als Gastarbeiter.*

M: *Eine Stelle fand er aber nur im benachbarten Sevelen.*

I: *Voller Freude schrieb er darauf an seine Angetraute im fernen Namibia die Worte:*

M: *„Katza rammlen scho im Hornig,*
d Sevela[2] ischt Welt ir Ordnig".

I: *Wie bitte?*

M: *„Proteschtanta, Törkaschtumpa*
Helft em Tüüfel bim Göllapumpa[3]"

I: *Ich bin sprachlos!*

M: *Das war Mutter auch.*

I: *Anyway ...*

M: *Auf jeden Fall ...*

I: *... reiste sie dann mit mir nach.*

M: *Ich war ja bereits da. In Vaters „Kleingepäck"!*

2 Sevelen: Gemeinde im St. Galler Rheintal, mit Vaduz durch zwei Rheinbrücken verbunden

3 Spruch, den die katholischen Liechtensteiner den protestantischen „Öberrhinern" gerne mit auf den Weg gaben. In früheren Zeiten gerne am Karfreitag während des Ausfahrens der Gülle gesungen.

Wie es dazu kam 2

Mathias **M**

M: *Dass ich hier stehe und Sie dazu bringe, dass Sie mir Ihr Sauerverdientes abgeben und dabei auch noch lachen können, das geht ganz alleine auf den Hut vom Alten. Fürst. Also jetzt ist es ja der Uralte. Da muss man sich auch erst dran gewöhnen. „Underem uraalta Förscht isches vil schönner gse wia underem aalta!" Superblöd! Na ja. Ich sag das eh nicht. Weil für mich ist es unter dem uralten Fürst eben genau NICHT schöner gewesen als unter dem jungen, der jetzt der alte ist. Ich nämlich habe schon unter dem uralten gelitten! Jawoll! Zwei ganze Monate lang habe ich mich im Herbst 73 wie eine gehäutete Sau gefühlt! Während alle meine Schulkameraden im Herbstlager im Jugendhaus Malbun Amok gelaufen sind, darbte ich krank zuhause im Bett! Und das nicht nur eine, sondern acht Wochen lang lag ich siech darnieder! Bei Roland Zwieback und Pfefferminztee aus dem Steingutkrug. Und dazu die Mittagsglocken von Matrei am Grossglockner und „Autofahrer Unterwegs" mit Frau Professor Rosemarie Isopp. Und wieso? Weil ich an FSME litt: Frühsommer-Meningo-Enzephalitis für den Laien. Eine entzündliche Erkrankung des Gehirns oder der Hirnhäute, die durch einen Zeckenbiss ausgelöst wird. Ja und wo hatte ich den Zeckenbiss her? Natürlich aus dem Schlosswald! Und wo kam die fürstliche Zecke her? Natürlich aus der Steiermark, dem grünen Zecken-Herz Österreichs! Beziehungsweise aus Kalwang, der Fürstlichen Sommerfrische. Von dort haben nämlich die herzigen Golden Retriever des Fürsten diese Sauviecher in den Fünfziger Jahren ins Land gebracht! Vor dem Fürsten hatten wir so etwas nämlich nicht: Zecken! Vor dem Fürsten waren wir nämlich noch unzivilisiert und konnten nackig durch die Wälder rennen. Da gabs zwar Elend und Armut und keine Migros, aber auch keine Zekken! Und keinen Urwald! Und damit auch keine Frühsommer-Meningo-Enzephalitis für Viertklässler!*

Aber dass ich deswegen zwei Monate im Bett lag, bis ich nur noch wie ein Blatt Speckpapier ausgeschaut habe, das hat mich selbstverständlich nicht dazu gebracht, ein Kabarett zu gründen. Nein nein! Das hatte andere Gründe. Die aber ganz klar mit der FSME zusammenhängen. Erleidet nämlich der junge Mensch eine frühkindliche Hirnschädigung wie zum Beispiel eine durch Fürstenzecken

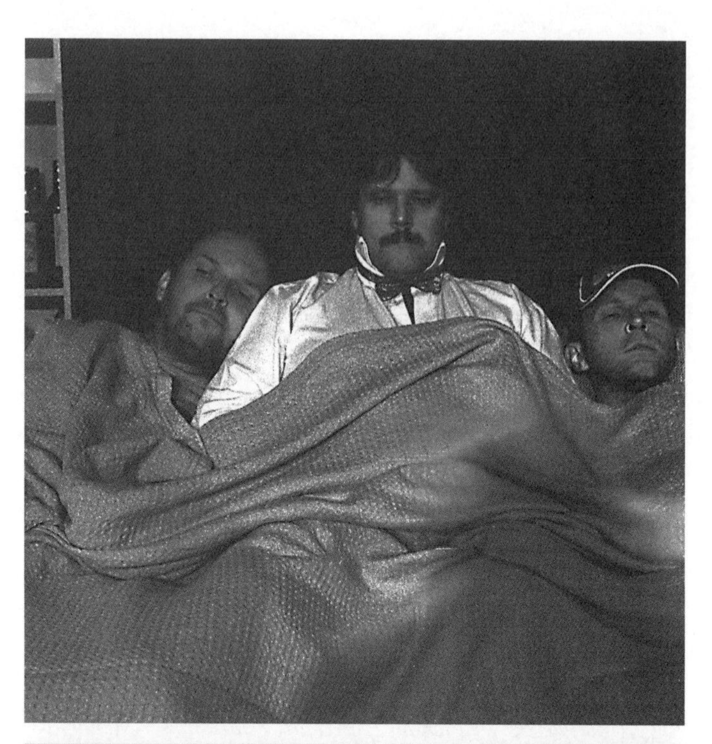

ausgelöste Enzephalitis, so hat dies weitreichende Folgen. Und zwar nicht nur für den Gebissenen, sondern vor allem für seine Umwelt. Wahrnehmungsstörungen, emotionale Labilität, motorische Koordinationsdefizite und Impulsivität sind nur ein paar der Euphemismen für das unbesonnene, zügellose und die allgemeine Ordnung gefährdende Verhalten eines solchen Schwerenöters. Aus solch verhaltensoriginellen, sozial-emotional gestörten Kindern werden im Alter entweder Apotheker, LGU[4]*-Mitglieder oder Sammler von Militärfahrzeugen. Oder sie gründen ein Kabarett.*
Und so kam es dann, dass ich meine beiden Mitstreiter im Winter des Jahres 1993 aufgrund meiner gesellschaftskritischen Texte problemlos dazu bringen konnte, mir ein wenig beiseite zu stehen. Ich mein, haha, ich mein, die Gage, die sie seither von mir erhalten haben, das ist ja, haha, das muss man sich mal vorstellen, haha. Kürzlich hat der eine gemeint, ob er nicht vielleicht ein bisschen mehr als die 10% der Einnahmen abzüglich 5% Kostüm- und Requisitenverschleiss bekommen könnte! Haha! Wo simmer denn da? Ja wo simmer denn da!? Seh ich aus wie der Dieter Bohlen? Sind wir hier bei Boney M?

Frau Hilbe, die Staubmilbe

Morgens, wenn du schläfst in deinem warmen Lager,
Schläfst du neben einem Haufen kleiner Nager,
Die sich zu Millionen an dich wohlig kuscheln;
Wenn du richtig hinhörst, hörst du sie gar tuscheln,

Dass sie dich zum Frühstück werden einverleiben,
Diese munzigkleinen, ekelhaften Keiben!
Doch du drehst dich nochmals auf die andre Seite
Und verquetscht diejen'gen, die nicht finden's Weite.

Morgens, wenn du deine toten Körperschuppen
Aus den Armen, Haaren, Beinen dir tust schruppen,
Wenn du deine weissen, abgestorbnen Zellen
Von den Zehen dir beim Gehen tust abschällen,

4 LGU: Liechtensteinische Gesellschaft für Umweltschutz

Sitzt im Teppich eine, die nur darauf lechzet
Und vor riesen Hunger schon ganz elend krächzet,
Weil sie sich an deinen Hautpartikeln nähret,
Sich an Lust nach deinem Körper fast verzehret.

Das ist vom Kopf
Bis zum Rückenschilde
Die Frau Hilbe,
Die Staubmilbe.
Fällt was von oben,
Ist sie da.
Man muss sie loben:
Die Milbenmama!

Morgens, wenn du in den Morgenmantel gleitest
Und dann barfuss durch die gute Stube schreitest,
Hüpfen tausend kleine Wesen vor Vergnügen,
Weil sie gleich was Feines zum Zerkauen kriegen.

Wenn's von deiner Körperoberfläche schneiet,
Schupp' um Schupp' und Zell' um Zell' zu Boden keiet,
Sitzt da eine mit weit aufgerissnem Rachen,
Die im Rastermikroskop gleicht einem Drachen.

Nur, statt Feuer spuckt sie klitzekleine Knöllchen,
Aus verdauten Schuppen kunstvolle Gewöllchen,
Die in uns're Atemwege hineindringen,
Und wir ganz verzweifelt nach der Luft tun ringen.

Und wir Ausschläg überkommen, rote Flecken,
Die ganz offensichtlich den Verdacht erwecken,
Dass wir leiden ganz gemein an Allergien,
Die Japaner vor uns lassen schleunigst fliehen,

Weil wir aussehn wie eins dieser Ungeheuer,
Wie ein Kind von Michael Jackson und Alf Poier.
Und wir husten, keuchen, schnäuzen, niesen, rotzen,
Ganz verschnupft wir uns beschweren und rummotzen,

Weil den Milben, diesen elenden Sauviechern,
Auf dem Teppich, zwischen Laken und Bettüchern
Mit normalen Mitteln nicht ist zu beikommen
Und sie immer wieder einem tun entkommen.

Und so saugen wir den Teppich wie im Wahne,
Hängen's Bettzeug aus dem Fenster wie ne Fahne.
Glauben dadurch Herr zu werden dieser Plage,
Doch am Ende stehn wir vor 'ner Niederlage.

Das ist vom Kopf
Bis zum Rückenschilde …

Diese Milben sind wie Dienstleistungsbetreiber.
Artverwandt mit uns'rem fleiss'gen Liechtensteiner,
Der in gleicher Weis' mit aufgeriss'nem Rachen
Und mit einem selbstzufried'nen stillen Lachen

Wartet, bis ihm Tauben in das Mündchen fliegen,
Die auch andre mit Vergnügen täten kriegen.
Aber Milb' und Liechtensteiner Diensterbringer
Sichern sich mit sich'rer Hand die sicher'n Dinger,

Leben glücklich bis an ihrer Leben Enden
In den vorgewärmten Bettchen Händ' in Händen,
Schmatzen, was der liebe Herrgott ihnen bringet,
Dass das Herz im stolzen Körper fröhlich singet:

Das ist vom Kopf
Bis zum Rückenschilde …

Heimat

Marco **Mr**, Mathias **M** und Ingo **I**

Mr: *Wär hed eigentlig dr Fürscht gweelt?*
M: *Wia mänscht „gwäält"?*
Mr: *Der Fürscht ischt doch ds Staatsoberhaupt. Da hed än doch eina weela muassa!*
M: *Der Förscht wörd ned gwäält. Er ischt userwäält. Do steggen höheri Interessana derhinter. Er ischt sinera Familia und do dermet o üüs vo Gott gee. An Art a Hiobschi Pröffig, verschtooscht. Mier hen do druuf kän Iifloss.*
Mr: *Uf was händ de wier Ifluss?*
M: *Uf d Volksvertrettig. Landtag. Bürgermeischter. Vermettler. Dr „People des Jahres".*
Pause
Mr: *Der Landtagspräsident ischt der höchscht Volksverträttär?*
M: *Richtig!*

Mr: *Und wär hed äna gweelt?*
M: *Der Landtag!*
Pause
Mr: *Und wär hed dr Regierigschef gweelt?*
M: *Sini Partei. Am Parteitag. Und denn wörd er uf Vorschlag vom Landtag vom Förscht ernennt. Aber wisoo frögscht mi etz das alls?*
Mr: *Da häwär mid Fürscht, Landtagspräsident und Regierigschef di drüü wichtigschta Lüüt im Land und kän einzäga vo dena han ich weela kunna?*
M: *Das ischt eba Demokratii. Derför kascht si alli drei abwääla, wenn d wett!*
Mr: *De bedüütet Demokratii also nid, dass ich äppärt, wan ich will, weela ka, sondern nu, dass ich äppärt, wan ich nid will, abweela ka. Aber iss de nid meischtens scho z spat?*
Ingo kommt
I: *Der grööscht Untersched, tät i amol säga, zwöschet em LiGa und der Tagespolitik ischt, dass es eigentlig gär kann gitt. Es kunnt jo ab und zua vor, dass en Liachtaschtaaner Landtagsabgeordneta uf üüs zuakunnt ...*
Mr: *Meischtens ara Fasnichtsunderhaltig. So am Morgat am vieri ...*
M: *... wenn er sich gnua Börgernöhi aagsoffa het!*
I: *... dass en Bolitiker uf an vo üüs zuakunnt und seet: „Hähä! S LiGa! Ier nötzen grad o nüüt!"*
M: *Jo und denn sägen mier halt meischtens: „Hähä! En Landtagsabgeordneta. Ier nötzen grad o nüt mee!"*
Mr: *Ma muass äns im Verhältnis aluaga!*
M: *Mier sin noget drei, wo nüt nötzen!*
I: *Körzlig het mer an gseet, er gängi net eppa net zom LiGa, well mier üs öber Lütt loschtig machen, wo net do sin, sondern, dass dia Lütt, WO do sin, öber dia, wo net do sin, lachen.*
Mr: *Also nid wier sind hinderhältägi Siacha, sondern ier!*
M: *Das ischt ir Politik ned vil anderscht. Ned d Politiker,wo im Landtag, bir Parteiversammlig oder im LIHGA-Zelt dumms Züg öber Lütt, wo net umma sin, verzapfen, sin d Seggl, sondern dia, wo inan abloosen.*
Mr: *Hed ädäs!*
M: *Mier hen üüs natörlig scho lang öberleet, wia mier üüs längerfrischtig us dera ganza pseudo-politischa Debatta usklinka könnten.*
I: *Ösri Landespolitik macht üs nämlig no der Ruaf kabutt!*
M: *„Gute Arbeit wörkt![5]" I ösrem Fall a so nochhaaltig, dass*

5 *„Gute Arbeit wirkt": Slogan der FBP anlässlich der Landtagswahlen 2004*

	niemert z Rescht-Europa eppes vo üs wössa well.
I:	*„A ge schauens doch erst amal, dass si a gscheide Bolidig ham in irem Land, damit sich's auch im Saumarkt lohnt, zum drüber lachen!"*
M:	*Realsatire ka ma nämlig o ir Zittig nochlesa!*
I:	*Drum suachemer Uuswäg. Zom Beischpil, i dem mier üüs um an aagni Comedy-Sendig ufem Schwizer bemüen.*
M:	*Und wenns noget der Wetterbrecht noch der Tagesschau ischt!*
I:	*Voradelberg Heute wär o cool.*
M:	*Oder uf Tele Oschtschwiz Rüabli röschta!*
Mr:	*Oder im Zirkus Knie mid Henna jongliera!*
I:	*Das tät aber bedinga, dass mer ambitionierter sii mössten!*
M:	*Und der bedingigslos Erfolg stärker fokussiera sötten!*
Mr:	*Erfolgriich sii wär jo an sich nid s Problem.*
M:	*Öberhopt net!*
I:	*Erfolgriich sii ka höttstags jeder.*
M:	*Gär ka Froog!*
Mr:	*D Frag ischt eifach: Für was?*
M:	*Letschtlig isches doch so im Land: Du kascht im Uusland Karriera macha. Uniprofesser wöra. Aschtronaut. Nobelpriisträger. Hollywood-Star. Wasoimmer. Und denn, wenns gschafft hescht, kunnscht zrogg und Lütt sägen:*
Mr:	*Sii tuats gliich äs Arschloch!*
I:	*Das ischt eba Heimat! Der Ort, wo ma sich heimisch füült, wo ma gern lebt und wo ma all weder ufa Boda gholt wörd. Es findscht ir Fröndi netta: „So? Atomphysiker? Was kascht etz met dem im Liachtaschtaa aafanga?" Das ischt Heimat!*

Ferien

Mathias **M** und Marco **Mr**

M:	*Wenn etz du i da Feeri wärscht …*
Mr:	*I ga nid id Feeri. Mier gfalld der Bärg!*
M:	*Jo denn halt aagnoo, du goscht anen Kors irgendwo …*
Mr:	*I gaa au nid anän Kurs. Mier langät d Erwachsnabildig!*
M:	*Jo denn stell der halt amol vor, du gängtischt – rein us Zuafall – öbera Rii und …*
Mr:	*I gaa au nid uber dä Rii. Mier langät der Scheidgraba*[6]*!*
M:	*Mann, bischt du schwierig! Loos etz: Du gooscht is Uusland und schriibscht a Karta …*
Mr:	*I schriba au kei Charta. Mier langet …*

6 „Grenze" zwischen dem Liechtensteiner Ober- und Unterland

M: *Joo!*
Mr: *... wennd is de drnaa värzella.*
M: *Also: Du schriibscht a Karta a dini Lüttle dahäm. Was schriibscht denn als Adressa? FL oder LI?*
Mr: *Wisoo ischt äns wichtig?*
M: *Rechtschriibreform. Es goot drum, öb ma Liachtaschtaa met FL oder met LI schriibt.*
Mr: *Was ischt de dr Underschid?*
M: *Letschlig goots drum, öb s Uusland ösers Land met FLandern oder met FinnLand verwekslet. Oder met LItauen.*
Mr: *Spillts än Rolla?*
M: *Spellts a Rolla!? Natörlig spellts a Rolla! FLorida rüaft ganz anderi Assoziationa wach wia zom Beischpil LIberia, LIbyia oder LIbanon!*
Mr: *Mmm!*
M: *Säg etz! Was schriibscht?*
Mr: *I schriiban allbi „via Switzerland"!*

StaZI

Ingo **I**

I: *Endlig simmer eppert. D EFTA tuat, was mer wenn, d UNO fresst üüs us der Hand, im EWR simmer d Siacha, der Schwizer Fuassballverband wörd all niidiger und der Europarot bittet höflig umen Dialog! DAS sin Erfolgsmeldiga! Mier bruuchen kan Hurricane ‚Ivan', dermet alls amol ghöörig dorigschöttlet wörd: mier hen der Taifun ‚Otmar'! Maanender netta?! Simmer beliabt oder was? Händ uffi, wer globt, dass mer etz eppert sin ir Welt dossa! Händ uffi, han i gseet! Wer globt, dass ma üs reschpektiert! Dass mer Erfolg hen. Dass ma zu üs uffiluaget. Dass mer s gschafft hen! Händ uffi! Hopp!* (zählt) *I sach: eine überwältigende Mehrheit.*

I dem Zemmahang fallt mer spontan a Gschecht ii. Do derzua muass i aber a betzle uushola:
För viil Lüt ischt dia anzig Verbindig zwöschet dem, was si worda sin und dem, was si wörklig sin, s Klassatreffa. D Suachi noch der aagna Identität im Alter manifeschtiert sich för dia meischta i da Faalta und der Arthrose vo da ehemoliga Volksschualgschpäänli.

„Häscht gsaha wia der lauft? He he he he he. Wia der

Kater Mikesch ir Augsburger Poppakeschta" (läuft wie der Kater Mikesch in der Augsburger Puppenkiste)

Drum finden dia aana a Klassatreffa super loschtig und dia andra tuan a so, wia wenn si ka Problem dermet hetten, dass es Lütt gitt, wo sich a Sacha erinnra konn, wo si selber scho lang verdrängt hen. Und gon drum eba net.
I gang all. Aber eener us beruafligem Interesse als zom reina Spass! I betriib a ernigan Öbed Milliööschtudiana!
Es ischt jo zom Teil rechtig uuhämlig, was höttstags us da Lütt wörd. Geschtert noch ar Tafla vorna vorem Leer id Hosa brunzet und hött im Landtag und da Lüt vorschriiba, wia si sich benee söllen. Oder met drizeni met allna Buaba am Ummamaha gse und hött Besitzeri vomana Positive-Life-Style-Studio. Oder met fofzeni alles groocht und gschloggt, wo ma het stela könna und hött a Kaderposition bir Landespolizei. Wörklig intressant.
Mengmol hen sich dia Lütt o a so veränderet, dass ma si gär numma kennt.

"Hoi Funzi!" – "I haass net Funzi!" – "Jo, wia haasischt denn?" – „Alfons!" – „Ah. Jetz, wos seescht!"

Jetz gitts aber a jedem Klassatreffa eppert, vo dem niemert waas, was er oder si tuat. Eppert, wo ma scho lang numma gsaha het. Eppert, wo wia vom Erdboda verschloggt ischt. Der verloora Sohn vo mim Joorgang ischt der Konrad. I het ned amol me gwösst, wia der Kerle uusluaget, wenn en net vor a paar Mönet zuafällig im Transitbereich vom Floghafa z Kopenhagen troffa het. Plötzlig sach i en Typ, vo dem i waas: er kenni! Und pump seet er:

„Hoi, Ingo. Was machscht denn du do? Z Kopenhagen?"
„Hei, Konrad", säg i. „Was tuascht denn du do? Z Kopenhagen!"
„Jo, Ingo, i leb do! Z Kopenhagen!" – „Im Transitbereich? Vo Kopenhagen?" – „Im Transitbereich! Genau, Ingo. Z Kopenhagen"!

Sini Gschecht ischt schnell verzellt: Der Konrad ischt met mier id Volksschual und nochher het er sini vier Joor ir Realschual gmacht. Noch em Schualabschloss het er a KV-Leer aagfanga binera groossa Bank im Land und do ischt er denn eines schönen Tages vomana wechtiga Maa zoma-

na Gschprööch iiglada wora. Der wechtig Maa het na gfrööget, öb er ned Loscht hei, eppes ganz Verroggts us sim Leba z macha! Öb er ned zom Liachtaschtaaner Geheimdianscht welli! „Geheimdianscht!?", het do der Konrad gseet. „Spinnscht?! Es gitts doch gär net!" Genau das, hei do der wechtig Maa gseet, sei s Erfolgsrezept vom Liachtaschtaaner Geheimdienscht. Nämlig dass niemert wössi, dass es das gitt.

I ha denn vom Konrad wössa wella, was denn öberhopt d Ufgab ischt vo dem Geheimdianscht. D Metarbeiter vom STAZI – oder wias rechtig haasst: d Stabschtell för Zivili Intelligenz – schötzen uf der aana Sitta ösri Lütt im Uusland dossa, anderersitts schötzen si ösers Land geget Bedrohiga vo ossa.

Mettlerwiil isches a so, dass mier füerendi Positioona im internationaala Geheimdianschtgschaha iinöön und ned selta vom CIA, vom Mossad oder vom MI6 um Rot gfrööget wören. Well mer halt a so huara guat sin. Und das, obwohl üs niemert kennt! So heien Liachtaschtaaner Agenta scho meefach der Weltfreda grettet. Ooni ösri STAZI, het der Konrad gmannt, wär scho lang der Kinees am Hebel. Drum sei er etz eban o z Kopenhagen stazioniert. Das sei en beliabta Tummelplatz vom kineesischa Geheimdianscht. Er tei do im Floghafa woona. Der ganz Transitbereich sei eigentlig sis Büro. I söll na weder amol bsuacha, het er am Schluss gseet. Er sei jo all do. Drum: wenner s nögscht Mol z Kopenhagen sin, denn luagen gnau. Wenn er irgendwo en Kinees sahen, denn stoot seher der Konrad ir Nöhi und rettet weder amol d Welt.

Irgendwia dunkts mi, dass er mer ned globen. Irgendwia wör i der Verdacht net los, dass ier s Gfüül hen, i tei eu do en Mescht verzella.
Aber dass mer eppert sin ir Welt, es globender?
Erschtaunlig …

Von guten Freunden

Als ich ein kleiner Junge war
Und in die Volksschul' ging,
Ein Oberschüler eines Tags
Mit mir nen Streit anfing.

Der Oberschüler drohte mir,
Er würde mich bevor
Die Schul' beginnt am nächsten Tag
Erwarten am Eingangstor.

Zum Glück hatt' ich zu jener Zeit
An guten Freunden zwei,
Die sagten, SIE wärn ganz bestimmt
Bei diesem Duell dabei.

Auf meine Freunde war Verlass,
Sie würden zu mir steh'n.
Mit ihnen könnte ich den Spiess
Rumdrehn
... und dem huaran Arschloch z dretta hööch dr Grind verschlaha!

Am nächsten Morgen stand ich dann
In aller Früh, wie abgemacht,
Beim Kappile.

Im Nebel sah ich jemand nah'n.
„Die Freunde!", habe ich gedacht.
Ich Lappile!

Der Oberschüler war's, das Schwein!
Von meinen tapf'ren Schneiderlein
Nicht eine Spur!

Der eine schlief im Lokus ein,
Der andre schwor mir Stein auf Bein:
„I ha der Wääg numma pfunda, eerlig, und und denn het dr Thitt numma gthtumma uf miran Uur, theher, hoi, eerlig!"

Füüf Tääg han i numma gschiid hogga könna!

Freund und Salz, Gott erhalt's!
Ein Duo wie's im Buch steht!
Gute Freunde sind das Salz
Der Erde, WENN's uns gut geht.

Ist aber s Messer am Hals,
Ist nichts ok,
Sind Freunde das Salz
Im Kräutertee.

Steht's Wasser am Hals,
Bist du k.o.,
Sind Freunde das Salz
Im Kaka-o.

Als ich ein Studiosus war
Und an die Hochschul' ging,
Ein Soziolog' am Uniball
Mit mir nen Streit anfing.

Der linke Bruder drohte mir,
Er machte mich, sobald
Das letzte Bier wär ausgeschenkt,
Mit seinen Genossen kalt.

Zum Glück hatt' ich in dem Moment
An Farbenbrüdern zwei.
Die sagten, SIE wär'n – wenn es brennt –
Bei jedem Progrom dabei!

Auf meine Spezis war Verlass,
Sie würden zu mir steh'n.
Mit ihnen könnte ich den Spiess
rumdrehn
... und dena linka Vögel z dretta hööch dia roota
Kappa botza!

Am frühen Morgen stand ich dann
Voll süssen Weins, wie abgemacht,
Im Unihof.
Im Nebel sah ich jemand nah'n.
„Die Freunde!“, habe ich gedacht.
Was war ich doof!

Der Sozi war's, mit seiner Brut!
Von meiner Waffenbruderschaft
Nicht ein Stilett.

Der eine kotzte Bier und Blut,
Der andre spürt' den Lendensaft
Und lag daheim im Bett.

Zwo Wocha bin i dernoch ned ad Uni!

> *Freund und Salz, Gott erhalt's!*
> *Ein Duo wie's im Buch steht! …*

Als ich ein frischer Praktikant
Beim Landgerichtshof war,
Kam ich beim besten Willen mit
Amtsleiter F. nicht klar.

Dea oolde Trootl drohte mir,
Er machte mich, sowie
Ich ihm den gringsten Onloss geeb,
Mit oll seenen Mitteln hii.

Zum guten Glück hatt ich im Hui
An Mitarbeitern zwei,
Die sagten, WENN ich Hilfe bräucht',
Ich wüsste ja, wo ihr Büro zu finden sei.

Mier hoggen jo alli im gliicha Boot, ned!?

Auf DIE Kollegen war Verlass.
Sie würden zu mir steh'n.
Sie hielten stets loyal zu mir,
Was immer würd' gescheh'n!

Und eines Tages stand ich dann
Total verkatert, zehn vor neun,
Im Gang vorm Amt.

Im Nebel sah ich jemand nah'n.
„Der Chef!" dacht' ich.
Nun kam's Bereu'n zu spät – Verdammt!

Aber halt!
Es war'n die Freunde! Yippi jee!
Welch Schwein, dass ich die beiden traf!
Sie halfen gern.

Erst Alka Selzer, dann Kaffee,
Dann rapportierten sie mich brav
Beim alten Herrn.

Mier hon dr doch nugat helfa wella, odr,
dermit a kleale brofessioneller wirscht, odr,
mier hon doch ned gwisst, dass di dr Aalt uf dr Latta het,
odr, und di glei ussiwirft.

I bi denn id Privatwörtschaft!
Zom Papa!

Freund und Salz, Gott erhalt's!
Ein Duo wie's im Buch steht! ...

Wahlen

Ingo **I** und Mathias **M**

I: *Ja, meine sehr verehrten Damen und Herren: Es ist wieder so weit! Jubel Trubel Hochglanzheft! Es naht die schönste Zeit des Jahres: Der Wahladvent! Das Warten auf's Regierungs-Christkind! Wieder gibt es Lokalrunden und Gratisuhren! Arbeitsstellen und Kommissionssitze! Versprechungen und Versprecher! Rechnungen und Rächer! Grosse Wenden und kleine Wendehälse!*
M: *Und dieses Mal nach dem neuen Wahlreglement.*
I: *Welches besagt: Keine Witze! Weder über, noch unter, noch in die Gürtellinie rein!*
M: *Also! Keine Witze über die VU!*
I: *VU? Wer ist denn das?*
M: *Das sind die mit der „Chance Leben"[7]!*
I: *Ist das jetzt die „Chance Leben" oder die Chance leben?*
M: *Ist da ein Unterschied?*
I: *Nun. Wenn ich die Chance habe, zu leben, heisst das nicht, dass ich die Chance auch lebe.*
M: *Hm?*
I: *Wenn jetzt du zum Beispiel bei den LiGa-WG-Wahlen Zweiter würdest, aber der Sieger, zum Beispiel ich, würde*

7 Wahlslogan der VU anlässlich der Landtagswahlen 2005

dich fragen, ob du trotzdem gern mit mir zusammen die WG leiten wolltest, dann würde ich dir eine Chance geben, deine Funktion als leitendes WG-Mitglied auszu-„leben". Und wenn du aber diese Chance nicht wahrnehmen würdest, dann würdest du die Chance nicht leben.

M: *Das kämte halt auf die Bedingungen an.*

I: *Richtig!*

M: *Die „Chance Leben" stellt aber keine Bedingungen. Die ist einfach da. Und dann lebt man sie. Oder eben nicht. So wie bei der VU.*

I: *Bei wem?*

M: *Der VU.*

I: *Wer sind denn die?*

M: *Die Opposition.*

I: *Ah, die gibt's tatsächlich?*

M: *Ja klar. Die VU und die FL.*

I: *Die LI!*

M: *LI?*

I: *FL heisst jetzt LI.*

M: *Genau. Die „Lista Insomnia". Die Schlaflosigkeitspartei. Das sind die, bei denen man das tun kann, was eh alle machen: Ruhig weiterschlafen. Sie passen ja auf*[8]*. Sogar in der VU.*

I: *Bei wem?*

M: *Dort haben sie im Regierungskandidatenteam zwei Schläfer*[9] *untergebracht.*

I: *Schöne „Chance Leben". Wenn immer einer aufpasst! Das sieht der Erzbischof aber gar nicht gern!*

M: *Die FBP muss auch aufpassen.*

I: *Worauf?*

M: *Dass sie kein kollektives Magengeschwür bekommt. Die sind so unlustig geworden. So humorlos. Ob die sich bedanken oder zurückerinnern oder einen Orden bekommen, die sind immer so:* (macht aggressives Gesicht) *Grrrrrrr! Selbst wenn sie lachen. Furchtbar! Dabei sind die doch an der Macht! Aber das ist komplett an denen vorbei. Hei ei ei ei ei. Tragisch. Die könnten doch viel relaxter sein. Cooler. Abgeklärter. Die kommen ja nicht einmal mehr ins Kabarett! Weil wir uns immer über sie lustig machen würden! Ja aber über wen denn sonst? Etwa über die VU?*

I: *Über wen?*

8 Wahlslogan der FL anlässlich der Landtagswahlen 2005

9 Bernd Hammermann, der VU-Kandidat für das Amt des Regierungschefs, startete seine politische Karriere bei der FL. Damals noch als Bernd Erne. Die VU-Regierungsratskandidatin, Maja Marxer-Schädler, war in früheren Jahren ebenfalls für die FL aktiv.

M: *Aber ich wüsst schon, wie man die wieder zum Lachen bringt!*

I: *Wie denn?*

M: *Indem man ihnen die Oppositionsrolle schenkt. Dann könnten sie wieder über andere lachen und müssten nicht ständig an ihren Entscheidungen verzweifeln. Grrrrrrr!*

Kandidaten

Ingo **I**, Mathias **M** und Marco **Mr**

Off: *In the right corner: Dr. Mathias Ospel! In the left corner: Mr. Ingo Ospel! And in the middle corner: the current pre-*

sident and title holder: Mr. Marco Schädler!
Each of the candidates has exactly one minute to present his campaign.
Speak now!

Gong ertönt

I: (Villenvierteldeutsch:) *Ich bin der Ingo. Und wenn ich Präsident werde, dann wird hier auf der Bühne wieder die Hochdeutsche Sprache eingeführt!*

M: *Was redscht etz du so gschtöört!?*

I: *So spricht man bei uns im Villenviertel! Und unterbrich mich nicht! Jeder hat eine Minute Redezeit! Die lass ich mir nicht nehmen! Vor allem nicht von dir!*

Mr: *Warum redt äna so gschtört?*

M: *So red ma im Villaviertel.*

Mr: *I welläm?*

M: (zu Ingo) *In welchem?*

I: *Es gibt nur ein Villenviertel, das diesen Namen auch verdient.*

M: *Das Vaduzer Bannholz?*

I: (schüttelt den Kopf) *Ts ts ts. Vaduz. Also bitte. Wedding Cake City? So etwas Ordinäres!*

Mr: *Schaa?*

I: *Naaaaaaaaa. Ich wohn doch nicht in Schlumpfhausen!*

M: *Ja wo haben wir denn sonst noch ein Villenviertel?*

I: *In der Malbun.*

M: *In der Malbun?*

I: *Die Malbun. Der Konjunkturanker unserer Bauwirtschaft. Das warme Öfchen, in dem die letzten Briketts der Aufschwungskohle bullern. Das Stonehenge des reichen Mannes. Hier lässt sich das Geld noch so verlochen, dass man auch sieht, dass es verlocht wurde!*

M: *Jaja. Wie sprach schon der alte Häuptling der Indianer: Erst wenn im Malbun die letzte Föhre gerodet, die letzte Skipiste verbaut und das letzte Murmeltier zu Ravioli verarbeitet ist, werden wir feststellen, dass man Geld nicht essen kann.*

I: *Das kommt ganz aufs Dressing an, du!*

Gong

M: *I bi der Mathias und i bi geget a Kliima-Aalag.*

Mr: *Entschuldigung. Aber hesch etz du nid vor ära Stund gseid, äs brüücht än Klima-Aalag?*

M: *Seher net! Der Ingo het all gseet, er welli aani!*

I: *Was?*

M: *Du häsches vilecht net a so gseet, aber denkt!*

I: *Ich habe immer ganz klar und deutsch gesagt, dass ich es für äusserst notwendig finden würde, dass wir eben keine haben. KEINE. Und überhaupt: wer hat denn die Studie in Auftrag gegeben? Du!*

M: *Die hat der Guido*[10] *aus freien Stücken gemacht. Ich hätte so einem Schnellschuss nie zugestimmt. Überhaupt ist ja eh bekannt, was der Guido will. Dem geht's doch nicht um die Klimaanlage. Der will alles! Wer für die Klimaanlage ist, ist gegen den Schlösslekeller. Und wer gegen den Schlösslekeller ist, ist gegen den Erzbischof.*

Mr: *Aber du hescht doch vor ära Stund gseid, ...*

M: *Loosend amol beedi zua. Der Grund, werom ii der besser Präsident abgib wian ier zwei, ischt, dass i a Situation besser iischätza ka. Verschtonder! Was du do seescht, Marco, dass i irgendwenn amol, worschinlig uf a ganz anderi, perfiidi Froog gantwortet ha könnt, dass i unter Umschtänd för a Kliima-Aalag wär, ischt blanka Zynismus. Verschtooscht. Zynismus! Und der bruuchen mer net! Nebed amana sinnlosa Aktivismus ischt der Zynismus der Untergang vo allna ösra Wert.*

Marco will den Gong schlagen, Mathias nimmt ihm den Klöppel weg.

Mr: *Aber heiss iss halt allbi noch.*

M: *Aber dervör het ma met mier an Entscheidig und ma ka sich wechtigera Themana widma.*

Mr: *Zom Beischpil?*

M: *Dass der Schlösslekeller a neus Erschiinigsbeld öberkunnt. Ma könnt jo zom Beischpil a Kegelbaa drus maha. Jo werom eigentlig net? A Kegelbaa! Das wärs doch! „The Global Small Castle Bowling Alley!" Natörlig mösst ma alls aubergine aamoola.*

Mar/I: *Huara Seich!*

M: (zum Publikum) *Sahender?! Scho weder! Blinda Aktionismus! Blanka Zynismus! Alles vernünnta! Und derbei hemmer öber dia wechtigscht Entscheidig no gär net grett.*

Mr: *Wa da weer?*

M: *Wer do Präsident wörd!*

Mr: *Also wemma a so lügt wia du, de darf ma gar nümma Präsident wärda.*

M: *Abwaarta!* (schlägt den Gong)

Gong

Mr: *Also wenn ich nomal Präsident würa, also wennd ier mier nohamal eus Vertraua schenga teetät, also, äns wär a so toll! Äns teet mi a so freua! Äns weer für mich wia, wia,*

[10] *Schlösslekeller-Techniker Guido Valent*

äns weer wia, hei!, äns weer ... Genau a so! Also i het uf jeda Fall än brutali Freud. Eerlig. Also wennd ier, mich ... hei!

M: *A Programm hescht o?*

Mr: *Äbä. Wennd ier mich weelät, de freu ich mi a so!*

M: *Jo, das wössemer jo jetz. Aber söttischt ned vilecht o irgendwelchi Idea ha, was tätischt, wennd denn Präsident wärscht?*

Mr: *Han i doch gseid!*

I: *Häscht?*

Mr: *Jo, dass ich mich würklig und vo ganzem Härza freua teet. Eerlig. Hei. Äns weer än Sach. Nid?*

Gong

Abstimmung

Off: *Meine sehr verehrten Damen und Herren! Die Präsentation der Kandidaten ist vorbei, wir schreiten jetzt zur Abstimmung. Hier nochmals die Kandidaten im Schnelldurchlauf. Wählen Sie:*
Kandidat 1, der lieber Priester als Präsident geworden wäre, aber aus Sorge um seine Muttersprache gegen eine Klimaanlage ist
oder Kandidat 2, der eine Klimaanlage durch seine Nabelschnur hören kann und dem die Ananas aus der Büchse lieber ist als die Aubergine auf dem Autodach
oder wählen Sie Kandidat 3, der zwar Freude hat, aber keine Freunde, und der lieber Schafsmolke trinkt als zum Städtele hinaus zu gehen.

Wenn Sie der Meinung sind, Kandidat 1 entspricht am ehesten Ihrer Vorstellung eines WG-Präsidenten, so zeigen Sie dies bitte durch lautes, hysterisches Gekreische!
Kreischen Sie jetzt!

Wenn Sie der Meinung sind, Kandidat 2 bringt Ihnen Friede, Liebe und Eierfrucht, dann unterstützen Sie ihn durch lautes, hysterisches Gekreische!
Kreischen Sie jetzt!

Wenn Sie der Meinung sind, Kandidat 3 müsse sich den Schnäuzer abrasieren, dann bekennen Sie sich zu ihm durch lautes Rufen Ihrer Bankkontonummer! Rufen Sie jetzt!

Resultat[11]
Variante Marco

Off: *And the winner is: Marco Schäääääädler!*
Mr: *Hei! Das freud mi a so! I bi ganz grüerd! I bi a so ... Wartät. I ha äddäs vorbereitet* (nimmt einen Zettel raus:) *„Liebe Wählerinnen und Wähler: Danke!"* (faltet Zettel wieder zusammen:) *Hei!* (zu I und M) *Mööööööi. Ier tüad mr a so leid! Aber eina hed halt muassa gwinna. Eina hed halt so hoch gwinna muassa. Äns ischt besser fürd Demokratie, wennd eina hoch gwinnd! Glaubät mers! Aber vilicht klappäts ja bim neeschta Mal! Ha? I drück nä uf jeda Fall der Duuma!* (zum Publikum:) *Und eu will ich nu säga: Danke! Danke! Dankedankedankedankedankedanke ...* (geht ins Publikum, bedankt sich bei jedem Einzelnen) *Danke! Danke! Danke! ...*
Ingo und Mathias kleben „Danke"-Kleber über Marcos Porträts
Mr: *Und wissättär was? Jetz han ich noch än Uberraschig!* (geht in die Garderobe und holt ein grosses Marco-Porträt) *Ischt äns nid schöö! Äns heng i grad uuf!* (gibt es Ingo) *Buaba! Uufhenga!* (schaut glücklich zu, wie das Bild aufgehängt wird, dann setzt er sich erschöpft und mit einem letzten „Danke!" aufs Sofa und macht sich für die Nacht bereit) *So! D Wala sind vrbei! Gawär gä schlaafa!*
Ingo und Mathias, nachdem sie das Bild aufgehängt haben, hauen sie sich auch ins Sofa. Situation wie am Anfang, Licht geht langsam aus.
M: *Guat Nacht, Präsident!*
Mr: *Guat Nacht, Herr Dokter!*
I: *Guat Nacht, Herr Präsident!*
Mr: *Guat Nacht, Herr Ospelt!*
M: *Gute Nacht, Herr Ospelt!*
I: *Gute Nacht, Herr Doktor!*
Mr: *Danke, Buaba!*
I/Mr: *Bitte! Gerne!*

Variante Ingo

Off: *And the winner is: Ingo Ospel!*
Ingo dreht völlig ab, macht die Säge, hüpft, juchzt, hängt Marcos Bilder ab, dreht dasjenige um, das auf der Rückseite sein eigenes Konterfeit zeigt, beruhigt sich langsam, hockt wieder aufs Sofa.

11 Das Publikum konnte durch Applaus entscheiden, wer neuer LiGa-Präsident werden sollte. Je nach Ergebnis gab es einen anderen Schluss.

I: *Ich betrachte diesen überzeugenden Sieg als ein klares Bekenntnis zum Villenviertel. Der mir von den Wählerinnen und Wählern auferlegte Auftrag lautet nun: Fortschritt! Veränderung! Um jeden Preis! Ich habe nur 24 Stunden Zeit, um meine Präsenz fühlbar zu machen, drum muss in diesen 24 Stunden alles auf den Kopf gestellt werden. Deshalb habe ich mir bereits ein neues Erscheinungsbild für die LiGa-WG ausgedacht. Das hier* (zeigt altes LiGa-Logo) *ist vorbei! Ab sofort gilt das hier:* (LiGa-Logo in Sütterlin-Handschrift)

M: *Aber das kann doch niemand lesen!*

I: *Ist doch egal. Hauptsache, es ist neu.*

Mr: *Aber äns ischt doch gar nid neu. Äns ischt alt. Und altmodisch!*

I: *Ischt doch gliich. Hoptsach, ma ischt im Gschpprööch.*

M: *Kunnt no druuf a, weg was!*

I: *I ha bereits vomana wechtiga PR-Inschtitut en Priis zuagschprochan öberko förs schönscht neu Erschiinigsbeld vo dem Joor.*

M: *Von was für einem Institut?*

I: *Dem Medienbüro Ospelt und Partner.*

M: *Aber das ist doch dein eigenes!?*

I: *Ja und? Darf ich keine Preise vergeben! Ich bin schliesslich auch ein Bürger. So wie jeder ander auch. Apropos „Bürger-wie-jeder-andere-auch". Marco! Ab morn kochscht denn weder du!*

Mr: *Zu Befehl!*

M: *Aber das ischt doch min Job gse? Hets der numma gschmeggt?*

I: *Moll. Aber wia gseet. I ha no 24 Stunda Zitt! Do muas i o i Personalfrooga Zaacha setza. Wennd Schwein hescht, kascht jo spööter weder Pizza bacha!*

M: *Denn han i vilecht grad ka Loscht mee!*

I: *Bischt etz du en empfindliga Kog!*

Alle auf dem Sofa

I: *So! D Waala sin verbei! Goomer gi schloofa!*

Situation wie am Anfang, Licht geht langsam aus.

M: *Guat Nacht, Präsident!*

I: *Guat Nacht, Herr Dokter!*

M: *I ha ned di gmännt!*

I: *Denn lernsches!*

Mr: *Guat Nacht, Herr Dokter!*

I: *Guat Nacht, Herr Alt-Präsident!*

Mr: *Guat Nacht, Herr Ospelt!*

I: *‚Präsident', Herr Alt-Präsident, ‚Guat Nacht, Herr Präsident!'*

M: *Jo, denn guat Nacht, Herr Präsident!*

I: *Gute Nacht, Herr Doktor!*

Variante Mathias

Off: *And the winner is: Dr. Mathias Ospel!*

Mathias nimmt's als Selbstverständlichkeit. Hängt lediglich Marcos Bilder ab, dreht dasjenige um, das auf der Rückseite sein eigenes Konterfeit zeigt, hockt wieder aufs Sofa.

M: *Liabi Wählerinna und Wähler, liabi WG-Metbewohner, mier leben i Zitta vo Paradigmaweksel, es freut mi drum wahnsinnig, eu metteila z könna, dass i als erschti Amtshandlig mini ganz Energii derför iisetza well, dass mer a neui Kliima-Aalag överkonn. Das ischt mis Waalversprecha gse und das well i iihalta.*

I: *Stopp Stopp Stopp!*

Mr: *Diis Waalverschprächa ischt doch gsi, dass es äba genau KÄ Klima-Aalag gid!*

M: *He he he!*

I: *D Lütt hen sich uf das verloo, was du verzellt heschst.*

M: (lacht) *He he he. D Lütt. D Lütt stimmen net för das ab, was si wenn, sondern för das, was ma ina seet, was si wenn. Und wenn i vorher säg, ir wenn ka Kliima-Aalag und nochher, ir wenn äni, denn ischt das ein und dasselbe. Hoptsach ischt, dass der Vorschlag jewiils vor gliicha Person kunnt. Denn globen sis o.*

I: *Aber das ischt doch en Bschess! Du kascht doch net aa Mol das säga und denn an anders Mol genau s Gegateil!*

M: *Natörlig kan i das. I ha jo gseet: Wir leben in Zeiten der Paradigmenwechsel. Ka doch ii nüt derför, wenn dia huara Paradigma ständig wekslen!*

Mr: *Was ischt äns uberhaupt?*

I: *Was?*

Mr: *En Paradingsda!*

I: *So wias uusluagt, an Uusred zom Bschiissa!*

M: *He he he he. Ier muan noch viil lerna.* (macht sich zum Schlafen bereit) *So! D Waala sin verbei! Goomer gi schloofa!*

Situation wie am Anfang, Licht geht langsam aus.

M: *Guat Nacht, Marco!*

Mr: *Guat Nacht, Herr Dokter!*

I: *Guat Nacht, Herr Präsident!*
Mr: *Guat Nacht, Herr Ospelt!*
M: *Gute Nacht, Ingo!*
I: *Gute Nacht, Herr Doktor!*
M: *Schlaft gut, Buben!*
I/Mr: *Bschüssi!*

2004 Das LiGa in der Kritik

Wer auf eine Bühne steht, setzt sich der Kritik aus. Das LiGa erfuhr in seiner Heimat – einem unausgesprochenen Liechtensteiner Pressegesetz gehorchend – ausschliesslich positive Würdigungen. Auch wenn diese manchmal Zeit brauchten. Die allererste Premierenkritik (über das „Benkli") erschien jedenfalls nicht etwa in der Landespresse, sondern in der „NZZ"! „Freches Pflänzchen in Liechtensteins Kabarettwüste" hiess es dort am 9. April 1994, bevor sich der Autor darüber ereiferte, dass „das TAK in Sachen Kleinkunst jegliches Profil verloren" habe. „Vaterland" und „Volksblatt" berichteten erst Tage später. Allerdings ohne Seitenhiebe auf das „Theater" am Kirchplatz. Dies war am 12. April Alfred Hilbe in seiner damaligen Kolumne („Persönlich") im „Vaterland" vorbehalten. Im Grundton freundlich, bemängelte der Alt-Regierungschef an des LiGas erstem Streich, dass das Programm „fast nicht boshaft genug oder gar ‚staatszersetzend'" sei. In seiner Hauptkritik ging es ihm dann allerdings um die Frage, weshalb das LiGa im Frohsinn in Gamprin und nicht etwa im „Staatstheater TaK" auftrete: „Atmosphärisch war es ideal, die Sessel wesentlich bequemer als im TaK, aber eben: welch ein Aufwand für nur 50 Zuschauer, auch wenn es pumpvoll war."

Wer in den folgenden Jahren etwas am LiGa auszusetzen hatte, sich aber in Liechtenstein nicht in die Nesseln setzen wollte, der musste seine Meinung ins benachbarte Ausland tragen. Die zwei grössten LiGa-Verrisse erschienen jedenfalls beide in der Vorarlberger „KULTUR" (1998 und 2000). Diesen Beiträgen war gemeinsam, dass sie von in Liechtenstein beheimateten Autorinnen stammten, die in den jeweiligen Programmen etwas erwartet hatten, das wir ihnen leider nicht hatten bieten können. Die eine verstieg sich dabei sogar in das Erstellen einer Liste von Themen, die sie gerne behandelt gesehen hätte. Das LiGa als Hitparade? Klar. Wieso nicht? Im Folgejahr liessen wir beim „Best of" das Publikum entscheiden, was es sehen wollte. Aber das mit der unerfüllten Erwartungshaltung blieb durchaus ein permanentes Problem zwischen LiGa und Publikum.

Kurs 101 – Identität filzen

Ein Kursabend in zwei Hälften und mit zwei Dritteln

Texte: Mathias Ospelt
Musik: Marco Schädler
Regie: Ingo Ospelt
Premiere: 9. November 2005, Schlösslekeller, Vaduz
Derniere: 17. Dezember 2005, Schlösslekeller, Vaduz

Programm

Eröffnungsschlager 1

Begrüssung

Der Kurs

Der Heimat

Song: Am schönsten ist das Liechtenstein

Jeder Mensch hat eine Heimat

Exkurs: Bärgär Gschicht

Identität

Klischees

Meditation

Eröffnungsschlager 2

Rückmeldungen

Song: Gefangen in maurischer Wüste (trad.)

Die Dachmarke

Die Botschaften

Song: Wo gooscht du hi, wennd alaa bischt?

Die nationale Identität

Exkurs: Freier Walserglaube

Exkurs: Liechtensteiner Arier

Identitätsschutz (Folien)

Abschluss und Aussicht

Begrüssung

Dr. Ospelt **Dr** und Herr Schädler **Sch**

Dr: *So. Nochmals guten Abend, sehr verehrte Damen und Herren Kursteilnehmer, nach den vertrauten Klängen von dieser uralten Weise aus unserer geliebten Heimat, möchten wir Sie ganz herzlich zum heutigen Abendkurs „Identität filzen" im Hause Liechtenstein Egerta begrüssen. Unsere Namen sind ... völlig unwesentlich in diesem Zusammenhang. Wir sind der Stabsstellenleiter vom Fürstlichen Institut für Landeskundliche Zusatzinformationen – kurz FILZ genannt – und das da ist unser Vize-Stabsstellenleiter.*

Sch: *Stabstellenleiterstellvertreter, Herr Stabstellenleiter!*

Dr: *Richtig, Stabstellenleiterstellvertreter! Wir freuen uns ausserordentlich, dass Sie das Angebot von unserer geschätzten Regierung, die werte Bevölkerung im Rahmen von wertvollen und spannenden Abendkursen über den Stand von den Dingen zu informieren, positiv angenommen haben und dass Sie sich heute Abend so zahlreich hier eingefunden haben. Wir denken, wir sagen nichts Falsches, wenn wir Sie, geschätzte Anwesende, ganz herzlich zu diesem Entschluss beglückwünschen. Verehrte Damen, verehrte Herren, Sie wissen, dass das Interesse am Kern von der ureigensten Heimat, der Identität, also an dem, was uns gross macht und mitunter stark, dass dieses Interesse nie vergebens ist, sondern einen natürlichen Vorgang bedeutet, wo mit Gold und guten Worten nicht genügend aufgewogen werden können tut. Unsere Aufgabe soll es da darum auch sein, Ihnen, verehrte Kursteilnehmerinnen und –teilnehmer, Euer noch kümmerliches Wissen um Euer Verhältnis zu Euerem Vaterland nicht etwa schmälernd zu korrigieren, sondern ergänzend zu optimieren.*

Sch: *Korrekt! Ergänzend zu korrigieren und schmälernd zu optimieren.*

Dr: *Genau. Es freut mich ausserordentlich, dass Sie dies auch so sehen. Ausserordentlich freut mich das.*

Sch: *Selbstverständlich sehe ich das so. Wir sitzen ja im gleichen Boot. Wir sitzen beide in dem einsamen Kahn, der auf den Wogen des nationalen Bewusstseins schaukelt, und dem unser Gevatter Mond, der treue Behüter am sternenlosen Himmelszelt, ein verlässlicher, aber einziger Freund ist.*

Dr: *Das haben Sie aber sehr schön gesagt! Sehr schön haben Sie das gesagt! Ich bin bewegt. Bewegt bin ich. Das müssen wir uns notieren!* (macht sich eine Notiz)

Sch: *Die Auseinandersetzung mit der Heimat, Herr Doktor Ospelt, …*

Dr: *Bitte keine Namen, Herr Schädler!*

Sch: *In Ordnung, Herr Doktor. Also: die tiefere Auseinandersetzung mit der Heimat, also der Ausgangspunkt dessen, wohin uns die Frage nach der Identität letztlich führt, legt einem zuweilen Worte in den Mund, deren Sinn sich manchmal erst am späteren Abend erschliesst. Oder gar nie.*

Dr: *Wunderbar! „Oder gar nie". Genau. Das sind denn auch die schönsten Momente.*

Sch: *Die Liebe zur Heimat treibt uns nicht zuletzt dazu, Dinge zu tun, die eigentlich wider die Natur sind. Sie lässt uns Grenzen überwinden, wo gar keine wären. Und macht uns zu Gemsen im Steinbruch des Herrn.*

Dr: *Und zu Wildhütern im Streichelzoo von einer patriotischen Gesinnung.*

Sch: *Das Heimatblut lässt uns Dinge tun, auf die sonst kein Mensch im Traume kämte.*

Dr: *Denn Heimatblut ist dicker als wie Quellwasser!*

Sch: *Es macht uns zu Brüdern und Schwestern.*

Dr: *Oder zumindest zu entfernten Verwandten.*

Sch: *Jedenfalls geben wir diesen Kurs wirklich gerne. Das müssen Sie uns glauben. Nicht wahr?*

Beide blicken ganz ergriffen ins Publikum.

Der Kurs

Dr: *Verehrte Damen, verehrte Herren, gleich an den Beginn von unseren Ausführungen möchten wir da daher – in leicht abgewandelter Form - das Wort von einem unbekannten Verwaltungssoldaten stellen, das seit einiger Zeit so sinnreich die öffentlichen Aussendungen, Erinnerungen und Mahnungen vom Ausländer- und Passamt einleitet: „Ein landeskundlicher Abendkurs soll kurz und freundlich sein. Er soll Erfolg versprechen. Dieser Kurs ist kurz. Er ist von freundlicher Gesinnung. Ob er erfolgreich ist, hängt von Ihnen ab."*

Sch: *Gerne möchten wir an dieser Stelle auch noch auf die weiteren Kurse in diesem staatskundlichen Kontext hinweisen: So beginnt zum Beispiel nächste Woche der Kursus „Schönbrunnerisch für Fremdsprachige".*

Dr: *Da lernen wir zum Beispiel, wie man „Volk" konjugiert.*

Sch: *„Volk" wird doch dekliniert?*

Dr: *Na na. Konjugiert! „Ich Volk, du folgst, er, sie, es folgen nach, wir folgen selbstverständlich nicht, ihr folgert richtig und sie folgen dann alle wieder" Ha ha.*

Sch: *Okay*

Dr: *Ebenso starten wir nächste Woche mit der Reihe „Neoliberalistische Reformen für Anfänger". Dieser Kurs ist aber bereits ausgebucht. Die Landesverwaltung hat gleich einmal alle seine Kaderleute für diese zukunftsweisende Veranstaltung zwangsrekrutiert.*

Sch: *Okay*

Dr: *Was uns eine grosse Freud bereiten tut. Ist es doch erst 30 Jahre her, dass der bekannte und hierzulande äusserst beliebte chilenische Staatschef Pinochet als erster von seinem Fach mit dem Neoliberalismus herumgepröbelt hat und seine Landsleute da damit beglückt hat.*

Sch: *Okay*

Dr: *Da hat es ja damals einen richtigen Aufschwung gegeben! In Chile. Mitte der 70er. Richtig flott ist das da losgegangen!*

Sch: *Okay*

Dr: *Ja und da haben sich die Unsrigen gedacht: Warum dann 30 Jahre später nicht auch hier kucken, dass es hier so richtig flott losgeht.*

Sch: *Okay*

Dr: *Und dass das Soziale dabei auf der Strecke bleibt: ja, mein Gott! Braucht denn jeder einen Weinkeller mit eingebautem Jakuzzi? Muss jeder schon einmal im Hotel Burj al Arab in Dubai übernachtet haben? Braucht jeder, wo zum Bäcker fährt, einen Porsche Cayenne? Nein. Sozial ist doch, was wir uns leisten können[1]. Und wenn wir uns die sozial Schwächeren leider nicht mehr leisten können, hm, dann gibt es für die ja immer noch das Brockenhaus. Und der Frauenverein bekommt wieder seine Rolle als Sozialminister über.*

Sch: *So wie früher.*

Dr: *Genau. So wie früher.*

1 Nach einem Wort des Regierungschefs Otmar Hasler „Sozial ist, was wir uns leisten können".

Am schönsten ist das Liechtenstein

Café Wanger, Gorfion,
Räbabar und Orion,
Edelweiss und Sportcafé,
Deutscher Rhein und Cesare

> *Am schönsten ist das Liechtenstein*
> *– eins zwei gsuffa! –*
> *bei einem Glas Prosecco Wein*
> *– drei, vier gsuffa! –*
>
> *Doch auch zum Mixgetränk mit Rum*
> *schmeckt das kleine Fürstentum.*
> *Drum nehmt die Gläser in die Hand:*
> *Zum Wohl Gott, Fürst und Vaterland!*

Coco-Loco, Gitzihöll,
Palazoles, Old Castle,
Crash Bar, Bennys Roadhouse, B'eat,
Nexus, Burg und Café Riet

> *Am schönsten ist das Liechtenstein …*

Ipanema, Galina,
Tiffany und Maschlina,
Johnny, Alpenhotel Steg,
Roxy, Turna und Grüneck,

> *Am schönsten ist das Liechtenstein …*

Blackbox, Hubraum, Schwalbanescht
oder am Verbandsmusikfescht,
Traube, Lett und Berggasthaus
oder ganz allein zuhaus

> *Am schönsten ist das Liechtenstein …*

Jeder Mensch hat eine Heimat

Dr: *Jeder Mensch hat eine Heimat.*

Sch: *Ob er will oder nicht.*

Dr: *Wobei man bei denen, wo so tun, als wie wenn sie keine Heimat haben täten, schon merken tut, warum sie so tun. Meistens sind das nämlich auch wirklich keine schöne Heimaten, wo die herkommen. Es kann ja auch nicht jeder so eine schöne Heimat haben als wie wir. Aber die haben wir uns auch selber verdienen müssen.*

Sch: *In diesem Zusammenhang hätte ich noch eine Anmerkung zu machen.*

Dr: *Bitte bitte! Merken Sie an! Tun Sie nur anmerken! Tun Sie nur!*

Sch: *Ich wollte nur gesagt haben, dass es im übrigen ja nicht so ist, dass man, wenn man woanders geboren wäre, etwas anderes wäre als das, als was man tatsächlich geboren ist!*

Dr: *Ein schöner Gedanke! Sehr schön! Das muss ich mir aufnotieren, nur, ähm, was meinen Sie denn konkret da damit?*

Sch: *Dass es nicht so ist, dass man, wenn man woanders geboren wäre, anders wäre als das, als was man tatsächlich geboren ist!*

Dr: *A ja. Genau … Aber vielleicht können Sie das für die Gäste unter uns, wo jetzt leider nicht über die mannigfaltigen intellektuellen Möglichkeiten verfügen, zum Ihren Gedankengang zur Gänze nachzuvollziehen zu können, vielleicht können Sie das für die noch ein bisschen weiter ausführen. Hm?*

Sch: *Noch weiter?*

Dr: *Nur ein bisschen.*

Sch: *Okay. Also. Was ich sage, ist, dass ich, wenn ich jetzt zum Beispiel in Österreich geboren worden wäre und ich als Österreicher aufgewachsen wäre, ich trotzdem ganz sicher kein Österreicher wäre!*

Dr: *Was wären Sie denn dann?*

Sch: *Ein Triesenberger natürlich!*

Dr: *Ah ja. Natürlich.*

Sch: *Ganz egal, ob ich einen Österreicher Pass hätte oder nicht.*

Dr: *Weil Sie das gespürt gehabt hätten, dass Sie ein Triesenberger und nicht etwa ein Österreicher sind!*

Sch: *Nicht weil ich es „gespürt" hätte, sondern weil es so ist!*

Dr: *Genau*

Sch: *Es ist nämlich nicht so, dass man, wenn man woanders geboren wäre, anders wäre als das, als was man tatsächlich geboren ist. Das ist genau geregelt.*

Dr: *Von wem?*

Sch: (macht ein Zeichen gegen die Decke, dann schlägt er sich mit der Faust auf die Brust) *Triesenberger sein ist nicht etwas, das man sich einfach aussucht! Das ist keine Lieferung aus dem Bestellkatalog, die man sich durch die erkaufte Mitgliedschaft in einem Dorfverein emotional erpresst, sondern eine Lebensaufgabe. Hervorgerufen durch eine Berufung. Und da dadurch erst ist es etwas ganz ganz ganz Besonderes.*

Dr: *Sehr schön. Sehhhhhr schön. Also wenn ich Ihren Gedanken nun weiterspinnen täte, dann täte ich sagen, dass da dadurch z.B. ein Papua Neuguineser, wo jetzt zufälligerweise in Mauren geboren sein täte, gar kein Maurer, sondern ein Papua Neuguineser sein tut. Sehr interessant.*

Sch: *Falsch. Das sind Maurer oder Papua Neuguineser, aber keine Triesenberger.*

Dr: *Klar. Logisch.*

Sch: *Wie die anderen mit ihrer Identität umgehen, ist uns egal.*

Dr: *Richtig*

Sch: *Man darf hier nicht Birnen mit Zwetschgen verwechseln. Darum kann man auch nicht Triesenberger werden, wenn man es nicht ist.*

Dr: *Aber wenn jetzt ein Triesenberger woanders geboren geworden wäre, dann täte er ja gemäss von Ihrem eigenen, gerade eben aufgestellten Heimat-Axioms gerade eben nicht etwas anderes sein tun als wie als das, als was er geboren ist.*

Sch: *Eben!*

Dr: *Genau.*

Sch: *Man kann es nicht werden. Man ist es!*

Dr: *Und die Eingebürgerten?*

Sch: *Ein Triesenberger kann nicht eingebürgert werden.*

Dr: *Weil er schon ein Triesenberger ist?*

Sch: *Exakt!*

Dr: *Und wenn jetzt jemand, wo eigentlich ein Papua Neuguineser sein täte, aus Versehen am Triesenberg als Triesenberger geboren geworden sein täte, der täte dann gar kein Triesenberger sein tun?*

Sch: *Ja wie denn? Er wär ja ein Papua Neuguineser!*

Dr: *Mit Triesenberger Pass!*

Sch: *Der Triesenberger braucht keinen Pass, um zu wissen, dass er Triesenberger ist. Oder haben Sie schon einmal einen Triesenberger mit einem Triesenberger Pass gesehen?*

Dr: *Nein*

Sch: *Eben*

Identität

Dr: *Ohne Identität ist eine Heimat wie eine Socke ohne Fuss.*

Sch: *Wie eine Wursthaut ohne Wurst.*

Dr: *Wie ein Kühlschrank ohne Licht.*

Sch: *Wie ein Triesenberger ohne Berg.*

Dr: *Umgekehrt ist es ähnlich. Wer keine Heimat hat, hat es auch schwer mit der Identität. Wem will man denn zum Beispiel bei einem Fussball-Länderspiel zujubeln, wenn man selber nicht einmal weiss, auf welcher Seite dass man steht? Natürlich gibt es scheint's auch andere Kategorien als wie die von der Herkunft: Qualität z.B. Aber mal im Ernst: Wer will denn bei einer Fussball-WM, dass der Beste gewinnt? Oder beim Concours Eurovision? Und wenn schon die eigenen Landsleute nicht siegen können, dann* *geht es doch nur noch da darum, wer ganz sicherlich NICHT gewinnen soll. Bzw. dass der mit den geringsten Antipa-thien siegen tut. Womit klar ist, dass der Verlust von Heimat einen Verlust an einem allgemeinen Beurteilungs-vermögen nach qualitativen Massstäben nach sich zieht. Und somit wäre auch das Wechselspiel von Heimat und Identität ausreichend geklärt.*

Sch: *Wie sieht es nun aber mit unserer Heimat aus?*

Dr: *Unsere Heimat ist ganz klar Liechtenstein. Aber nicht irgendein Liechtenstein, sondern DAS Liechtenstein. UNSER Liechtenstein. Unser in tausigen Liedern und ebenso vielen Gedichten schmählich übergangenes Kleinod am jungen Rhein.*
Aber tragen wir da daran nicht selber Schuld, verehrte Bildungshungrige? Nehmen wir unsere Heimat nicht für allzu selbstverständlich? Machen Sie den Test. Fragen Sie doch einmal einen Liechtensteiner auf der Strasse:
(fragt den Herrn Schädler) *Was ist für Sie das Schönste auf der Welt?*
Dann sagen mit 100%iger Sicherheit 99,9 % der Befragten:

Sch: *Trisaberg!*

Klischees

Dr: *Vielleicht habt Ihr ja bereits vor dem heutigen Abend schon mal das eine oder andere Wissenswerte in einem Lesebuch oder an einem Stammtisch gehört von unserem sagenumwobenen und klagenumworbenen Fürstentum südlich vom Bodensee. Habt schon unglaubliche Gerüchte aus unglaublich gut informierten Mündern vernommen, wie es hier, östlich von der Ostschweiz und am Fusse vom Vorarlberg zu- und hergehen soll.*
Das Gold, so heisst es, soll auf der Strasse liegen, die Silbertaler auf den Hausdächern wachsen und die Diamanten in den Hosentaschen klimpern.
Jeder Liechtensteiner fährt eine dunkle Limousine, sagt man, zumindest sind die, wo einen auf der A 13 überholen, immer schwarz.
Jeder zählt seinen eigenen Palast sein eigen. Jeder prägt seine eigenen Briefmarken. Jeder hat schon einmal olympisches Gold im Slalom gewonnen. Der EWR hat uns reich gemacht. Wird erzählt. Und die UNO. Und der Fürst. Und

der Erzbischof wird dereinst da darum besorgt sein, dass es uns auch im Jenseits an nichts fehlen tut.
Das sind so die positiven Schwingungen, wo man so mitbekommt.
Vielleicht habt Ihr Euch ja auch schon selber ein eigenes Bild gemacht. Habt mal nachgeschaut. Habt Euch auf der Strasse nach dem Gold gebückt. Habt auf den Flachdächern die Silbertaler gesucht. Dem Nachbarn in den Hosensack gekuckt. Und feststellen müssen: Alles erstunken und erlogen.
Blicken wir da daher kurz zurück:
Im Jahre 1996 hat das renommierte Institut für Demoskopie Allensbach eine Umfrage über Liechtenstein durchgeführt, wo 19 europäische Staaten sowie die Vereinigten Staaten und Japan miteinbezogen gehabt haben tut[2]. Die wichtigste Frage von der Untersuchung ist es gewesen:
Kennt die Welt den Gegenstand der Untersuchung?
Antwort: 35 % haben wie immer überhaupt keinen Schimmer und 41 % ist Liechtenstein nur dem Namen nach bekannt gewesen.
Eigentlich hätte man nach dieser Erkenntnis die Analyse schon wieder abbrechen und einen Haufen Geld sparen können. Aber glücklicherweise hat es ja noch die restlichen 24% gegeben, wo über eine zeitgemässe Schulbildung verfügt und da damit gewusst haben, wer und was Liechtenstein gewesen ist und diese haben dann die folgende Frage beantwortet:
Woran denken Sie, wenn Sie an Liechtenstein denken?
Fragen Sie sich kurz selber! Machen Sie eine Notiz im Kurzzeitgedächtnis! Was fällt Ihnen da dazu ein?
Richtig! Die vier am meisten genannten Dinge sind gewesen:
- Liechtenstein ist ein kleines Land
- Es liegt zwischen Österreich und der Schweiz
- Es hat eine Fürstenfamilie
- Und es ist selbständig und unabhängig
Also nichts von all den vorher erwähnten Klischees!
Es ist da daher naheliegend gewesen und tut auch vom finanziellen Gesichtspunkt her durchaus vertretbar sein scheinen, dass sechs Jahre später, im Jahre 2002, eine weitere Untersuchung mit ähnlicher Stossrichtung durchgeführt worden ist. Diese Studie ist von Studenten vom Executive Master of Science in Communications Management

2 *Nachzulesen in: Das Fürstentum Liechtenstein von aussen betrachtet. Bericht über eine demoskopische Umfrage in 21 Ländern. Institut für Demoskopie Allensbach. Liechtenstein. Politische Schriften. Band 25. Vaduz 1999.*

Universität Lugano vorgenommen worden[3].
In dieser Studie sind 6.739 Personen aus sechs Ländern gebeten worden, über Liechtenstein auf der nach oben offenen Richterskala zu richten.
Die Aussage, mit der sich die Befragten da dabei am meisten haben einverstanden erklären können, hat gelautet – Richtig! – :
Liechtenstein ist ein schönes Land.
Und das ist eigentlich auch das einzige, wo Sie, sehr geehrte Damen und Herren hier und heute interessieren sollen tut!

Die Dachmarke
Dr. Ospelt **Dr**

Dr: *Liechtenstein hat viele Heimaten. Viel mehr als wie als andere Länder. Gerade da darum findet sich der normale Liechtensteiner in seiner Heimat auch häufig nicht mehr so richtig zurecht. So bietet zum Beispiel die Familie eine Heimat oder der Verein – was für manche dasselbe ist – , der Stammtisch – die Kleinfamilie – , oder die Partei – die Grossfamilie.*
Jetzt haben wir bekanntlich seit mehr als wie einem Jahr eine auf ein Jahr beschränkte Stiftung, wo sich mit affenartiger Geschwindigkeit da darum bemüht, diese verschiedenen Heimaten aufzufangen und sie unter ein gemeinsames Dach zu stellen: nämlich das von der Dachmarke.
Die Dachmarke hat zum Ziel, die Heimaten nach Aussen strahlen zu lassen. Der Liechtensteiner hingegen will die Heimaten im Innern strahlen lassen. WIR wollen ja durch die Heimat durchleuchtet sein und nicht umgekehrt. Wem unsere Heimat dann sonst noch heimleuchtet, ist uns egal. Hauptsache, wir wissen, was für eine Art Leuchte wir sind.

Aber was will die Dachmarke jetzt konkret?
Nehmen wir das folgende Beispiel: Einer, in der Regel ein Ausländer, kommt ungefragt hierher und es gefällt ihm hier so gut, dass er bleibt. Gut. Kann man nichts machen. Besser wäre es aber, wenn einer, wo ungefragt hierher kommt, das am Land gefundene Gefallen wieder mitnimmt und er sich bei sich zuhause im stillen Kämmerlein über uns weiterfreut. Wir stehen nämlich eher auf dem One-Night-Wohlstandsprogramm. Kurz muss das sein und schmerzlos.

3 Nachzulesen via http://www.llv.li/pdf-llv-rk-liechtenstein_das_global_village_bericht.pdf

Hierherkommen und sich wohlfühlen, liegt drin. Aber anschliessend bleiben wollen, ist nicht das, was wir uns unter einer positiven Imagewerbung vorstellen.

Aber das will ja die Dachmarke letztlich auch gar nicht. Die möchte zuerst einmal nur für viel Geld eine schöne Wortmarke haben. Also so etwas hier:

WORTMARKE LIECHTENSTEIN[4]

Wenn Sie sich jetzt fragen, wie man auf diese lustige Farbe gekommen ist: Nun, das ist einfach geklärt. Mischt man die liechtensteinischen Landesfarben Blau und Rot, dann ergibt das Aubergine. Was auch durchaus passend ist: Aubergine, bayrisch Negerbeudl, ist nämlich ein Nachtschattengewächs, wo nur in weichgekochtem Zustand geniessbar ist.

Diese Idee ist aber noch etwas gewöhnungsbedürftig. So ist es doch vor einer Weile tatsächlich zu folgendem Wortwechsel zwischen SD dem Landesfürsten und einem Vertreter von den liechtensteinischen Medien gekommen: "Entschuldigen Sie, bitte, Durchlaucht, wenn ich Sie jetzt noch fragen dürfte, Durchlaucht, wird denn, Durchlaucht, die auberginenfarbige Dachmarke, Durchlaucht, wird diese Marke denn auch im Auftritt, Durchlaucht, vom Liechtenstein Museum, Durchlaucht, also von Ihrem Museum in Wien, Durchlaucht, wird die Dachmarke in diesem Auftritt, Durchlaucht, integriert?" – "Nein"[5]
Wenn jetzt aber schon von höchster imagetragender Stelle die auberginenfarbige Dachmarke auf so souveräne Art und Weise abgekanzelt geworden ist, fragt man sich allenthalben, wie es nur da dazu kommen können hat können?
Vielleicht da darum:
Es macht ja durchaus Sinn, dass der Auftrag, ein Land im schlecht informierten Ausland besser bekannt zu machen, an eine Firma im schlecht informierten Ausland vergeben wird. Zwei Mal Minus ergibt schliesslich Plus.

4 *siehe: http://www.liechtenstein.li*
5 *Nachzulesen in: 60 Jahre Fürst Hans Adam II. Beilage zur Tageszeitung „Liechtensteiner Vaterland". 14. Februar 2005. S.30*

Die Botschaften

Dr: *Eine kritische Beschäftigung mit der Dachmarke macht nur Sinn, wenn man sich ganz detailliert mit den verschiedenen Kernelementen von der Dachmarke auseinandersetzt. Die da wären:*

- der Dialog,
- der Finanzplatz,
- der Industriestandort,
- das vielfältige Kulturleben
- und das Ferienland.

Was wollen uns diese Botschaften nun aber sagen? Wir tun es Ihnen erklären:
Beginnen wir mit dem Dialog, den lustigen Mäuseohren: Als erstes fällt uns hier der ökonomische Dialog zwischen dem Vatikan und Liechtenstein ein, wo uns im Dezember 97 den Herzbischof beschert hat. Dann erinnern wir uns an den segensreichen Dialog, wo im Rahmen von der Ver-

fassung geführt worden ist und wo uns am Ende den Erbprinzen beschert hat. Wir sehen: In Liechtenstein bedeutet „Dialog" eine spezielle Kommunikationsform, wo eine Person oder eine Institution - wo jedoch meistens durch eine einzige Person vertreten werden tut - seine Wünsche und Bedürfnisse mit lauter Stimme dermassen in die Welt hinaus trägt, dass sich da daraus eine Art Echo ergibt, wo von der besagten Person quasi als wie als dialogischer Austausch empfunden werden wird. Das ist Dialog in Liechtenstein!

Dann: der Finanzplatz. Der lustige Schwimmreifen:
In Liechtenstein ist es so, dass die, wo am meisten Spass im Land haben, genau die sind, wo am wenigsten Spass vertragen: die Finanzdienstleister. Unterzieht man den Mythos vom unbefleckten Wirtschaftswunder jedoch einer genaueren Untersuchung, so tut sich schnell einmal herausstellen, dass Liechtenstein ohne seinen Finanzplatz heute nicht das wäre, was es heute ist und es da daher auch nicht die Image-Verbesserung brauchen täte, wo heute so dringlich ist.

Dann. Als nächstes: Der Industriestandort:
Die Industriekapitäne vom Land leiden an einem Gefühl von corporate Wertschätzungslosigkeit. Obwohl es ja mittlerweile häufig genug publiziert worden ist, dass der Industriestandort Liechtenstein dem Finanzplatz Vaduz den Rang abgelaufen hat, glauben nach wie vor die meisten, dass der Liechtensteiner Industrielle seinen Betrieb nur da darum führen kann, weil er einen Deutschen oder zumindest einen Deutschschweizer im Kader hat, wo ihm den Karren zieht und schmiert. Da daher tut es vielen von unseren Patrons physisch schlecht gehen tun, sie tun unter der mangelnden Wertschätzung leiden, werden seelenängstlich und geben sich Fluchten aus dem Alltag hin. Nur ihre Töchterlein, die beeindruckt das wenig. Sie wissen, wer sie sind, und das geht dann so:

Wo gooscht du hi, wennd alaa bischt

Du schwätzischt wia der Ernscht Walch am Radio
Und du tanzischt wia der Hans Nigg bim Hair.
Dini Kleider koofscht du z Mailand
Und gischt si förd Polahilf her:
Dia arma Lütt, dia hen jo nüt.

Wennd im Land bischt, wonscht im na Schlössle
Im Villaviertel vo Schaa.
Vollgschtopf mit allem Schniggschnagg,
Wo ma höttstags ganz günschtig ka ha.
Bischt jo ned blöd!

> *Aber wo gooscht du hi, wennd alaa bischt?*
> *Wenns dunkel wörd i dim Grind?*
> *Verzell mer dini Gedanka,*
> *Wo niemert soss intressant find. Ossert mier.*

I kenn dini QualiFickaziona,
Wo der kholt hescht ar HSG.
Hescht Belder vo dina Kunschtgwerbschualkolleega
Us der Zitt vo dira Jeunesse d'oré.
A super Zitt!

Im Summer gooscht allbigs id Feeri.
Derför faschtischt di drü Wocha schlank.
Hescht Partiis met Diplomata-Kolleega.
Dernoch bischt denn drüü Wocha krank.
O jemine!

Wenns schneit, find ma di i da Berga:
Z Äschpa, z St. Moritz oder Zürs.
Am Oobed trinkscht Petrus vom Haana
Und am Tag nünnscht denn Gittara Kürs.
Oder o net.

> *Aber wo …*

Din Namman ischt bekannt bir Regierig.
Hescht an Ämtle ir Welscha Schwiz.
Der Förscht schenkt der en Orda zor Wianacht,
Wod ab und zua treescht als en Witz:
Jo luag do her, ha ha ha ha!

Und spööter, wennd a Familia wetscht,
Findscht seher en Kerle vo Welt!
Khüroota wörd uf Masescha.
Aber d Verwandschaft kunnt net met ufs Beld.
Dia sin so doof. Und primitiv.

Denkscht mengmol noch dra, wo du herkunnscht?
Ad Bettsöck, der Rebel, der Käs?
Ad Disco z Vadoz oder z Balzers?
A dini Spanga, dini Brella, dis Hääs?
O Gottogott!

Oder wääscht noch, wiad glernt hescht konjugiera:
Je suis, tu suis, il suis, nous suis.
Ka sii, dass di dött dra numm erinnrisch,
Aber för das gitts eba Töttel wia mi!

> *I wääs, wo du hiigooscht, wennd alaa bischt,*
> *Wenns dunkel wörd ned no i dim Grind.*
> *Denn verkrüüchscht du di i dis Pijaama,*
> *Dermet di o jo niemert find.*

Dr: *Kommen wir zum Kulturleben, dem lustigen Monopolyhäuschen:*
In Liechtenstein spielt so manche Kultur. Aber - wie ein altes Sprichwort sagt - an Fronleichnam spielt nur die Harmoniemusik.

Und da damit kommen wir schon zur letzten Kernbotschaft, dem Ferienland, repräsentiert durch die lustige Schneeflocke aus der Schneekanone:
Dass Liechtenstein als DAS Liechtensteiner Mekka vom Wintersport gilt, bedeutet selbstverständlich nicht, dass Liechtenstein nur im Winter schön ist. Nein nein. Gerade im Winter kann es hierzulande nämlich ganz besonders brutal grusig sein. Im Tal. Da darum soll man Liechtenstein auch im Sommer besuchen. In den Bergen. Das will uns dieses Signet sagen.
Denn mit Liechtenstein verhält es sich ähnlich wie mit dem in einer Schneekanone hergestellten Kunstschnee. Erst wenn es so richtig kalt wird, kommt es zur Geltung. Erst, wenn sich das Klima um den Nullpunkt herum bewegt, wissen die Liechtensteiner wieder, wer sie eigentlich sind und wer ihnen vor der Sonne steht.

Die nationale Identität
Dr. Ospelt **Dr** und Herr Schädler **Sch**

Dr: *Wie wir gesehen haben, wollen Heimat und Dachmarke nach aussen strahlen. Was ist aber mit dem, wo im Innern strahlt? Unser eigenes nostalgiebetriebenes Heizkraftwerk? Unser Seelen-Hamster im Laufrad? Kurz: Unsere nationale Identität?*
Unsere nationale Identität kann sich unter anderem aus folgenden Bausteinen zusammensetzen:
dem Fürstentum
der Religion
der Herkunft
und der Sprache.
Das sind so die wichtigsten.

Der Identitäts-Baustein Fürstentum ist so quasi der Kitt, wo die Kernbotschaften im Innersten zusammenhält. Das Styropor im Wohlstandskarton. Für viele heimatlose Seelen bietet vor allem das Fürstenhaus eine Art letzte Ausfahrt. Fakt ist aber, dass das Fürstenhaus nur dem eine wirkliche Heimat bietet, wo bereits dem Fürstenhaus angehört. So tut es ja auch in der Verfassung stehen. Im Hausgesetz. Auch sieht sich die fürstliche Familie leider nicht im Stande, dem, wo sich redlich um einen fürstlichen Familienanschluss bemüht, einen Platz im Himmelreich zu sichern. Geht nicht. Ausgeschlossen. Die haben schon mit den eigenen Leuten alle Hände voll zu tun. Da darum: Gleich hinter die Ohren schreiben: Geht nicht! Nie und nimmer geht das! Tut mir leid. Ehrlich. Da könnt Ihr noch so viele Leserbriefe schreiben und Gesellschaften pro Familienanschluss gründen: Es wird Euch nichts helfen! Einmal Bauer, immer Seppl! Im Schatten vom Fürstenhaus zu stehen, führt einen nicht automatisch aus dem Dunkel von der eigenen Identität. Im Gegenteil. Ja?

Aber als kleinen Trost kann ich Euch sagen, dass auch ganz andere Kaliber von einer nationalen Identitäts-Krise betroffen sind. Unser Erzbischof zum Beispiel, dem hat es doch dieses Jahr am Staatsfeiertag tatsächlich während seiner Messe den Bischofshut gelupft. Hei!

Dem ist jetzt doch eine heidnische Dachmarke vor die Nase gesetzt worden worden, wo zwar auf die KULT-ur hinweist, den UR-Kult aber sträflich vernachlässigt. „Das Markenzeichen unserer Heimat," so hat der hohe Mann gesprochen, „kann doch wohl nicht ein Logo ohne christliches Zeichen bzw. ein gleichsam enthauptetes, also des Kreuzeszeichens beraubtes ‚Fürstenhütchen' sein."

Wahrscheinlich hat er sich da darum so geärgert, weil sich die Dachmärkler beim Fürstenhut am Tinky Winky orientiert haben. Das ist der Auberginenfarbige von den Teletubbies. Genau. Der mit dem Täschchen! Und dem Industriestandort auf dem Kopf!

Grundsätzlich ist man sich so oder so uneins, wie gross der Einfluss von den Religions-Bausteinen auf unsere Identität ist. (zu Herrn Schädler) *Wie halten denn Sie's mit dem Glauben?*

Sch: *Ich glaube … schon recht.*

Dr: *Wie darf ich denn das verstehen? Hat der Glaube Platz in Ihrer Identität?*

Sch: *Wie ich schon zu einem früheren Zeitpunkt ausgeführt habe, gehöre ich zum Stamme der freien Walser. Und diesen freien Walsern ist der rechte Glaube schon seit 2000*

Jahren in die Gene gelegt.

Dr: *Seit 2000 Jahren. Hei! Das ist ja schweineinteressant!*

Sch: *Kein Problem.*

Dr: *Bleiben wir da darum bei der Sprache.*
Gesprächig geben sich die Liechtensteiner eigentlich nur in den Leserbriefen. Das ist ihr kommunikatives Tummelfeld. Ihr interdisziplinärer Spielplatz. Da können sie ihre Gedanken, wo sie über Jahre wie den Sack in der Faust gehütet haben, endlich entleeren. Kein Thema ist ihnen zu allgemein, um ihm nicht noch etwas Triviales oder Verletzendes draufzusetzen. Wobei gilt: Je dümmer der Leserbrief, desto grösser die Breitenwirkung. Wobei natürlich der erfahrene Leserbriefleser immer mit einem halben Auge auf den Namen vom Autor schielt, sich dann gegebenenfalls abwendet und sich wichtigeren journalistischen Beiträgen widmet: „Pack ihn aus! Ich besorgs Dir!"

Sch: *„Schamlos!"*

Dr: *Genau! „Schamlos!" Bleibt uns noch abschliessend die Frage nach der Herkunft zu klären.*
Eigentlich ist der Liechtensteiner ein Mutikulti-Typ par excellence. So stammt er in der Regel ab von Kelten, Römern, Alemannen, Sarazenen, Schweden, Schweizern, Franzosen, Russen und vielen weiteren Volksstämmen, wo sich irgendwann einmal in unsere Gefilde verirrt und hier ihren genetischen Abdruck hinterlassen haben.

Exkurs: Liechtensteiner Arier

Dr: *Jetzt gibt es in Liechtenstein aber auch einen Bevölkerungsteil, wo für sich in Anspruch nimmt, dass er nur einem einzigen Volksstamm angehören tut. Und dies nicht erst seit 1719, sondern schon seit vielen vielen tausend Jahren. Nein. Da damit sind für einmal nicht die Vaduzer Stoffelgnössler[6] gemeint, sondern die „Liechtensteiner Arier".*

Ein kleiner Exkurs:
Mit den Ariern wird eine Völkergruppe bezeichnet, wo um 2000 vor Christus in das iranische Hochland eingewandert ist und aus der sich in der Folge die Perser, die Tadschiken, die Kurden, die Belutschen, die Paschtunen und der Inder entwickelt haben können. Ihnen gemeinsam ist eine Sprache, wo das Indogermanische genannt wird und aus der

6 Mitglieder der Alpgenossenschaft Vaduz

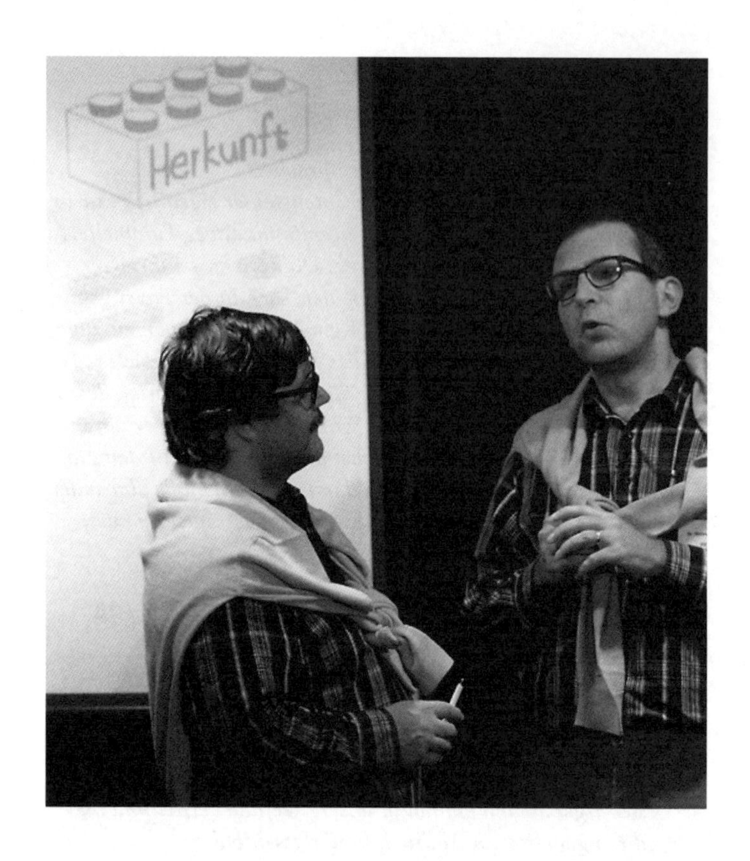
Herkunft

sich auch der Grieche oder der Romane, der Hochdeutsche wie der Walliserische genommen hat, was er gerade an Wörtern hat gebrauchen können. Ein Beispiel: der Curry, wo mittlerweile im gesamten Verbreitungsraum seine Verbreitung gefunden hat:
Curry Madras

Sch: *Körry Geschnetzletes*

Dr: *Körrywurst*

Sch: *Cash & Körry*

Dr: *Ned ganz kööri g*

Sch: *La vache kö rit*

Dr: *Und so weiter. Wie es jetzt aber zu der Entwicklung von den „Liechtensteiner Ariern" gekommen hat kommen können, hat selbst von Völkerkundlern nie wirklich geklärt können worden. Zumal ja die Vertreter von dieser Volksgruppe behaupten, immer schon in Liechtenstein gewesen zu sein. Also in diesem Falle schon vor 2000 vor Christus, also bevor es zu den eigentlichen Ariern gekommen ist. Es ist allerdings auch durchaus möglich, dass es die Liechtensteiner Arier gewesen sind, wo vor 4000 Jahren in das iranische Hochland eingewandert und wieder zurückgewandert sind. Ja warum denn eigentlich nicht? Die Amerikaner sind auch auf den Mond geflogen. Und wieder zurück. Jetzt aber zu behaupten, dass die Liechtensteiner Arier von vornherein eine körperlich und geistig überlegene Rasse sein tun, muss nach reichlichem Quellenstudium leider bezweifelt werden, hat sich zumindest nach unserem Wissen noch keiner von ihnen durch besondere sportliche oder schulische Erfolge hervorgetan. Fünf geschlechtsreife Arier gegen einen minderjährigen, langhaarigen Gymnasiasten wird jedenfalls vom internationalen olympischen Komitee nicht unbedingt als sportlicher Erfolg betrachtet, finden diese Auseinandersetzungen in der Regel ausserhalb von der im fairen Sportkampf üblichen Kategorien statt. Gleiches gilt für die Verwendung von Pfefferspray als Verstärkung von der Offensive. Uns ist auf alle Fälle weder ein sportlicher Wettkampf noch eine feindliche Firmenübernahme bekannt, wo durch den Einsatz von Pfefferspray entschieden worden tun hat können. Liechtensteiner Arier sind sich aber sicher, dass die kriegsentscheidende Schlacht um Stalingrad durch den gezielten Einsatz von Pfefferspray siegreich gestaltet hätte werden können.*

Wir halten also fest:

Liechtenstein ist das einzige Land von der Welt, in dem das gesteigerte Arier-Bewusstsein mit einem gesteigerten Wohlstand einhergeht. Es ist also eine sogenannte Wohlstandserscheinung. Nichts weiter. So wie der Tennisellbogen, der Mausklickdaumen oder die Vogelgrippe.

Abschluss und Aussicht

Schulgong

Dr: *Das ist jetzt aber eine exakte Punktlandung gewesen. Hei. Wie die Zeit verfliegt, wenn man sich amüsiert! Leider sind wir es jetzt aber nicht mehr da dazugekommen, Ihnen zeigen zu können, wie das jetzt funzioniert mit dem Filzen. Ja. was machen wir denn da, Herr Stabstellenleiterstellvertreter? Was machen wir denn da?*

Sch: *Wir könnten den Kursteilnehmerinnen und –teilnehmern ja zeigen, wie es ausschaut, wenn es fertig ist!*

Dr: *Hei! Eine weitere tolle Idee von Ihnen, Herr Stabstellenleiterstellvertreter! Bin ich froh, dass ich Sie habe! Genau so machen wir das! Holen Sie doch einfach ...*

Herr Schädler holt die Kiste.

Dr: *Sehr schön!* (hilft ihm) *Es entspricht ja an und für sich durchaus einer Liechtensteiner Gepflogenheit, dass man Dinge, wo man lange ankündigt, erst zeigt, wenn sie fertig sind. Da darum haben wir jetzt eigentlich überhaupt kein Problem da damit, wenn wir das jetzt auch so machen!*

Sch: *Okay!*

Dr: *Also dann: wenn Sie Ihre Identität erfolgreich gefilzt haben, dann sollte sie in etwa so aussehen!*

Sie präsentieren einen hässlichen Filz-Zwerg.

Dr: *Meine sehr verehrten Damen und Herren, und da damit wären wir jetzt am Ende von unserem Abendkurs und wir können nur hoffen, dass Sie da dabei etwas gelernt haben. Wenn nicht, dann kommen Sie doch einfach noch einmal.*

Sch: *Okay!*

Dr: *Ansonsten sehen wir uns wieder im nächsten Jahr, wenn wir uns dann eine Souveränität[7] häkeln. Verehrte Gäste, herzlichen Dank und auf Wiederschauen!*

7 Im folgenden Jahr feierte Liechtenstein "200 Jahre Souveränität".

2005 Das LiGa geht fremd

Über die Jahre wurde das LiGa immer wieder angefragt, zu bestimmten Anlässen oder Gelegenheiten aufzutreten. Da wir uns an diesen Veranstaltungen selten auf Bestehendes verlassen wollten bzw. sich das Bestehende nicht immer mit dem vom Auftraggeber Gewünschten vereinbaren liess, füllen die Skripte zu diesen „Spezialauftritten" mittlerweile fast mehr Ordner als die eigentlichen LiGa-Produktionen. In einem Fall war es denn auch so, dass sich ein Programm – „Identität filzen" – zu einem grossen Teil aus vielen solcher „Auftragsarbeiten" zusammensetzte. Ein weiteres Problem, sich bei diesen Gastauftritten nicht mit bestehendem Material präsentieren zu können, lag auch darin begründet, dass wir ausserhalb der normalen LiGa-Zeiten selten in der Stammformation auftreten konnten und die meisten unserer Szenen in Dia- oder Triologform geschrieben sind. Es mussten also notgedrungen neue Texte her. So gab es das LiGa solo (meistens ich, hin und wieder Ingo), in der Konstellation Mathias und Marco (die häufigste Variante), im Duo Ingo und Marco oder im Dreierpack.

Das Erfüllen dieser Spezialauftritte war nicht immer einfach. Häufig wurden wir von jemandem, der uns toll fand, eingeladen, vor einem Publikum zu spielen, das überhaupt nichts mit uns anzufangen wusste. Unvergessen die Weihnachtsfeier eines Unternehmens, an der wir nachts um elf gebeten wurden, uns vor zehn Tischen angetrunkener Angestellter politisch-literarisch zu produzieren. Wären wir leicht bekleidete Damen gewesen, hätte es vielleicht geklappt. Aber so? Ebenso lustig war der Kurzauftritt vor dem österreichischen Staatssekretär für Kunst und Medien, der nach dem dritten Satz in einen wohligen Mittagsschlaf entrückte. Andererseits gab es aber auch Anlässe, an denen alles stimmte. So zum Beispiel an der VCS-Delegiertenversammlung (1998), an der wir zweisprachig (dt./fr.) parlierten und sangen, an der 50-Jahrfeier der cipra (2002), wo wir multilingual glänzten (dt./fr./engl./ital.), an der IBK-Veranstaltung „meet.einander“ (2003), am „in.side“-Tag von Liechtenstein Tourismus (2005) und im Sommer 2006 open air auf Burg Gutenberg.

Souveräni tätärätätät!

Texte: Mathias Ospelt
Musik: Marco Schädler
Regie: Ingo Ospelt
Premiere: 26. Oktober 2006, Schlösslekeller, Vaduz
Derniere: 1. Dezember 2006, Schlösslekeller, Vaduz

Programm

Das Universum
Lutzagüetli, 7. Mai 4037 v. Chr.
Lied: Stern usem Unterland (Star of the County Down)
Christianisierung
Karl der Grosse, 16. März 801 n. Chr.
Lied: Gregorianischer Choral (Chianti Wein)
Mittelalter
Sängerstreit, 3. April 1414
Lied: Minnelied (Ulrich von Liechtenstein)
Hexen
Ludmilla vom Triesenberg, 7. Juli 1667
Lied: Halleluja (Händel)
Liechtenstein
5. September 1718

15. August 1806
Lied: „Europahymne" (Beethoven)
Revolution
Peter Kaiser, 15. Dezember 1848
Kultur
Joseph Rheinberger, 18. Mai 1889
Lied: An die Heimat (Rheinberger)
2. Weltkrieg
Aufschwung, 26. Oktober 2006
Lied: Merci

Das Universum
Stimme aus dem **Off**

Dunkel

Off: *Das Universum.* (etwas lauter) *Das Universum! Weisst Du, wie viel Sternlein stehen? An dem schwarzen Himmelszelt? Gott, der Herr, hat sie gezählet! Dass ihm auch nicht eines fehlet, an der grossen Zahl! 70 Trilliarden Stück. Heisst es. Sie müssen nicht nachzählen. Das ist eine 7 mit 22 Nullen. Vergleichbar mit dem Landtag. Entschuldigung. Ein Scherz.*
Das kennen Sie. Klar. Sowieso. Sonst wären Sie ja nicht hier. So wie dieser Herr hier. (A kommt im Kartoffelsack-Look. Er hält einen Ast in der Hand. Damit schlägt er um sich.) *Lassen Sie sich nicht täuschen! Sein Gang gibt nicht zwingend Aufschluss über seinen Gemütszustand. Ihm scheint der Sinn nicht nach Scherzen zu stehen. Schliesslich lebt er in der Jungsteinzeit. Hoch droben auf dem Eschnerberg, im Lutzagüetli*[1]*, hat er sich's eingerichtet. Der arme Jungneolithiker. Und jetzt ist er auch noch in ein Organisationskomitee bestellt worden. Wo er mitverantwortlich ist für die Planung eines grossen Festanlasses. Heieieieiei! Ja und jetzt sitzt er da und wartet er auf den Sitzungsbeginn. Aber schauen Sie selbst!*

Lutzagüetli, 7. Mai 4037 v. Chr.
A, B und **C**

C: *Guat. Denn möcht i eu ganz herzlig zo ösra ...* (überlegt) *zo ösra ...* (schaut in seinen Unterlagen nach) *muass i schnell luaga, zo ösra, a do isches, genau, zo ösra bereits 59. Setzig, - s nögscht Mol ka denn an a Rundi zala, haha, - zo ösra 59. Setzig begrüassa. Mier hen sit em letschta Mol groossi Fortschrett gmacht und mier legen super im Zittplaa, genau, das muass ma o amol säga, mier legen seer guat im Zittplan und das ischt o met en groossa Verdienscht vo eu. Do derzua möcht i eu o gern Dankschön säga, und eba, mir hen sit der erschta Setzig vor siba Joor, hemmer viil viil zemmabrocht und etz goots no noch drum, dass mer das o, dass mer das o ...*

B: *Umsetzend.*

C: *Genau, dass mer das o aso umzsetza bringen, sozsäga der Feinschliff aabringen, dass mer, dermet mer, dermet das*

1 auch: Lotzagüetle oder Lutzengüetle. Wald und Wiesen in Gamprin. Hier konnte aufgrund von Ausgrabungen eine jungsteinzeitliche Besiedlung (ca. 4000 v.Chr.) nachgewiesen werden. Älteste Fundstelle in Liechtenstein.

denn o ganz a schöni Sach gitt met dem, wo mer do vorhen. Also. Entschuldigt sin der … (schaut sich um) *der Ding, genau, der ander, und denn der, säg mer nochamol schnell wia der haasst?*

A: *Dr Beni.*

C: *Genau, der Beni. Weller Beni?*

A: *Er, wo der Jäger- und Sammlerverband vertritt.*

C: *Ahhh, DER Beni.* (zu B) *Haasst der Beni? Guat. Also. Dia hen sich entschuldigt.* (zu B) *Schriibscht das bitte uuf? Das ischt wechtig. Wer ko ischt und wer gfeelt het! Das ischt wechtig föra Schlussbrecht. Falls denn an a blödi Schnorra ha sött, wells ned a so ussako ischt, wian er sich das denkt het! Denn kommer im das grad zaaga. Schwarz uf Stää! Drum isches guat, wemmer das uufnotieren. Also. Schriib uuf: Dr Ding het gfeelt. Und der … Wia häscht gseet?*

A: *Beni!*

C: *Genau. Beni. Ischt das an Abkörzig för ..?*

B: *Benefitz!*

C: *Nei! Seher? Benefitz! Ha ha! Es schriibscht aber net uuf! Benefitz. Und das bim Jäger- und Sammlerverband! Aber machemer witter. Guat. Dr Ding und der Benefitz.* (sinniert) *Aber do feelt doch noch an!?*

A: *D Annelies.*

C: *D Anneliese? Was förnan Anneliese?*

B: *Vom Karl d Frau.*

C: *Vom Karl?*

B: *Ds Meiti schaffat bir Füürschtell.*

C: *Ah! Vom Ding vom Karl vom … Haasst dia Anneliese?*

A: *Wer?*

C: *Dia bir Füürschtell. I ha gmannt, dia haasst anderscht.*

A: *Dia bir Füürschtell haasst Cinderella. Aber d Mama haasst Annelies.*

C: *D Frau vom Karl schafft bir Füürschtell?*

A: *Nei! Dia schafft do!*

C: *Jetz kumm i numma druus!*

B: *Ds Meiti schaffat bir Füürschtell. Und d Mama, d Annelies, schaffat da bi ünsch mit.*

C: *Jo und wo isch si denn wo?*

A: *Si kunnt noch.*

C: *Was, si kunnt noch?*

A: *Si het noch a Setzig.*

C: *Wo? Mier hen etz DO o a Setzig!*

A: *Scho. Aber si het o noch an andri …*

C: (von Null auf 100) *WAS!? Was het si!? An andri Setzig?*

Wo an andri Setzig!? Bi wem?! Das gitts doch net! Wenn mier a Setzig hen, denn goot ma ned an an andri Setzig! Es GITT kan andri Setzig, wenn mier Setzig hen!

B: *Reg di doch nid uuf!*

C: *Was haasst do, reg di ned uuf!? Natörleg reg i mii uuf! Schliassleg bin ii do verantwortleg för das, was mier do machen!*

A: *Jo, ischt jo guat!*

C: *Nei! Eba isches net guat! Eba isches en huara verdammta Mescht, was mer do fabrizieren! An huara, an huara, ähm, ähm, an huara ... So goots doch net! I 5969 Joor ischt der grooss Aalass und mier hen no nüt, verschtonder, no gär nüt hemmer zemmabrocht! Kann Milimeter hemmer Fortschrett gmacht, der Zittplaa kascht da Hasa gee und und ana ana ...*

B: *Umsetzig!*

C: *An an Umsetzig ischt net z denka! Das gitt a Kataschtroffa! I säg nis. Das git an absoluti Kataschtroffa! Und alls no weget deran Anneliese.*

A: *Annelies!*

C: *Genau!*

B: *Süll i das ids Protokoll nä?*

C: *Was?*

B: *Was d etz grad gseid hescht? Wägäm Fortschritt. Und äm Zittplaa.*

C: (wieder beruhigt) *Seher net. Tottel! Also. Guat. Noch dem Motivatioonsschub vo minera Sitta, denk i, fangemer a.* (zu B) *Machscht du witter met der Traktandalischta!?*

B: *Ufem hüütäga Traktandum steid ...*

A: *Kämt net no zeerscht s Protokoll?*

C: *Genau! S Protokoll! Mier hen s Protokoll vergessa!*

B: *Ds Protokoll? Äns häwär doch scho ds letscht Mal ...*

C: *Aber s gitt doch wol a neus!*

B: *Aber äs steit genau ds Gliicha dinna wia bim letschta Mal!*

C: *Scho!? Zaag amol!* (nimmt Bs Unterlagen) *Wo simmer do? „Iiszitt-Management“? „Höhla-Catering“? „Wollnashorn-Feature“? Wo stoot do was?*

A: (zeigt auf die richtige Stelle) *Do!*

C: *Was ischt denn das do noch? „Einbezug ausländischer Kräfte“? Sinder etz völlig närsch worda!?*

A: *Das ischt noget en Projekbeschriib! Do hemmer noget a paar Idean uufgschreba ...*

C: *„Ossländischi Kräft“? Jo, för was!? Das ischt ösers Revier!*

A: *Scho. Es ischt jo o no net derzua ko.*

C: *Jo und werom stoots denn do im Protokoll!?*

A: *Das ischt doch gär ned s Protokoll! Das do* (zeigt ihm die richtige Stelle) *isches Protokoll!*

C: *Und was ischt das do!?*

A: *Das ischt a Skizza.*

C: *A so. A Skizza! Und was macht dia do dinna?*

B: *Das häwär ganz am Aafang amal besprocha und da han is zu dän …*

C: *I tät amol luaga, dass du dini Unterlaga besser beianand häscht! Ned, dass denn der Chef plötzleg do uuftaucht und denn a so eppes do lesa muass! „Ossländer"! Dia söllen iren aagna Clan gründa! Machemer witter?*

Dunkel

Off: *Und sie machten weiter. Und so kam es, dass das Land, das später Liechtenstein heissen sollte, in einem Wald ob Gamprin von langer Hand geplant, konzipiert und budgetiert wurde. Wieso nicht? Die Eidgenossenschaft entstand auch auf einer Wiese an einem See. Deutschland auf dem Schlachtfeld. Der Balkan auf dem Reissbrett. Jedem das seine.*

Stern usem Unterland

Amna Kelbischtand, zmetzt im Unterland,
Irgendwenn im letschta Hiarbscht.
Usem grööschta Verkeehr kunt a Maatle derher,
Het en Rock a, dass d manscht, du stiarbscht.

Und si treet derzua schweri Staalkappaschua
Und a T-Shirt mim Grind vom Hess[2].
Si seet: "Frönda Maa, luag mi ned so aa,
Oder s gitt glei en huara Stress".

Vom Bangser Feld[3] bis zom LIHGA[4]-Zelt
Und vom Schaawaal bis uffi uf And[5]
Ischt mer nia eppes Bsundrigers underiko
Wia der Stern usem Unterland.

2 *Rudolf Hess, „Stellvertreter" des Führers Adolf Hitler. T-Shirts mit seinem Konterfeit erfreuen sich unter der braunen Jugend Liechtensteins grösster Beliebtheit.*

3 *Wiese in Ruggell, an der Grenze zu Österreich*

4 *LIHGA: Liechtensteinische Industrie-, Handels- und Gewerbeausstellung. Findet alle zwei Jahre in Schaan statt.*

5 *Balzner Berghang, allerdings auf Graubündner Territorium*

Wo si mi verloot, well si witter goot,
Kummer i wian en Tottel vor.
Und i frög frank und frei der Polizei:
"Wer ischt dia met da blondgfärbta Hoor?"

Met Stolz i der Broscht seet er: "Das, min Borscht,
Das ischt ösera Rohdiamant.
Das ischt d jung Rosi Kind[6] vo der Hindera Bünt.
Si ischt der Stern usem Unterland!

6 *selbstverständlich ein Phantasiename*

Vom Bangser Feld bis zom LIHGA-Zelt …

Won i spööter denn hinders Bierzelt renn,
Well der Joorgänger Loft schnappa sött,
Sachi i der Fern wia der Tschügger Stern
Sich verzücht medra Gruppa vo Lütt.

I schliich hinterher und i land imna Käär,
Wo si hocken all beianand.
Und si singen grüert, dass do regiert
Nationaler Widerstand[7]*.*

Haar am Pimmel, Schimmel, Himmelti,
Heilandzacki dinna humba humba humba!

Christianisierung
Stimme aus dem **Off** und Chor **Ch**

Off: *Räumen wir gleich einmal mit einer unkorrekten Lehrmeinung auf: Von selbsternannten Experten wie einem Peter Kaiser*[8]*, einem Georg Malin*[9]*, einem Peter Geiger*[10] *oder durchgeknallten Verfassungsexperten wird immer wieder behauptet, im heutigen Liechtenstein hätte es so etwas wie einen Wandel gegeben. In Liechtenstein hätte sich so etwas wie eine Entwicklung vollzogen. Blödsinn! Wie denn auch! Zudem: 64%*[11] *der Bevölkerung können sich nicht irren - Können sich nicht irren - Können sich nicht irren –*
…
Liechtenstein – und das dürfen Sie nie vergessen - Liechtenstein hat es schon immer gegeben. Nur die Bevölkerung, die war mal so und mal so. Mal waren es heidnische Vor-Kelten. Dann heidnische Kelten-Kelten. Dann heidnische Römer. Dann heidnische Alemannen. Dann römische Katholische. Dann katholische Heiden.

7 Beliebtes Lied der braunen Jugend Liechtensteins: „Hier regiert der nationale Widerstand!"
8 Peter Kaiser (1793-1864), Politiker, Historiker und Pädagoge, aus Mauren
9 Georg Malin (1927), Historiker, Künstler und ehemaliger Politiker, aus Mauren
10 Peter Geiger (1942), Forschungsbeauftragter am Liechtenstein-Institut
11 Mit 64,3% der Wählerstimmen wurde am 16. März 2003 der Verfassungsvorschlag des Fürstenhauses gutgeheissen.

Ch: *Jesus sprach zum Kelten: Zwischen uns sind Welten!*
Jesus sprach zum Römer: Ohne dich wär's schöner!
Jesus sprach zum Alemannen: Besser wär's, du zög'st von dannen!
Jesus sprach zu dem Katholen: Du kannst bleiben uns gestohlen!
Jesus sprach zu seinen Jüngern: Hört auf, an mir rumzufingern!
Jesus sprach zu dem Korinther: Grosse Schnorre, nix dahinter!
Jesus sprach zum Galiläer: Du hast noch meinen Rasenmäher!
Jesus sprach zum Samariter: So viel Pech ist wirklich bitter!
Jesus sprach zum Orthodoxen: Geh'n wir mal ne Runde Boxen?
Jesus sprach zum Papst in Rom: Wer ist hier der Gottessohn?
Jesus sprach zum Atheisten: Wenn die, was wir wissen, wüssten!

Jesus sprach zum Scientologen: Um dich mach ich nen grossen Bogen!
Jesus sprach zum Katecheten: Geh doch Beten!
Jesus sprach zum Attentäter: Wir seh'n uns später!
Jesus sprach zum Bischof Haas: Halte Mass!

Hexen

Off: *Heutzutage ist häufig die Rede von einer Eventkultur. Winzerfest. Beachvolleyballturnier. Die Baustelle bei der Frommeltgarage. Aber im Vergleich zu früher ist das nichts. Allein in den Jahren 1648 bis 1680 wurden hierzulande über 300 Hexen und Hexer hingerichtet. Das macht alle fünf Wochen eine Hinrichtung! Da können unsere Eventfuzzis aber satt einpacken!*

A, B und C kommen.

So wie diese drei Herren hier. Die kennen wir ja schon. Heute haben sie sich auf den Festspielplatz begeben, um zu kucken, wie es um ein weiteres ihrer zahlreichen Projekte zur Staatswerdung bestellt ist. „Ludmilla vom Triesenberg. Ein Muhsical aus längst vergangner Zeit". Doch schauen Sie selber ...

Ludmilla vom Triesenberg, 7. Juli 1667
A, **B** und **C**

C: *Guat. Denn möcht i eu ganz herzlig zo ösra …* (überlegt) *zo ösra …*(schaut nach) *muass i schnell luaga, zo ösra, a do isches, genau, zo ösra 9. Begehig, – s nögscht Mol ka denn an a Rundi zala, haha – zo ösra 9. Begehig vom Feschtspiilort begrüassa. Mier hen sit em letschta Mol groossi Fortschrett gmacht und mier legen super im Zittplaa, genau, das muass ma o amol säga, mier legen seer guat im Zittplaa und das ischt o met en groossa Verdienscht vo eu. Do derzua möcht i eu o gern Dankschön säga, und eba, mir hen sit der erschta Setzig vor 5550 Joor, hemmer viil viil zemmabrocht und etz goots no noch drum, dass mer das o, dass mer das o …*

A: *Bollbag!*

C: *Wia?*

A: *So langsam nünnts Forman aa!*

B: (der mitschreibt) *Säg nüüd!*

A: *Ok*

B: *Gitts etz än Uberdachig oder nid?*

A: *S wär scho guat, föra Fall, dass es regnet. Anderersitts isches aber a Problem, wenn denn dia Schitterhüffa brennen. Denn zücht der Rooch net gschiid ab.*

C: *Schitterhüffa? Rooch? Hender en Vogel?*

A: *Aber wemmer natörleg a Füürle machen und denn tuats druufschiffa, denn ischt o weder net guat.*

B: *De gitts widr Läsärbriaf.*

C: *Was „Füürle macha"? Mier machen doch do ka Füürle!*

B: *Moll. So steids im Skript!*

C: *Was förna Skript?*

B: *Ja halt der Text va däm Musical.*

C: *A ha.*

Alle drei kucken schweigend

C: *Guat. Und budgetmässig? Litt alls dinn? I well denn net, dass es do zo Budgetöberschrittiga kunnt, gell! Mier hen das im Vorfeld genau beschprocha und das ischt verbindlig. Ischt das klar?*

B: *Ja ünsch iss scho klar.*

C: *Guat. Und dan andra?*

A: *Der Regisseur tuat a betzle blöd.*

C: *Söller no.*

B: *Für äns ischt är au zallt.*

C: *Ha ha! Genau! För ees ischt er jo zallt!* (zu A) *Hescht* *khört!? För ees ischt er jo o zallt! Ha ha!*

A: *Jo guat. Aber das met da Verseheriga, do het er scho an Argument.*

C: *Jetz fall du üüs noch in Rocka! No well sini Lütt net verseheret sin? Was söll denn do passiera?*

A: *Jo immerhin wören a paar vo da Darsteller uf dia Schitterhüffa gschtellt!*

C: *Aber derför konn si o gnua zallt öber! Gopfertoori! Was määnen dia denn eigentlig!? Goots dena noch? Jetzt hen si do d Möglichkeit, vor allna Lütt z zaaga, was si konn, und denn konn dia üüs a so sau ..., a so sau ...*

B: *Jetz reg di doch nid uuf!*

C: *Was haasst do, reg di ned uuf!? Natörleg reg i mii uuf! Schliassleg bin ii do verantwortleg för das, was mier do machen!*

A: *Jo, ischt jo guat!*

C: *Nei! Eba isches net guat! Eba isches an huara verdammta Mescht, was mer do fabrizieren! An huara, an huara, ähm, ähm, an huara ... So goots doch net! I 339 Joor ischt der grooss Aalass und mier hen no nüt, verschtonder, no gär nüt hemmer zemmabrocht! Kann Milimeter hemmer Fortschrett gmacht, der Zittplaa kascht da Hasa gee und und ana ana ...*

B: *Umsetzig!*

C: *An an Umsetzig ischt unter dena Bedingiga net z denka! Das gitt a Kataschtroffa! I säg nis. Das git an absoluti Kataschtroffa! Und alls no weget dem Regisseur.*

B: *Süll ich das ids Protokoll nä?*

C: *Was?*

B: *Wasd etz grad gseid heschtt! Wägäm Fortschritt. Und äm Zittplaa.*

C: (wieder beruhigt) *Seher net. Tottel! Also. Guat. I red nochamol mim Graf. Vilecht sponseret jo er noch a paar Darschteller. Machemer witter! Wo gommer gi essa?*

Liechtenstein

Off: *Eben. Liechtenstein.*
Früher wusste niemand, dass es das schon immer gegeben hat. Dass alle Zeichen schon immer auf „Liechtenstein" gestanden hatten. Dass es drum kein Entrinnen gab. Das wusste früher niemand. Früher wusste man eben gar nichts. Aber trotzdem. Es war immer alles schon immer da. Nur

war es nicht so offensichtlich. Die Banken zum Beispiel, die heute die Ortsbilder prägen, die waren früher noch nicht so präsent. Man hielt sie versteckt. In den Häusern. Unter den Strohmatratzen. In den Kirchen. Man war ja auch bescheidener. Der Reichtum war auch schon da. Aber man gab nicht so an damit wie heute. Auch der Wohlstand. Alles schon da. Oder meinen Sie, die Böden seien erst vor 50 Jahren gewachsen? Tsssss. Auch der Fürst war immer da. Schliesslich ist das Fürstenhaus so alt wie das Universum. Und ob die jetzt hier waren oder dort waren … Liechtenstein hatten sie jedenfalls immer dabei. Im Rucksack.
1699[12]. Auf dem Benderenderender Pfarrhügel haben sie den Sack dann erstmals aufgemacht. Und den Landjäger rausgeholt. Und dann nochmals 1712[13].
Und dann nochmals 1718[14]: Auf der Schlosswiese ze Vaduz.

5. September 1718
A, **B** und Volk **V**

A und B stehen an einer Abschrankung, mit Fähnchen in der Hand. Im Hintergrund Festmusik.
A: *Konn dia endleg!?*
B: *Wo sin denn dia?*
Pause
B: *Uuverschamtheit! Üüs a so lang warta z loo!*
A: *Typisch!*
B: *Was ischt denn im Programmheftle gschtanda?*
A: *Kan Aanig. Es han i glei in Köbel gworfa! Ha mer glei denkt, dass das nüt ischt!*
Pause
A: *Hunger han i o!*
B: *Und i sött ufs Hüüsle!*
Pause
A: *Heilandzack!*
B: *All s Gliich!*
Pause
B: *Do! Etz konn si!*

12 Fürst Johann Adam Andreas I. von Liechtenstein kaufte 1699 die Herrschaft Schellenberg (heutiges Unterland). Am 16. März 1699 huldigten die Unterländer ihrem neuen Landesherrn vor dem Pfarrhaus Bendern.
13 Fürst Johann Adam Andreas I. von Liechtenstein kaufte 1712 die Grafschaft Vaduz (heutiges Oberland). Am 9. Juni 1712 huldigten die Oberländer ihrem neuen Landesherrn bei der Linde in Vaduz.
14 Am 5. September 1718 kam es zur Gesamthuldigung der vereinten beiden Herrschaften auf Schloss Vaduz.

Pause

B: *Doch net.*

Pause

A: (stösst B, der eingeschlafen ist) *Luag etz! D Faana konn! Schöö.*

B: *Und d Mosik.*

A: *Und d Miliz.*

B: *S Volk. Luag dött! Der Depp lauft o met!*

A: *Der ischt o överall derbei. Keine Feier ohne Meier.* (ruft) *He, Meier! Bischt o överall derbei, hä!* (für sich) *Huara Depp!*

B: *Jedsmol, wenn i irgendwo eppes gi aaluaga gang: Wer sach i wer? Der Meier!*

A: *Er het halt Zitt för so eppes.*

B: *So schöö möcht is o amol ha. Wenn i a sövel Zitt het wia der, tät i secher net bimanan erniga Blödsinn metmarschiera. Denn tät i eppes Gschiiders!*

A: *Genau! Da Lütt zualuaga!*

Böller

A: *Hei! En Böller!*

B: *Etz sin d Eeragäscht is Schloss.*

A: *Super! Und i verreck fascht vor Hunger!*

Pause

A: *Also, wenn etz denn ned baal ghuldiget wörd, denn ...*

B: *Luag, etz konn si weder ussa!*

Böller

B: *Was sin das eigentlig alls för Lütt?*

A: *Kan Aanig. I kenn no ösri.*

B: *Das ischt etz der Harpprecht*[15]*, der förschtleg Kommissär.*

A: *Ka scho sii. Diggi Sau!*

Pause

B: *Was ischt etz das för an, wo do red? Het i no s Programmheftle met.*

A: *Hargotz, red der lang! Muass das sii!? Und i han en erniga Hunger!*

B: *Und i sött brutal gi schiffa!*

A: *Kascht net dött?*

B: *I ka doch do net ...*

Pause

A: *Fertig! Guat. Denn wörd etz glei ghuldiget. Super! Denn gitts endleg eppes zom essa. Häscht gwösst: Jeder kunnt a Maass Wii und zwo Pfund Brot över.*

B: *Ned amol Wörscht? Was ischt denn das förnan Organisatioo?*

15 Stephan Christoph Harpprecht zu Harpprechtstein (1676-1735), Jurist und Berater von Fürst Anton Florian. Er war an der Huldigung 1718 zugegen und nahm im Auftrag des Fürsten den Huldigungseid der Untertanen entgegen.

A: *Psst! Etz red der Digg!*
Off: *„Die Reichsherrschaften Vaduz und Schellenberg sind zu einem Primogenitur-Stammgut des hochfürstlichen Hauses Liechtenstein gemacht worden und werden* (schnell) *von*

nun an nicht mehr von demselben getrennt werden. Der neue Landesherr wird dieselben nach äusserstem Vermögen schützen und schirmen, sie bei ihren alten wohlhergebrachten guten Sitten, Gewohnheiten, Rechten und Gerechtigkeiten, Urbarien und anderen Freiheiten erhalten. (wieder normales Tempo) *Dagegen haben sie ihm Treue und Gehorsam zu geloben und die Huldigung zu leisten.*"

B: *Häsch ghöört! Etz goots los!*

A+B: (schwenken ihre Fähnchen, skandieren) *Huldi-guuuuung! Huldi-guuuuuung!*

A: *He! Was ischt etz los? Was macht etz ...*

B: *Was macht etz der Hoop*[16]*, der aalt Lalli?*

A: *He! Basil! Zupf di! Mier wend wittermacha! Din Mescht kascht im Leua verzapfa!*

B: *Hoop, du Seckel, fass di korz! I muass gi brunza!*

Off: *„Die Gemeinden zu Vaduz und Schellenberg hegen die Zuversicht, dass der ihnen vorher abgelesene Tauschvertrag mit Vorbehalt ihres alten Herkommens, ihrer Rechte und Gerechtigkeiten, Privilegien, Lands-, Gemeinds- und Genossbücher ..."*

A: *Nei, etz kunnt er noch met dem!*

B: *Hör amol uuf, du Vollidiot! Dini Bedenka intressieren do ka Sau!*

A: *Mier wenn etz huldiga, du vertrottleta Tschügger!*

B: *Aufhörn! Aufhörn! Aufhörn!*

A: *I ha Hunger, du Chaot!*

B: *I muass gi säächa!*

Off: *„... und aller freien Übungen, sie seien benannt oder nicht, geschrieben oder nicht, vor sich gegangen und erwarten: dass die eingeschlichenen Neuerungen abgethan, die Verhörtage im Beisein der Landammänner gehalten, die Appellation vor das Zeitgericht gebracht und die Landschaften bei der Sulzischen Erbeinigung von 1513 belassen werden, kraft welcher das Landammannamt, Gerichts- und Geschworenen-Besatzung, die Wein- und Eidsteuer, Lands-, Gemeinds-, Genoss- und andere Rechte den Gemeinden zukommen; dass ein ..."*

Pause

A, völlig ausgemergelt, mit zerbrochener Fahne. B mit schmerzverzerrtem Gesicht.

A: *Etz luag! Etz ischt der Digg mit sinneran Entgegnig fertig.*

B: *I mach si alli hi! Huara Schwafli!*

A: *Etz kunnt der Huldigungseid! Endlig!*

Off: *„Wir schwören – Seiner Durchlaucht den Fürsten – Anton*

16 Basil Hoop, Alt-Landammann. Er äusserte vor der Huldigung die Bedenken der beiden Landschaften Vaduz und Schellenberg. Was für eine längere Unterbrechung und eine leichte Irritation seitens der Offiziellen sorgte.

Florian von Liechtenstein …"

B: *Arrrgh … I haalts numman uus!*

Off: *„… – und seinen rechtmässigen Nachfolgern – Treue und Gehorsam – so wahr uns Gott helfe!"*

V: *„Es lebe Fürst Anton Florian …"*

A: *Heb d Hand!*

B: *I ka net!*

V: *„… von Liechtenstein – Er lebe …"*

A: *Heb d Hand! Dia luagen scho so komisch!*

V: *„Hoch, hoch, hoch!"*

B: (versucht die Hand zu heben) *Aaahhhhhhhh …*

Off: *Das anschliessende fröhliche Fest dauerte bis in die frühen Morgenstunden. In den Tageszeitungen der folgenden Tage wurde aber dennoch die Länge des Huldigungseids bemängelt sowie das Fehlen von Kebabständen und Spätzlepfannen.*

15. August[17] 1806

Off: *Wir schreiben das Jahr 1806. Am Rande des Staatsfeiertags treffen sich die Herren Bonaparte[18], von Habsburg[19] und von Liechtenstein[20] im Café Austerlitz an der Schönaugasse 27 in Graz zum Tee. Die Stimmung ist heiter. Kein Wunder, hat man doch im Jahr davor Europa untereinander aufgeteilt.*

Napoleon **N**, Franz I. **F** und Johann I. **J**

N: (klatscht in die Hände) *Haha!*
F: *Hoho! Ja wirklich? Ja, famos!*
J: *Ja, selbstverständlich, mein Kaiser, ja selbstverständlich[21]. Ich glaube, man muss einfach sehen, dass der Ausserirdische[22] schon gewusst hat, mit wem er es hier zu tun hat, nicht wahr. Er war ja von Anfang an sehr verlegen. Ganz ein winziges Männchen, so wie Sie, Herr Napoleon, in der Grösse, er hat mir nur bis zur Brust gereicht, nicht wahr, und hat mich sehr freundlich begrüsst. Zuerst hiess es ja, er würde das Gespräch beginnen. Da habe ich also gewartet. Ich merkte dann: er fängt nicht an, er ist verlegen – da habe ich also selbst begonnen, nicht wahr!*
F: *Ho ho! Das ist ein von Liechtenstein! Ho ho!*
N: *Usgezeichnet, Durchlaucht, usgezeichnet!*
J: *Ich habe ihm gedankt, dass die liechtensteinischen Arbeiter, die auf seinem Stern drüben arbeiten, ihr Geld mitnehmen dürfen, - kaufen können sie allerdings nichts damit, haha. Aber wenigstens haben wir da etwas zum reden gehabt. Dann war wieder Stille. Dann habe ich ihn auf seine Landwirtschaft angesprochen: da hat er wieder etwas zu erzählen gehabt. Dann war wieder Stille. Dann habe ich von seinen Autobahnen gesprochen: da hat er wieder zu reden gehabt. Und so ging das weiter.*
F: *Etwas Tee, Durchlaucht?*
N: *Für mich än Kaffee!*

17 Am 15. August begeht Liechtenstein seinen Staatsfeiertag.
18 Napoléon I. Bonaparte (1769-1821), französischer Staatsmann und Feldherr
19 Kaiser Franz I. von Österreich (1768-1835)
20 Fürst Johann I. von Liechtenstein (1760-1836), österreichischer Feldmarschall im Dienste Franz I. Er leitete die Friedensverhandlungen zwischen Frankreich und Österreich nach der Schlacht bei Austerlitz (2. Dezember 1805).
21 Den folgenden Ausführungen liegt eine Schilderung des „alten" Fürsten, Franz Josef II. (1906-1989), zugrunde, in der er sich an die Begegnung mit Adolf Hitler im März 1939 in Berlin erinnerte. Nachzulesen in: Ein Fürst hält Rückschau. Golo Mann im Gespräch mit Franz Josef II. von Liechtenstein. Weltwoche, 4.8.1976.
22 Bezugnehmend auf die Begeisterung des „jungen" Fürsten, Hans Adam II. (1945) für alles Ausserirdische.

Franz holt Tassen und Tee und schenkt den beiden während der weiteren Ausführungen Johanns ein.

J: *Um es kurz zu machen: Das grüne Mandl hat auf mich überhaupt keinen Eindruck gemacht. Ich verstehe nicht, wie überhaupt jemand von ihm beeindruckt sein kann. Während des Gesprächs sass mein Adjutant, der Herr Schuppler*[23]*, links von dem Ausserirdischen; dieser hat ab und zu das Wort an ihn gerichtet. Da hat ihn mein Adjutant durch seine dicken Brillengläser von der Seite angestarrt und nur: „Ja – was!" gesagt. Dabei hat er ihn angeschaut, wie man einen Affen im Käfig betrachtet. Es hat so ausgeschaut, als laure mein Adjutant auf den Augenblick, wo der grüne Mann einen Teppich auffrisst oder sonst etwas Absonderliches mache. Ich habe meinen Adjutanten nicht mehr anschauen können, so habe ich mit dem Lachen kämpfen müssen, da ich bemerkte, dass auch mein Adjutant den grünen Mann nicht für voll nahm.*

N: *Grossartig! Än tolli Gschicht!*

F: *Ja, wirklich! Ausserordentlich!*

J: *Ja ja. In der Tat.*

Sie schlürfen Tee.

N: *Ja und was heidär etz vor?*

J: *Wie meinen, Herr Napoleon?*

N: *Ja, jetzt heidär ja d Souveränität erlangt …*

F: (freundlich) *Dank Ihrer gütigen Mithilfe! Dank Ihrer gütigen Mithilfe!*

N: *Ach! Also: Was tüädär etz drmit? Das teet mi etzt scho no interessiera.*

F: *Mich auch, Durchlaucht! Mich auch!*

J: *Ja, wir machten uns selbstverständlich Gedanken darüber. Gerade nach den gerade eben geschilderten Erlebnissen, nicht wahr, macht man sich so seine Gedanken über die Souveränität.*

F: *Genau! Da macht man sich so seine Gedanken.*

J: *Wir dachten uns daher, dass wir uns zu allererst einmal ein willfähriges Subjekt suchen, dass unser Hausgesetz in die liechtensteinische Verfassung hineinschmuggelt, nicht wahr.*

N: *Grossartig!*

F: *Ein toller Plan! Ein Trojanisches Pferd!*

J: *Ja und wenn dann einmal das Hausgesetz im Verfassungsrang steht, dann können wir prima darauf aufbauen.*

F: *Auf was?*

J: *Na, auf unserem Hausgesetz natürlich. Die wahre Souveränität beginnt ja in der Familie, nicht wahr. Im eige-*

23 Joseph Schuppler (1776-1833), Landvogt

nen Haus. Da wird alles andere zweitrangig. Ich muss da nur an Ihre Familie denken, mein Kaiser, all diese schwachsinnigen Kinder, die Sie haben, mit Verlaub, ich glaube, man muss einfach sehen, dass man da schon zur rechten Zeit schauen muss, dass da alles geregelt ist.

F: *Sie sagen es, Durchlaucht. Sie sagen es. Der Ferdinand*[24]*, heieieiei, jaaa, der Ferdinand. Gestern hat er wieder ...*

N: *Ja, Famili und so, ischt ja alles schöö und guad, aber de? Das ischt doch nid alls!*

J: *Natürlich nicht. Wenn das Fundament einmal stimmt, dann werden wir uns einem schon lange gehegten Projekt widmen.*

F: *Das tönt aber spannend!*

J: *Ist es auch. Wir widmen uns voll und ganz der Selbstbestimmung*[25]*, nicht wahr.*

N: *Ou la la! D Sälbschtbeschtimmig!*

F: *Kruzitürken, die Selbstbestimmung. Ein toller Gedanke! Die steht den Frauen ja wirklich schon lange zu!*

J: *Was heisst denn hier Frauen? Die Frauen brauchen keine Selbstbestimmung, die haben ja den Familienrat. Zumindest ist das in unserer Familie so geregelt!*

N: *I minäran au, Durchlaucht, i minäran au!*

F: *Ach ja? Da muss ich direkt einmal schauen, wie das bei uns ausschaut. Ha ha! Muss ich einmal schauen. Heieieiei, der Ferdinand ...*

J: *Uns geht es um die Selbstbestimmung der Gemeinden, nicht wahr.*

N: *Gmeinda? Was ischt au äns?*

F: *Das sind, glaube ich, kleine Länder.*

J: *Genau, mein Kaiser, das sind kleine Länder. Und die sollen selber bestimmen können, zu wem sie gehören wollen.*

F: *Und warum?*

J: *Damit es für uns einfacher wird, unsere privaten Geschäfte zu erledigen. Schauen Sie: Nehmen wir einmal an, ein Staat*[26] *besitzt etwas - zum Beispiel ein Stück Land -, das eigentlich Ihnen gehört. Da gehen Sie selbstverständlich an den entsprechenden Stellen reklamieren, aber weil das nun einmal eine Privatangelegenheit ist, fühlt sich auch kein anderes Schwein dafür zuständig. Mit dem Selbstbestimmungsrecht können Sie jedoch hingehen, nicht wahr, und auf eigene Kosten diejenigen Gemeinden, in denen sich das,*

24 Ferdinand I. von Österreich (1793-1875), folgte seinem Vater Franz I. auf den Thron. Litt an Geistesschwäche.

25 Die Selbstbestimmung der Völker: ein lang gehegtes und mittlerweile in der liechtensteinischen Verfassung verankertes Steckenpferd von Fürst Hans Adam II.

26 hierbei kann es sich wohl nur um die Tschechische Republik handeln, die sich ein paar Ländereien des Fürstenhauses unter den Nagel gerissen hat.

was Ihnen gehört, befindet, sagen wir einmal „umstimmen", sich ihrem Gemeindegefüge anzuschliessen. Ja und schwupps unterstehen diese Gemeinden ihrer eigenen Jurisdiktion und schwupps haben Sie wieder alles, was Ihnen gehört. Das ist doch super!

N: *Durchlaucht, i bi uberwältigt!*

J: *Selbstverständlich machen wir das alles nicht für mich alleine!*

F: *No na!*

J: *Wir machen das einzig und allein für ein besseres, souveräneres Europa!*

N: *Uf Europa!*

F: *Auf Europa!*

J: *Auf Europa!*

Revolution

Off: *„Im Jahre 1793,*
am Liechtensteiner Rhein,
da ward ein Kind geboren
mit Namen Peter Kaiser".
Peter Kaiser[27] war ein cooler Typ. Obwohl er Lehrer war. Er hat Liechtenstein eigentlich erschaffen. Oder besser: er hat es entdeckt. Und ihm dann eine Geschichte gegeben[28]. So wie Moses dem Osten eine Geschichte gegeben hat. Und Darwin dem Westen.
Die Geschichte, die der Peter Kaiser Liechtenstein angedichtet hat, ist, wie das Wort schon sagt, eine Geschichte. Sie fängt auch an wie ein Märchen: „Es war einmal ein Ländchen, welches jetzt den Namen Fürstenthum Lichtenstein trägt". Und aufhören tut es so „Und wenn sie nicht gestorben sind, dann geben sie sich immer noch auf den Grind".

B und C kommen

Apropos. Die beiden Herren kennen Sie ja. Heute, wir schreiben das Jahr 1848, haben sie sich in ihr Sitzungszimmer begeben, um ebenfalls Geschichte zu schreiben.
Doch schauen Sie selber ...

27 *siehe Fussnote 8*

28 *Geschichte des Fürstenthums Liechtenstein. 1847*

Peter Kaiser, 15. Dezember 1848
B, **C** und Peter Kaiser **PK**

C: *Guat. Denn möcht i eu …* (schaut auf) *möcht i di ganz herzlig … Lommer das. Hoi. Das ischt etz also bereits ösri 399. Setzig, - s nögscht Mol kascht denn a Rundi zala, haha - das wär si denn also: ösri 399. Setzig. Guat. Mier hen sit em letschta Mol groossi Fortschrett gmacht und mier legen super im Zittplan, genau, das muass ma o amol säga, mier legen seer guat im Zittplaa und das ischt o met en groossa Verdienscht vo dier. Do derzua möcht i dier o gern Dankschön säga, und eba, mir hen sit der erschta Setzig vor 5885 Joor, hemmer viil viil zemmabrocht und etz goots no noch drum, dass mer das o, dass mer das o …*

B: *… endlig amal umsetzend.*

C: *Genau, dass mer das endlig amol o aso umzsetza bringen, sozsäga der Feinschliff aabringen, dass mer, dermet mer, dermet das denn o ganz a schöni Sach gitt met dem, wo mer do vorhen. Also. Entschuldigt ischt der …* (schaut sich um) *der Ding, genau, der …, säg mer nochamol schnell wia der haasst?*

B: *Wär? Äna, wa suss au allbi da hoggät?*

C: *Genau, der!*

B: *Kä Aanig!*

C: *Guat. Prima prima. Was hemmer hött uf der Traktandalischta?* (erinnert sich plötzlich) *Was „Kan Aanig"? Du wörscht doch wössa, wia der haasst!?*

B: *Nei. Warum au?*

C: *Du hoggscht doch all nebed im! Und nochher gooscht doch all noch aas med im gi zücha!*

B: *Ja und?*

C: *Do waas ma doch, met wem ma sis Bier suuft? Oder stellt ma sich höttstags numma vor?*

B: *Wisoo? Ma hoggät ja sowisoo allbi zemma.*

C: *A ha. Und im Protokoll? Was häscht dött gschreba?* (nimmt das Protokoll) *Zaag amol!* (liest) *„Anwesend: Der eina, der andera und ich"* (schweigt einen Moment) *Guat. I sach, es macht numma viil Sinn, wemmer etz plötzlich aafangen, alti Gwoonheita z ändra. Es tät üüs wol no verwirra, wemmer plötzlig wöössten, wer mier sin. Tät kann Sinn macha. Oder?*

B: *Nei*

C: *Eba. „Der eina, der andera und ich" Heieieieiei. Wenn das der Chef sacht. Guat. Denn machemer witter. Denn schriib*

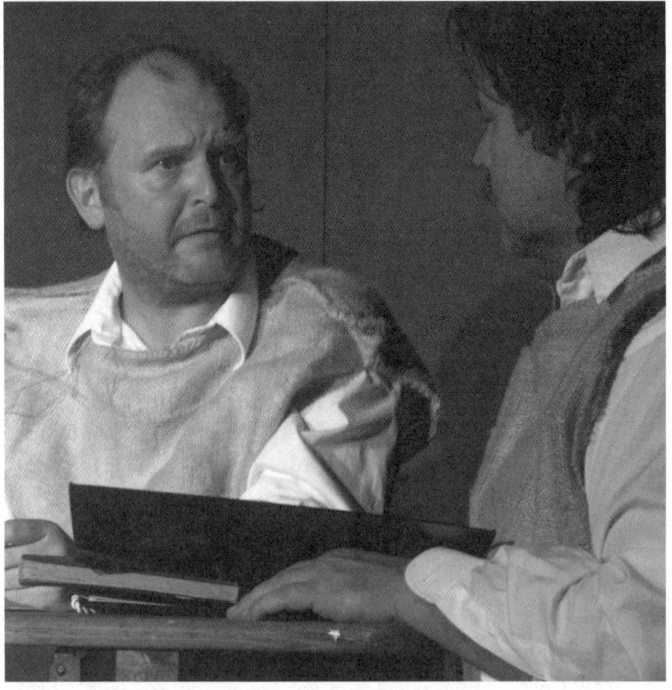

uuf: „Anwesend: Der eina und ich".

B: *Entschuldigung, aber dr „eina" ischt gar nid da!*

C: *Ischt er net? A ha. Scho verschtanda. Denn ischt der ander „der eina". Und wer bi denn i?*

B: *Du bischt der „andära".*

C: *A ha. Guat. „Der andera". Also. Denn schriib: „Anwesend: Der andera und ich".*

B: (schreibt) *„... und der andära".*

Es klopft

C: *Jo bitte?*

Peter Kaiser kommt.

PK: *Guata Tag metnand! I hoff, I stöör eu net ...*

B: *Nama?*

PK: *Kaiser. Peter Kaiser. I kumm vo ...*

B: *Funktioo?*

PK: *I bi verantwortleg för na Projektiigab ir Reiha „Kulturelles Schaffen"*[29] *und han eu ...*

B: *Titel?*

PK: *„Brief an meine Landsleute"*[30]*. A szenischi Lesig met ...*

C: *A jo. Mag mi erinnera. Hock di her* (sieht, dass es keine Stühle gibt) *oder bliib am beschta grad stoo. Wörscht üs jo hoffentleg ned lang uufhalta, haha!* (zu B) *Hescht khört!? Er wörd üs jo hoffentleg ned lang uufhalta, haha!*

Schweigen

C: *Guat*

Schweigen

C: *Was wett?*

PK: *Was „I" wett? I ha denkt, ier wen eppes vo mier!*

C: *I well nüt vo dier! Ha ha!* (zu B) *Wetscht du eppes vo im?*

B: *Nama, Funktioo, Titel ... Also ich han alls, wan ich brucha.*

PK: *Jo aber ier hend mer doch der Briaf do gschreba.* (zieht einen Brief raus) *Dass i met mim Aalega nochamol vorschprecha ka.*

C: *Was för nan Aalega? Aagleet bischt doch, haha!* (zu B) *Aagleet ischt er doch!*

PK: *Do: „Wir haben Ihr Schreiben zur Kenntnis genommen und möchten mit Ihnen diese Angelegenheit besprechen. Daher laden wir Sie zu einem Gespräch in die nächste OK-Sitzung ein." So. Und do bin i.*

29 Zum Jubiläumsjahr 2006 wurden verschiedene kulturelle Institutionen des Landes Liechtenstein gebeten, Projekte einzureichen. U.a reichten Mathias Ospelt und Jürgen Schremser das Dramen-Projekt „Die Konferenz von Friedrichshafen" ein. Das Projekt wurde ohne Angabe triftiger Gründe abgelehnt. Ob es daran lag, dass das Stück in den frühen 40er Jahren spielt?

30 Kaisers politisches Vermächtnis an Liechtenstein, am 25. oder 29. November 1848 geschrieben.

C: *Zaag amol!* (nimmt den Brief, liest mehrmals) *Han ii das gschreba? „Und möchten mit Ihnen diese Angelegenheit besprechen." Das ha ned i gschreba! Das ischt net min Stiil.* (zu B) *Häscht du das gschreba?*

B: *Sicher nid!*

C: *Denn ka das no der ander gse sii!*

B: *Du meinscht dr eina?*

C: *Genau.* (gibt den Brief zurück) *Das het der eina gschreba!* (schaut in seine Unterlagen) *A förchtigs Kalb!*

Schweigen

Peter Kaiser räuspert sich.

C: *Ischt noch eppes?*

PK: *Öhmm, das Gschpröch. I bi doch weg dem Briaf extrig vo St. Luzi*[31] *dohera ko.*

B: *Das sind nid wier gsi.*

PK: *Aber ier ston doch ufem Briafkopf. Denn sin ier verantwortleg!*

C: *Was sin mier? Wo stond mier?*

PK: (zeigt den Brief) *Do. „Arbeitsgruppe Kultur". Das sin doch ier!*

C: *Gopfertoori, i han em scho hundertmol gseet, "Nümm dis aaga Briafpapier", han i gseet, "wennd ernigi Briaf ussalooscht!" Heilandzack! Was tuamer etz?*

B: *Ich bis nid gsi!*

PK: *Könnt i etz vilecht ... Min Bus uf Sargans goot inera halba Stund und wenn i der verpass, denn ...*

C: (supergelangweilt) *Jo denn halt! Denn bring dis Zügs vor. Aber hopp!*

PK: *Also. Ier hen jo mis Projekt abgleent und i verschtand ...*

C: *Wer het was abgleent?*

PK: *Ier. Mis Projekt.*

C: *Hen mier das abgleent? Wisoo hen denn mier das abgleent?*

PK: *Genau das ischt der Punkt. I verschtands eban o net. Well mis Projekt ischt jo ...*

C: (zu B) *Luag amol noch, wisoo mier das abgleent hen! Irgend en triftiga Grund wöremer scho kha ha!* (lacht) *Ha ha! Irgend en Grund wöremer scho kha ha! Häscht eppan eppes öbers Förschtahuus gschreba, du Luusbuab? Hä!?* (zu B, lachend) *Er het secher eppes öbers Förschtahuus gschreba.* (zu PK) *Oder öbera Bischof? Genau! Er het secher eppes öbera ...*

PK: *Nei nei! Im Gegateil! I ha ...*

C: *Wascht, mier kennen ösri Kundschaft scho! Mier kennen si*

31 Kloster St. Luzi in Chor, Sitz der katholischen Kantonsschule, deren Vizerektor (und späterer Rektor) Peter Kaiser war.

scho! (zu B) *Hescht eppes gfunda?*

B: *Äs ischt äns wägät da Lüüt.*

C: *Es ischt was weget da Lütt?*

B: *Dass es d Lüüt nid verschtaa tüänd.*

C: *Dass d Lütt was ned verschton?*

B: *Dr Briaf.*

C: *Weller Briaf?*

B: *Dr Briaf a mini Landslüüt.*

C: *Sit wenn schribscht du Briaf a dini Landslütt? Hescht en Vogel?!*

PK: *Entschuldigung, wenn i mi do drümesch, aber der Briaf het net der Herr, der Herr …*

B: *Protokollfüerär!*

PK: *… der Herr Protokollfüerer gschreba, sondern ii!*

C: *A ha!*

PK: *Das ischt eba mis Proj …*

C: *Aber du wonscht doch gär net do!*

PK: *Numma. Nei.*

C: *Denn sinds o numma dini Landslütt!*

PK: *I ka doch woanders woona und gliich zu mina …*

C: *Les mer nochamol genau vor, was mier do gschreba hen.*

B: *„'Der Brief an meine Landsleute' beleuchtet sicher einen wichtigen Aspekt realer Liechtensteiner Souveränität. Obwohl es nicht um die Aufarbeitung eines dunklen Kapitels Liechtensteiner Geschichte geht, kam das OK nach langer Beratung zur Auffassung, dass die allgemeine und breite Öffentlichkeit diesen Brief wahrscheinlich als dies ansehen und verschiedenste Diskussionen auslösen würde."*[32]

C: *Hei! Das ischt doch super!*

PK: *Entschuldigung, aber i find das öberhopt net super. I finds im Fall a zimligi Bevormundig vo öserna Landslütt, wemman ina medaran erniga Begründig eppes vorenthaltet, wo si vilecht alli intressiera tät.*

C: *Maanscht!?*

PK: *Maani, jo. I denk, dass d Bevölkerig …*

C: *Les witter!*

B: *„Es geht nicht um eine qualitative Abwertung der geplanten Arbeit, sondern um die Bedenken, dass vermutlich nur ein ganz kleiner Teil die sachlichen und personellen sowie die politischen Ebenen trennen könnte[n]."*

PK: *Aber das ischt doch, aber das ischt doch …*

C: (schaut gelangweilt auf seine Uhr) *Das ischt doch, das ischt doch … Das ischt halt a so! Mier täten der Briaf jo wörk-*

32 *Mit diesen Worten wurde die Ablehnung des Theaterprojektes „Die Konferenz von Friedrichshafen" (Ospelt/Schremser) begründet.*

leg gern unters Volk bringa, eerlig, er het jo o a paar guati Sätz dinna, muass i säga, wörkleg, gär ka Frog, aber mier leben halt i Zitta, wo ma genau luaga muass, wia ma wo was, verschtooscht, do muass ma luaga!

PK: *Aber das han i doch! I ha doch gluaget!*

C: *Aber i dia falsch Rechtig! Verschtooscht! I dia falsch Rechtig! All no öber der Förscht und öber der Bischof ...*

PK: *Aber i ha doch gär nüt öbera Förscht und öbera Bischof!*

C: *Do han i aber ganz eppes anders ghöört!*

PK: *Wo?*

C: *Wo?* (lacht) *Ha ha! Wo, frögt er. Du bischt guat. Wo? Ha ha. So eppes ... Ier hen ALL öbera Förscht und öbera Bischof!*

PK: *I net!*

C: *Hescht net?*

PK: *Nei! Han i net. Zomindescht net das Mol!*

C: *Jo, aber werom hemmers denn net wella?*

PK: *Das ischt doch genau der Grund, werom i hött do bi!*

C: *A jo?!*

PK: *Dermet ier mier säga konn, was ned richtig ischt a mim Projekt.*

C: *Ischt das scho alles? A so. Jo denn muamer luaga.* (überlegt) *Was ischt net richtig a dem Projekt. Hm ...* (zu B) *Du wääsches o net, oder? Vilecht?*

B: *D Lengi?*

C: *Was d Längi? Vo was?*

B: *Vam Briaf.*

C: *D Längi vom Briaf?* (überlegt wieder, dann fällts ihm ein) *Jo, genau! Richtig. D Längi ischt net richtig!*

PK: *Wia manender etz das?*

C: *D Längi vo dim Briaf ischt, ähm, z lang. Jawoll! Also denn, machs guat und grüass mer d Herrschaft!*

PK: *Entschuldigung! Welli Längi vo wellem Briaf ischt wo und wemm z lang?*

C: *Üs ischt si z lang. Und zwor im Gsamta. Wövel Zächa het din Briaf?*

PK: *Mein Gott, woher söll i ...*

B: *Zellscht du nit, wövel Zeicha dini Briaf händ?*

PK: *Ned direkt, nei.*

B: *Äbä. Drum hänscha wier zelld!*

PK: *Ier hen was?*

C: *Mier hen d Zeicha zellt i dim Briaf.*

B: *Und d Leerschtellana: 7.701 sins.*

C: *Und noget 2.500 sin erlaubt!*[33]

33 Doktrin des Liechtensteiner Volksblatts, während des Verfassungsmonologs eingeführt.

SCHIMMEL

PK: *Vo wem?*

C: *Vom gesunden Volksempfinden!*

PK: *Und wer bitte söll das sii?*

C: *Dini Landslütt halt o!*

PK: *Inklusive Leerzeicha?*

Schweigen

PK: *Loosend: Das ischt a dorikomponierts, literarisch und historisch bedüttends Kunschtwerk!*

B: *Sorry. 2.500 Zeicha.*

C: *Kascht der Briaf jo o woanders ussagee, wennd wett. Allerdings möcht i di druuf hiiwiisa, dass d Lütt noget Briaf lesa wend, i denan a rundum positivi Haaltig gegenöber da Grundfeschta vo ösrem wertkonservativa Staatsgefüge zom Uusdrock brocht wörd. „Positiv", Kaiser, ischt das Zauberwort!*

B: *I ha der Briaf übrigens grad schnäll amal durchgluagät und naa ünscha Vorgaba redigiert.*

PK: *Du hescht was?*

B: *I ha dr Briaf uf schini Positivität abchecket. Alles, wa negativ ischt, han i uussagschtricha: „nicht", „nichts", „keiner", „keineswegs", „Demokratie", alls uussa! Welders läsa?*

C: *Klar wemmers lesa! Gib amol hera* (fängt an zu lesen)*: „An meine Landsleute!" Do ka ma nüt säga. Wobei noch wia vor ned kläärt ischt, ob du zu soneran Aared legitimiert bischt! Guat. Also: „An meine ..." Nei!* (streicht es durch) *„An unsere Landsleute" Das ischt besser! „Euer Zutrauen hat mich zum Abgeordneten nach Frankfurt gewählt".*[34] *Hm.* (schüttelt den Kopf) *Hm ... Het ma di einschtimmig gwäält?*

PK: (zuckt mit den Schultern) *Es wörd secher der a oder ander gee ha, wo mi ned gwäält het. Us wellna Gründ o ...*

C: *Langet scho. Wenn der eina oder der andera di ned gwäält het, denn ischt der Satz bereits kontrovers und lööst verschiedenschti Diskussionan uus!* (streicht) *Witter goots!* (überfliegt murmelnd) *Denn: „Ich glaubte vorzugsweise die materiellen Interessen im Auge behalten zu müssen ..." So so. „Ich glaubte". Glauben, Herr Abgeordneter, heisst, nicht wissen, oder?! Ussi!* (streicht). *Guat.* (überfliegt die nächsten Sätze, verzieht das Gesicht, schüttelt den Kopf, liest halblaut) *„keine längere Abwesenheit" – „Diese Überzeugung hatte ich nicht" – „Verhältnisse keineswegs so schlimm" – „was uns fehlt" – „arm und verschuldet" – „viele Übelstände nicht" – „nichts Kleines" – „Sinn für*

34 Peter Kaiser war im Jahre 1848 der Abgeordnete Liechtensteins in der Nationalversammlung des Deutschen Bundes in Frankfurt a. M.

Freiheit nicht ausgeartet". Oh! Etz kunnts: „Es steht jedem Bürger wohl an, seine Obrigkeit zu achten und ihren Anordnungen zu folgen; dadurch zeigt er, dass er ein freier Mann ist." Das ischt etz en glungna Satz. Hinder em ka jetz wörkleg jeder stoo. (zu B) *Mannscht net?*

B: *Hm ... "Anordnungen" tönt äm bitz hart, findscht nid?*

C: *Was söllemer denn? Anordnung – Weisung – Instruktion – Richtschnur ... Genau! Anregung! „Es steht jedem Bürger wohl an, seine Obrigkeit ..." – nei – „seinen Landesvater zu achten und seinen Anregungen zu folgen; dadurch zeigt er, dass er ein freier Mann ist".*

B: *Rein im Klang, treu im Wort ...*

B+C: *... freie Männer immerfort!*

PK: *I glob, i spinn!*

C: *Das ischt dis Problem. Witter im Text!* (überfliegt wieder) *„Wir müssen trachten, unser Glück, uns selber zu verdanken". Nei! Das wörd secher falsch uusgleet! Weg!*

PK: *Falsch uusgleet! Ich lach mi kaputt! Was machen denn ier?*

C: (zu B) *Kascht du dem Bittschteller säga, er sölli bitte stell sii!?*

B: *Bättler und Supplikanta d Schnorra zua!*

C: *„... so ist, ich muss es wiederholen, das Beste für uns, dass wir die gesetzliche Ruhe um jeden Preis aufrecht erhalten und dass alle gutgesinnten, verständigen und vaterländisch denkenden Männer das Regierungsamt in Vaduz in diesem Bestreben unterstützen". Seer schöö!*

PK: *Do füülen sich aber alli schlechtgsinnta, uuverschtändiga und ned vaterländisch denkenda Meener und Fraua uusgschlossa. Mannscht net?*

C: *Jo i waas net. DU hescht das jo gschreba. Aber mier konns scho ändera: „So ist es das Beste für uns, dass die gesamte Bevölkerung das Regierungsamt in Vaduz unterstützt". Besser?*

Peter Kaiser verwirft nur mehr Hände und Kopf.

C: *Denn äh, denn äh, denn ischt glob i s Wechtigscht gseet, oder, und i denk,* (schaut sich die letzte Seite an) *der Reschta kommer üüs spära. Wobei* (schaut nochmals genauer drauf)*: Das ischt o noch guat: „Denn die Folgen unserer Handlungen kommen aus Gottes Hand!" Guat. Denn hemmer alles beianand: Gott, Förscht und Vaterland!*

PK: *I muass ufa Bus!* (geht ab)

C: *Moll. So könnt mas stoo lo. Was mannscht?*

B: *427 Zeicha!*

C: *Ha ha!*

B: *Abr äs bitz fad is. Findscht nid?*
C: *A betzle langwiilig, jo! Aber so sin si halt, dia Hischtoriker. Konn afacht net schriiba!*

2. Weltkrieg

Off: *Steinig war der Weg an die Weltspitze. Aber wir haben es geschafft. Natürlich kam uns da auch der eine oder andere Glücksfall zur Hilfe. An dieser Stelle wäre daher eine nähere Betrachtung des 2. Weltkrieges erfolgt. Aber so wie es scheint, hat der für die einen gar nie begonnen, für die anderen gar nie stattgefunden und für die dritten ist er nie zu Ende gegangen. Lassen wir ihn daher. Und widmen wir uns angenehmeren Themen.*

A, B und C kommen

So wie diese drei Herren zum Beispiel. Heute statten sie ihrem Chef einen Besuch ab, um ihm Bericht abzustatten über die zahlreichen Projekte zur Staatswerdung. Der Chef ist ein wichtiger Mann. Er gehört zu den Pionieren, die Liechtenstein erst zu dem gemacht haben, was man heutzutage so über Liechtenstein in den Medien liest. Doch schauen Sie selber …

Aufschwung, 26. Oktober 2006

A, **B** und **C**

Hinter einem Paravent liegt ein Sterbender.

C: *Guat. Denn möcht i eu ganz herzlig zo ösra …* (überlegt) *zo ösra …* (schaut nach) *muass i schnell luaga, zo ösra, a do isches, genau, zo ösra 1125. Setzig, – das wär eigentlig a schööni Jubiläumszaal, do könnt eigentlig en vo eu eppes springa loo, – aber wia scho gseet, das wörd etz hött a betzle, wia söll i säga, s ischt a betzle diffizil dor das, dass mer jo hött bim Chef sin und der Chef, wian i eu scho am Telefon gseet ha, em Chef goots ned a so super.*

Alle drei schauen den Chef an und sehen, dass er demnächst stirbt.

C: *Grüass di, Chef! Hörscht mi? I glob, er hört mi net. Wia häsches? I glob, er häts net guat.* (dreht sich zu den anderen) *Tuan ier net Grüezi säga?*
A: *Hoi Chef!*
B: *Hoi. Bischt au da?*

C: *Bischt au da …* (schüttelt den Kopf) *Also. Guat.*

Sie treten wieder etwas zurück

C: (winkt mit dem Kopf Richtung Chef) *Scheisse, hä?*

Betretenes Nicken

C: *Guat. O wenn das etz alles a betzile … Wia han i gseet?*

B: *Difizil!*

C: *Genau: difizil ischt und o der Moment eigentlig huara saublöd ischt.* (zu den andern) *Etz het er doch wörkleg noch a betzile warta könna!*

B: *Chunnt das ids Protokoll?*

C: *Was?*

B: *Das mim difizil und mim nid warta chunna.*

C: *Seher net. Tottel. Also. Guat. Mir hen also hött dia 1125. Setzig do bim Chef und es freut mi, verkünda z könna, dass mier sit em letschta Mol groossi Fortschrett gmacht hen und mier super im Zittplaa legen, genau, das muass ma o amol säga, mier legen seer guat im Zittplaa und das ischt o met en groossa Verdienscht vo ösrem Chef, do derzua möcht i im o gern Dankschön säga und drum simmer etz o doo bi im daham und möchten im för sini Verdianscht a kliises Gschenkle öbergee. Bitte! S Gschenkle.*

Nichts passiert

C: (zu A) *S Gschenkle. Hopp hopp! Jede Sekunde zählt. He he!* (flüstert zu A) *Häscht khört? Jede Sekunde zählt. Ha ha!*

A: *I waas nüüt vomana Gschenkle.*

C: *Was, i waas nüüt vomana Gschenkle? Es hemmer doch ir letschta Setzig abgmacht, dass an vo eu …*

B: *Ja, aber du hescht nid gseid, wär!*

C: *Das muass i eu doch net säga, gopfertoori! Wia alt sinder denn? Das möösst an Eerasach sii, em Chef, ösrem werta Chef, ösrem Chef, wos etz a so Schei …, so schlecht goot, dass ma do afacht in nögschta Lada goot und eppes Passends kooft. Oder net?*

A und B schweigen

C: *Wemma do net alls selber macht! Wemma do ned alls … Aber eba, s nötzt etz o nüüt me. Machemer witter. Mier hen sit der erschta Setzig vor 6043 Joor, hemmer viil viil zemmabrocht und etz goots no noch drum, dass mer das o, dass mer das o …*

B: *Süll ich äs Gschenkli gä hola?*

A: *I ka o!*

B: *Nei nei. I gaa dr scho!*

A: *Aber i bi schneller!*

B: *Bischt sicher?*

C: *Sägen amol, sinder etz komplett plemplem? S Gschenkle ischt gässa! Es mach i. S nögscht Mol denn.*

A und B lachen

C: *Was ischt etz dött dra so loschtig? A ha! Wegem „nögscht Mol"! Und well der… Ha ha! Häscht khöört Chef? Ha ha! S nögscht Mol! Ha … Ähm. Guat. Jo. Denn kämtemer zor Traktandalischta.* (zu A) *I waas, dass zeerscht s Protokoll kämt, klar? I bi jo ned blöd! Aber us Piä.. us Piä …*

A: *Us Rocksecht.*

C: *Genau. Us Rocksecht vor ösrem Chef öberschpringemer das hött amol.*

B: *Schteid sowisoo allbi s Gliicha dinna.*

C: *Natörleg stoot all s Gliich din. Mier muan jo ned ständig s Rad neu erfinda! Also: Traktandum 1.* (zu B) *Les amol vor!*

B: *„Würdigung, gegebenenfalls Nachruf, auf den Chef".*

C: *Guat, ähm, het an vo eu …? Natörleg net!*

A: *Er ischt en guata Maa … gse.*

B: *Er hed villna Lüüt gholfa. Au wennd schäs gar nid wella händ.*

A: *Er het mer i mim Garta a Kappile gschteftet.*

B: *Und mir än neui Türglocka. Etz spilltsch allbi ds Ave Maria, wennd i hei chumma.*

C: *Jo … Aber …* (gerührt) *Etz bin i aber wörkleg, hei!, etz hender mi aber schöö verwöscht! Es het i ned erwartet, nei, dass ier …* (überlegt) *A Törglocka? Und a Kappile?*

A: *A mini Memoira het er mer grad o noch 50.000 Stutz zallt!*

B: *Und miar hed er 100.000 für äs Singschpil gä.*

A: *Und amol het er mi zomna Kund metgno. Uf Dütschland. Id Pfalz. Ufd Jagd!*

B: *Und i ha chunna mit zu ra Geburtstagsfiir voma afrikanischa Staatschef.*

A: *So en freia Kerle.*

B: *Würklig.*

C: *Do kröpplet ma sich a Leba lang halba kaputt, schaffet wian en Ochs, krampfet wian en Stier und dia ganz Zitt hockt ma met irgendwellna unsolidarischa Hüüchler-Töttel zemma, wo denn am End grooss abruumen! Heilandzack! 50.000 för dini Memoira und Ummafressa z Afrika! Und … I globs net! I globs afacht net!*

B: *Jetz reg di doch nid uuf!*

C: *Was haasst do, reg di ned uuf!? Natörleg reg i mii uuf! Schliassleg bin ii derjenig, wo all der Grind het heraheba* *mösa und denn ...*

A: *Jo, ischt jo guat!*

C: *Nei! Eba isches net guat! Eba isches en huara verdammta Mescht, was do abgoot! En huara, en huara, ähm, ähm, en huara ... So goots doch net! Wössender, was er mier verzellt het, won en amol gfröget ha, öb er mer ned a paar Gulda gee könnt förna Reliquia vom heiliga St. Florian!?*

Beide schauen sich fragend an.

C: *Er hei no Feschtgeld. Und dött käm ers net zuahi.*

B: *Das ischt halt früener gsi.*

A: *Etz gitt er aa Rundi noch der anderan us ... öhm, het er uusgee.*

C: *Und amanan erniga Mensch han i a Gschenkle koofa wella!*

A: *Du!*

C: *Jo, was ischt?*

A: *Der Chef.*

C: *Was ischt mim Chef?*

A: *I glob, dis Gschenkle muascht etz numma koofa.*

C: *A jo?* (geht hin, schaut ihn an) *Hei ... Mescht. Etz het er gär numma der grooss Aalass metöberko. Sis Lebenswerk. Ischt jo eigentlig schaad. So knapp dervor. Tottel!*

Alle lachen

C: *Bhüet di, Chef! Und, ähm, jo: Vergellts Gott!*

Donner, Blitz. Eine himmlische Stimme lacht:

Ho ho ho ho ho hooooooooo!

2006 **Das LiGa dankt**

12 Jahre LiGa mit alljährlichen kritischen Einmischungen in das öffentliche Leben und bissigen Kommentaren zu allem, was dem Liechtensteiner heilig ist, wäre wohl kaum möglich gewesen, wenn wir bei unserem Tun nicht von einer grossen Zahl an Freunden und Gutgesinnten getragen worden wären, die uns zum Teil tatkräftig, zum Teil durch ihre blosse Präsenz an den Aufführungen oder dann durch ein wohlwollendes Agieren im „Hintergrund“ unterstützten. Manche von ihnen begleiteten uns die vollen zwölf Jahre hindurch, andere kamen später dazu, andere verliessen uns wieder nach einer Weile. Ihnen allen sei an dieser Stelle ganz herzlichst gedankt. Es hat richtig Spass gemacht, für Euch zu spielen!

Speziell herauszuheben sind: An erster Stelle sicherlich unsere treuen Gattinnen, deren Job über die Jahre sicherlich kein einfacher war. Dann unsere stolzen Mütter Lore und Oliva. Dann Regina, sozusagen der „vierte Beatle“, die zu fast allen Programmen die Flyer, Plakate und T-Shirts gestaltete. Uve und Gerlinde. Der Kulturbeirat, der uns dann, wenn es notwendig war, unterstützte. Die Gemeinde Vaduz, auf die wir uns ebenfalls immer verlassen konnten. Alfred Lampert vom Druckzentrum Lampert, der während vieler Jahre ein zuverlässiger Partner war. Dr. Peter Sprenger, der uns von allem Anfang an half, wo er konnte. Das Frohsinn-Team 94-96, allen voran Christel und

Fredi. Jösi Büchel. Die Freie Liste. Dr Schriiner Thomas Meier. Baschi. Frank Schwarz. Das TAK-Technik-Team. Adele und Dagmar. Marcel Telser. Gerolf Hauser. Rolf, Mario und Clemens von den „Original Fidelen HooLiGans". Helbling Mode Buchs. Georg Sele. Dagmar Vehar. Filipp und Madlen. Peter Eggenberger. Lubosch vom keller 62. Poldi. Silvia. Hansjörg. Sowie ein ganz besonderes Dankeschön an Markus und Guido sowie an das gesamte Schlösslekeller-Team.

Zum Dialekt

Die Schreibweise des Dialekts folgt dem Prinzip: Schreib wie du sprichst. Sie orientiert sich daher an der Sprechweise der Akteure. Wobei es sich einerseits um Marcos Triesenbergerisch (Höchstalemannische Walsermundart) handelt, andererseits um ein abgeschliffenes Vaduznerisch (Niederalemannisch), so wie es heutzutage in der Generation unter 50 verbreitet ist und an dem Dialektpuristen sicherlich keine Freude haben werden. Die weiteren Dialekte sind plumpe Versuche, sich über die Sprachen unserer ausländischen Mitbürger lustig zu machen. Letztlich ging es dem LiGa aber darum, den Ton zu treffen und nicht den Dialekt.

Selbstverständlich wurde versucht, innerhalb der Dialekte eine einheitliche Schreibung zu erreichen. Es gibt aber immer wieder Fälle, in denen einmal so und einmal so geschrieben wurde. Am häufigsten betrifft dies wohl die Vokallängen. Ebenso kommt es vor, dass zugunsten der Lesefreundlichkeit die schriftsprachliche Schreibweise beibehalten wurde (z.B. bei Fremdwörtern). Es bleibt zukünftigen Philologinnen und Philologen überlassen, die unterschiedlichen Schreibweisen zu untersuchen. Der Autor freut sich jedenfalls schon heute, nachlesen zu dürfen, wieso er einmal so geschrieben hat und ein andermal so. Und vor allem, was dies über sein Verhältnis zu Liechtenstein aussagt.

Ganz grundsätzlich gilt: Laut lesen!

Mathias Ospelt

geb. 1963, lebt nach Studium (Freiburg i.Ue. und Berlin) und Werkjahr (Glasgow) als Auftragsschreiber, Texter/Librettist, Literat, Kolumnist, Veranstalter (Liechtensteiner Literaturtage und Schlösslekeller) und Kabarettist (DAS LiGa) in Vaduz/FL. Sekretär des PEN Club Liechtenstein. Seit Ende der 1990er Jahre regelmässig volkskundliche und literarische Veröffentlichungen.